CYNNWYS

KU-153-697

CYFLWYNIAD

Pan gyhoeddwyd *Cwestiynau Bywyd* gyntaf, un deg chwech o flynyddoedd yn ôl, dim ond llond dwrn o gyrsiau Alffa oedd yn cael eu cynnal. Wrth i mi ysgrifennu'r nodyn hwn, mae 16 miliwn o bobl wedi dilyn y cwrs ar ei hyd mewn 163 gwlad o amgylch y byd.

Mae llawer o hyn o ganlyniad i ymroddiad, hyblygrwydd a gwaith caled eithriadol Nicky Gumbel, ond ef fyddai'r cyntaf i ddweud bod ffactor allweddol arall yn rhan o hyn: mae'n ymddangos bod Ysbryd Duw wedi mabwysiadu'r cwrs hwn a'i yrru yn ei flaen.

Mae'r llyfr hwn, *Cwestiynau Bywyd*, wedi bod yn rhan ganolog o'r holl ffenomen. Gan mai dyma'r cwrs Alffa ar ffurf llyfr, y mae wedi cyrraedd brig siartiau'r llyfrau drwy'r byd, a thrwyddo mae cannoedd o filoedd o bobl wedi cael eu cyflwyno i Iesu Grist am y tro cyntaf.

Yn y llyfr, mae Nicky yn cynnig rhai atebion i'r awydd a'r gobaith cynyddol ym mhob calon ddynol fod ateb cyfoes ar gael, rywle, rywsut, i'r cwestiwn oesol, 'Beth yw gwirionedd a sut allwn ni ei ganfod?'

Mae *Cwestiynau Bywyd* yn dal i fod yn gyflwyniad sympathetig, cyfareddol a hynod ddarllenadwy i Iesu Grist – yr unigolyn mwyaf deniadol a hudolus y mae'n bosibl ei adnabod. Mae dull deallus, gwybodus Nicky Gumbel, sy'n seiliedig ar lawer o ymchwil, yn sicrhau bod chwilio am Wirionedd yn rhoi ein meddyliau yn ogystal â'n calonnau yn gyfan gwbl ar waith.

Heb unrhyw amheuaeth, yr wyf yn parhau i argymell y llyfr darllenadwy a phwysig hwn.

Sandy Millar

RHAGAIR

Heddiw, mae diddordeb newydd yn y ffydd Gristnogol, ac yn fwy penodol, ym mherson Iesu. Dros ddwy fil o flynyddoedd ers ei eni, mae ganddo fwy na dau biliwn o ddilynwyr. Bydd Cristnogion bob amser yn cael eu cyfareddu gan sylfaenydd eu ffydd ac Arglwydd eu bywydau. Ond yn awr, mae adfywiad yn y diddordeb gan rai nad ydyn nhw'n mynychu addoldy.

Mae nifer yn gofyn cwestiynau am Iesu. Ai dim ond dyn oedd Iesu, ynteu ai ef yw Mab Duw? Os ydyw, beth yw goblygiadau hyn ar ein bywydau o ddydd i ddydd?

Mae'r llyfr hwn yn ceisio ateb rhai o'r cwestiynau allweddol sy'n rhan ganolog o'r ffydd Gristnogol. Mae'n seiliedig ar y cwrs Alffa, sydd wedi ei lunio ar gyfer rhai nad ydyn nhw'n mynychu addoldy, y rhai sy'n ceisio canfod rhagor am Gristnogaeth, a'r rhai sydd wedi dechrau arddel ffydd yn Iesu Grist yn ddiweddar. Rydym wedi gwylio gyda syndod wrth i Alffa ledaenu i dros 50,000 o gyrsiau ledled y byd. Mae miliynau o ddynion a merched o bob oedran sydd wedi dechrau cymryd rhan yn y cwrs, ac sy'n llawn cwestiynau am Gristnogaeth, wedi canfod Duw fel eu Tad, Iesu Grist fel eu Gwaredwr a'u Harglwydd, a'r Ysbryd Glân fel yr un sy'n dod i fyw o'u mewn.

Hoffwn ddiolch i bawb sydd wedi darllen y llawysgrif a chynnig beirniadaeth adeiladol ar ei chynnwys, ac i Cressida Inglis-Jones, a deipiodd y llawysgrif wreiddiol a bron y cyfan o'r diwygiadau, a hynny'n gyflym, yn effeithlon ac yn amyneddgar.

Nicky Gumbel

A OES MWY I FYWYD NA HYN?

"Y byd ynteu dim byd heddiw, Gerald?"

Am nifer o flynyddoedd roedd gen i dri gwrthwynebiad i'r ffydd Gristnogol. Yn gyntaf, roeddwn yn meddwl bod y ffydd yn ddiflas. Roeddwn i'n mynd i'r capel yn yr ysgol ac roedd y profiad yn undonog. Roeddwn i'n cydymdeimlo â'r nofelydd Robert Louis Stevenson, a ysgrifennodd yn ei ddyddiadur un tro, 'Fe fues i yn yr eglwys heddiw, ac nid ydw i'n teimlo'n ddigalon', fel pe bai'n cofnodi ffenomen eithriadol. Yr argraff roeddwn i'n ei chael o'r ffydd Gristnogol oedd ei bod yn ddigysur ac nad oedd hi'n cynnig ysbrydoliaeth.

Yn ail, roedd hi'n ymddangos yn anwir i mi. Roedd gen i wrthwynebiadau deallusol i'r ffydd Gristnogol, ac roeddwn yn disgrifio fy hunan fel anffyddiwr. Yn wir, roeddwn i braidd yn rhodresgar ac yn galw fy hunan yn benderfyniedydd rhesymegol. Pan oeddwn yn bedair ar ddeg oed, ysgrifennais draethawd yn fy ngwersi Addysg Grefyddol a cheisiais ddinistrio Cristnogaeth gyfan, a phrofi nad oedd Duw yn bod. Er syndod i mi, cafodd ei gyflwyno ar gyfer gwobr! Cefais ddadleuon tanbaid gyda rhai oedd yn pledio achos y ffydd Gristnogol, ac roeddwn yn eithaf hoff o ddadlau gyda Christnogion, gan feddwl bob tro fy mod wedi cael buddugoliaeth fawr.

Yn drydydd, roeddwn yn meddwl fod Cristnogaeth yn amherthnasol i'm bywyd. Nid oeddwn yn gallu gweld sut roedd rhywbeth a ddigwyddodd ddwy fil o flynyddoedd yn ôl a dwy fil o filltiroedd draw yn y Dwyrain Canol yn gallu bod yn berthnasol mewn unrhyw ffordd i fy mywyd heddiw. Yn yr ysgol, roeddem yn aml yn canu'r emyn Saesneg poblogaidd hwnnw 'Jerusalem', sy'n cynnwys y geiriau, 'And did those feet in ancient time walk upon England's mountains green?' Roedd pawb ohonom yn gwybod mai'r ateb oedd 'Na, wnaethon nhw ddim.' Ni ddaeth Iesu yn agos at Brydain!

O edrych yn ôl, rydw i'n sylweddoli mai fy mai i yn rhannol oedd hyn, gan nad oeddwn i byth yn gwrando o ddifrif, ac felly nid oeddwn yn gwybod llawer am y ffydd Gristnogol. Mae nifer o bobl heddiw nad ydyn nhw'n gwybod llawer am Iesu Grist, na'r hyn a wnaeth, nac unrhyw beth arall ynghylch Cristnogaeth.

Fe wnaeth un caplan ysbyty restr o rai o'r ymatebion a gafodd pan holodd 'a fyddech chi'n dymuno cael Cymun Bendigaid?' Dyma rai o'r atebion:

'Dim diolch, eglwyswr ydw i.'

'Dim diolch, creision ŷd oeddwn i eisiau.'

'Dim diolch, dydw i ddim wedi cael fy enwaedu erioed.' [1]

Roeddwn i nid yn unig yn anwybodus am y ffydd Gristnogol, ond o edrych yn ôl, fy nheimlad oedd bod rhywbeth ar goll.

Yn ei lyfr *The Audacity of Hope*, mae'r Arlywydd Barack Obama, wrth sôn am ei dröedigaeth yntau i Gristnogaeth, yn ysgrifennu am y newyn sydd ym mhob calon ddynol:

Bob dydd, mae'n ymddangos, mae miloedd o Americanwyr yn dilyn yr un patrwm dyddiol – mynd â'r plant i'r ysgol, gyrru i'r swyddfa, hedfan i gyfarfod busnes, siopa yn y ganolfan siopa, ceisio cadw at eu diet – a sylweddoli fod rhywbeth ar goll. Maen nhw'n penderfynu nad yw eu gwaith, eu heiddo, eu difyrrwch, eu prysurdeb eithriadol yn ddigon. Mae nhw eisiau synnwyr o ddiben, strwythur a naratif i'w bywydau, rhywbeth a fydd yn lliniaru unigrwydd cronig neu'n eu codi uwchlaw patrwm llafurus, diarbed bywyd o ddydd i ddydd. Mae angen sicrwydd arnynt fod rhywun allan yno yn malio amdanynt, yn gwrando arnynt — nad yw eu tynged yn ddim mwy na theithio i lawr y lôn hir at ddim byd. [2]

Cafodd dynion a merched eu creu i fyw mewn perthynas â Duw. Heb y berthynas honno, parhau fydd y newynu, y gwacter, y teimlad fod rhywbeth ar goll. Ysgrifennodd Bernard Levin, a oedd o bosibl yn golofnydd gorau ei genhedlaeth, erthygl dan y teitl 'Pos mawr bywyd, a dim amser i ganfod ei ystyr'. Yn yr erthygl, dywedodd ei fod yn ofni y gallai fod wedi 'gwastraffu realiti wrth ddilyn breuddwyd' er gwaethaf ei lwyddiant mawr.

Gan siarad yn blaen, oes gen i amser i ddarganfod pam y cefais fy ngeni cyn i mi farw? ... Nid wyf wedi gallu ateb y cwestiwn hwnnw eto, a waeth faint o flynyddoedd sydd gen i ar ôl i fyw, mae hynny'n sicr yn llai na faint rydw i wedi ei fyw'n barod. Mae perygl amlwg wrth adael pethau'n rhy hwyr ... pam fod yn rhaid i mi wybod pam y cefais fy ngeni? Gan nad ydw i'n gallu credu mai damwain oedd hynny, wrth gwrs; ac os nad damwain oedd hynny, mae'n rhaid bod ystyr i'm genedigaeth.[3]

Nid oedd yn ddyn crefyddol, ac un tro ysgrifennodd, 'Am yr un deg pedwar milfed tro, nid ydw i'n Gristion.' Ac eto roedd yn ymddangos ei fod yn ymwybodol iawn o natur annigonol yr atebion i ystyr bywyd. Rai blynyddoedd cyn hynny, ysgrifennodd:

Mae gwledydd fel ein rhai ni yn llawn o bobl sydd â'r holl gysuron materol y mae nhw'n dymuno eu cael, ynghyd â bendithion nad ydyn nhw'n faterol, fel teulu hapus, ac eto maen nhw'n byw bywydau gorffwyll, tawel (a swnllyd, ar brydiau), gan ddeall dim ac eithrio'r ffaith bod gwacter y tu mewn iddyn nhw, a waeth faint o fwyd a diod y mae nhw'n ei dywallt iddo, waeth faint o geir a setiau teledu, mae nhw'n eu cael i geisio ei lenwi, waeth faint o blant cytbwys a ffrindiau ffyddlon sydd ganddyn nhw o'u hamgylch ... mae'r gwacter yn boen. [4]

Dywedodd Iesu Grist, 'Myfi yw'r ffordd a'r gwirionedd a'r bywyd'. (Ioan 14:6). Roedd goblygiadau ei honiad mor drawiadol yn y ganrif gyntaf ag ydyn nhw yn yr unfed ganrif ar hugain.   Felly, beth yw ein hymateb i'r datganiad hwn?

Cyfeiriad i fyd colledig

Yn gyntaf, dywedodd Iesu, 'Myfi yw'r ffordd.' Pan oedd eu plant yn iau, roedd gan ffrindiau i mi ferch o Sweden yn gwarchod eu plant. Roedd yn cael anhawster wrth geisio dysgu iaith newydd, ac nid oedd wedi meistroli idiomau'r iaith. Ar un achlysur, roedd y plant yn ffraeo yn eu hystafell wely. Brysiodd y ferch i fyny'r grisiau, ac roedd wedi bwriadu gofyn 'beth ar y ddaear ydych chi'n ei wneud?' Yr hyn a ofynnodd oedd 'beth ydych chi'n ei wneud ar y ddaear?' Mae hwn yn gwestiwn da iawn, 'Beth ydym yn ei wneud ar y ddaear?'

Ysgrifennodd Leo Tolstoy, awdur *War and Peace* ac *Anna Karenina*, lyfr o'r enw *A Confession* yn 1879, ac ynddo adroddodd hanes ei ymchwil am ystyr a diben bywyd. Roedd wedi gwrthod Cristnogaeth pan oedd yn blentyn. Pan adawodd y brifysgol, ceisiodd gael cymaint â phosibl o bleser yn ei fywyd. Ymdaflodd i fywyd cymdeithasol Moscow a St Petersburg, gan yfed yn drwm, cysgu gyda sawl partner, hapchwarae a byw digon gwyllt. Ond gwelodd nad oedd hyn yn ei fodloni.

Yna, daeth gwneud arian yn uchelgais iddo. Roedd wedi etifeddu ystâd a gwnaeth lawer o arian yn sgil ei lyfrau. Ac eto, nid oedd hyn yn ei fodloni, chwaith. Ceisiodd gael llwyddiant, enwogrwydd a phwysigrwydd. Cafodd y rhain, hefyd. Ysgrifennodd yr hyn y mae'r *Encyclopaedia Britannica* yn ei ddisgrifio fel un o'r ddwy neu dair nofel orau holl lenyddiaeth y byd. Ond roedd yn dal i holi ei hun, 'Iawn ... ond beth nesaf?', ac nid oedd ganddo ateb i'r cwestiwn.

Yna daeth teulu yn uchelgais iddo – rhoi'r bywyd gorau posibl iddynt. Priododd yn 1862 a chafodd wraig garedig, gariadus ac un deg tri o blant (a dywedodd eu bod wedi tynnu ei sylw pan oedd yn meddwl am chwilio am ystyr cyffredinol bywyd!). Roedd wedi cyflawni ei holl uchelgeisiau, ac roedd yn ymddangos ei fod yn fodlon â phopeth oedd o'i amgylch. Ac eto, daeth un cwestiwn ag ef yn agos at ladd ei hun, sef: 'A oes unrhyw ystyr i'm bywyd na fydd yn cael ei ddifodi gan y ffaith anochel y byddaf yn marw?'

Chwiliodd am yr ateb ym mhob maes gwyddonol ac athronyddol. Yr unig ateb y gallai ei ganfod i'r cwestiwn 'Pam fy mod i'n byw?' oedd bod 'gronynnau bychan yn newid gyda chymhlethdod di-ben-draw yn anfeidredd gofod ac anfeidredd amser'. Gan nad oedd yr ateb hwnnw'n ei fodloni rhyw lawer, edrychodd ar ei gyfoedion a gweld bod nifer ohonynt yn osgoi'r mater. Yn y pen draw, daeth o hyd i'r ateb yr oedd wedi bod yn chwilio amdano ymysg pobl gyffredin Rwsia: eu ffydd yn Iesu Grist. Ar ôl ei dröedigaeth, ysgrifennodd ei fod wedi cael ei 'dywys gan brofiadau, mewn ffordd nad oedd modd dianc rhagddi, i gredu mai dim ond ... ffydd sy'n rhoi ystyr i fywyd'. [5]

Dros ganrif yn ddiweddarach, nid oes unrhyw beth wedi newid. Ysgrifennodd Freddie Mercury, prif ganwr y grŵp roc Queen a fu farw ar ddiwedd 1991, y llinell hon yn un o'i ganeuon olaf ar yr albwm *The Miracle*, 'Does anybody know what we are living for?' Er gwaetha'r ffaith ei fod wedi ennill ffortiwn iddo'i hun ac wedi denu miloedd o gefnogwyr, fe gyfaddefodd mewn cyfweliad ychydig cyn iddo farw ei fod yn eithriadol o unig. Dywedodd, 'Gallwch fod â phopeth yn y byd yn eich meddiant, a bod y dyn mwyaf unig yr un pryd, a dyna'r math mwyaf chwerw o unigrwydd. Mae llwyddiant wedi golygu fod pobl o amgylch y byd wedi gwirioni arnaf, ac wedi dod â miliynau o bunnoedd i mi, ond mae hynny wedi fy rhwystro rhag cael yr un peth y mae pawb ohonom ei angen – perthynas gariadus, barhaus.'

Roedd Freddie Mercury yn llygad ei le pan soniodd mai'r un peth y mae pawb ohonom ei angen yw 'perthynas barhaus'. Yn y pen draw, dim ond un berthynas sy'n gyfan gwbl gariadus ac yn barhaus: perthynas gyda Duw. Dywedodd Iesu, 'Myfi yw'r ffordd.' Ef yw'r unig un sy'n gallu dod â ni i'r berthynas honno sy'n parhau hyd dragwyddoldeb gyda Duw.

Pan oeddwn yn blentyn, roedd gan ein teulu ni hen set deledu ddu a gwyn. Nid oeddem byth yn gallu cael llun da iawn arni. Ar un achlysur, yn ystod gêm derfynol Cwpan y Byd yn 1966, yn union fel yr oedd Lloegr ar fin sgorio gôl, aeth y sgrin yn rhyfedd, gyda llinellau ar ei hyd. Roeddem yn reit fodlon gyda hynny gan nad oedd gennym brofiad o unrhyw beth gwell. Fe wnaethom geisio gwella ansawdd y llun drwy sefyll ar rannau penodol o'r llawr yn ymyl y teledu. Yna fe wnaethom sylweddoli mai'r hyn oedd y teledu ei angen oedd erial y tu allan i'r tŷ! Yn sydyn roedd modd i ni gael lluniau clir a phendant. Cafodd ein mwynhad ei drawsnewid. Mae bywyd heb berthynas ag Iesu Grist fel teledu heb yr erial. Mae rhai pobl yn ymddangos yn eithaf hapus, oherwydd nad ydyn nhw'n sylweddoli bod rhywbeth gwell i'w gael. Unwaith y byddwn wedi cael perthynas â Duw, mae diben ac ystyr bywyd yn dod yn gliriach. Rydym yn gweld pethau nad ydym wedi eu gweld o'r blaen ac rydym yn deall pam y cawsom ein creu.

Realiti mewn byd dryslyd

Yn ail, dywedodd Iesu, 'Myfi yw'r gwirionedd.' Weithiau mae pobl yn dweud, 'Nid oes ots beth yr ydych yn ei gredu, dim ond eich bod yn ddidwyll.' Ond mae'n bosibl bod yn ddidwyll ac anghywir. Roedd Adolf Hitler felly. Fe wnaeth ei gredoau ddinistrio bywydau miliynau o bobl. Roedd yr Yorkshire Ripper yn credu ei fod yn gwneud ewyllys Duw pan laddodd buteiniaid. Roedd yntau'n ddidwyll ond anghywir. Roedd ei gredoau yn effeithio ar ei ymddygiad. Mae'r rhain yn enghreifftiau eithafol, ond maent yn gwneud y pwynt bod yr hyn rydym yn ei gredu yn bwysig iawn, oherwydd bydd yr hyn rydym yn ei gredu yn llywio'r modd yr ydym yn byw.

Gallai pobl eraill ymateb i Gristion trwy ddweud, 'Mae'n iawn i chi, ond nid dyna fy newis i.' Nid yw'r safbwynt hwnnw'n rhesymol. Os yw Cristnogaeth yn wir, mae'n hanfodol bwysig i bob un ohonom. Os nad yw'n wir, nid yw'n 'iawn i ni' – byddai'n drist iawn, ac yn golygu bod Cristnogion yn cael eu twyllo. Fel y dywedodd yr awdur a'r ysgolhaig C. S. Lewis, 'Mae Cristnogaeth yn ddatganiad, ac os yw'n anwir, nid yw'n bwysig o gwbl, ond os yw'n wir, mae'n anfeidrol bwysig. Yr un peth na all fod yw "cymharol" bwysig.' [6]

A yw hyn yn wir? A oes unrhyw dystiolaeth i gefnogi honiad Iesu mai ef yw'r 'gwirionedd'? Dyma rai o'r cwestiynau y byddwn yn rhoi sylw iddynt yn ddiweddarach yn y llyfr. Echel Cristnogaeth yw atgyfodiad Iesu Grist o farw'n fyw, ac ynghylch hynny, ceir digon o dystiolaeth, fel y gwelwn yn y bennod nesaf.

Nid wyf yn meddwl fy mod erioed wedi sylweddoli i ba raddau y mae cwrs hanes wedi cael ei lywio gan bobl a oedd yn credu o ddifrif mai Iesu oedd 'y gwirionedd'. Roedd yr Arglwydd Denning, sy'n cael ei gydnabod yn eang yn un o feddylwyr cyfreithiol gorau'r ugeinfed ganrif, yn Llywydd Brawdoliaeth y Cyfreithwyr Cristnogol am yn agos i ddeugain mlynedd. Roedd wedi cymhwyso ei allu dadansoddol anhygoel i'r dystiolaeth hanesyddol am eni, marwolaeth ac atgyfodiad Iesu, ac wedi dod i'r casgliad fod Cristnogaeth yn wir.

Nid oeddwn wedi gwerthfawrogi, chwaith, fod rhai o athronyddion mwyaf soffistigedig y Gorllewin erioed – Aquinas, Descartes, Locke, Pascal, Leibniz, Kant – i gyd wedi ymrwymo i Gristnogaeth. Yn wir, mae dau o'r athronwyr mwyaf dylanwadol sy'n fyw heddiw, Charles Taylor ac Alasdair MacIntyre, wedi adeiladu cyfran helaeth o'u gwaith ar ymrwymiad dwfn i Iesu Grist.

Nid oeddwn chwaith wedi sylweddoli faint o arloeswyr gwyddoniaeth fodern oedd yn credu yng Nghrist: Galileo, Copernicus, Kepler, Newton, Mendel, Pasteur a Maxwell. Mae hyn yn dal yn wir am wyddonwyr blaenllaw heddiw. Fe wnaeth Francis Collins, cyfarwyddwr y Prosiect Genomau Dynol ac un o'r genetegwyr uchaf ei barch yn y byd, sôn am daith gerdded yn y mynyddoedd pryd y rhyfeddodd at harddwch y greadigaeth. 'Penliniais ar y glaswellt gwlithog' meddai, 'wrth i'r haul godi ac ildio i Iesu Grist.' [7]

Mae'r geiriau hyn yn amlygu'r ffaith fod Iesu'n golygu mwy na dim ond gwirionedd deallusol pan ddywedodd 'Myfi yw'r gwirionedd'. Mae'n golygu adnabyddiaeth bersonol o rywun sy'n ymgorffori'r gwirionedd hwnnw'n llawn. Dealltwriaeth yr Hebreaid o'r gwirionedd yw ei fod yn realiti sy'n cael ei brofi. Mae'n cynrychioli'r gwahaniaeth rhwng gwybod rhywbeth yn eich pen a gwybod rhywbeth yn eich calon.

Dychmygwch fy mod i wedi darllen llyfr am fy ngwraig Pippa cyn i mi ei chyfarfod. Yna, ar ôl gorffen darllen y llyfr, gallwn feddwl 'Mae hi'n swnio fel dynes anhygoel. Dyma'r un rydw i eisiau ei phriodi.'

Byddai gwahaniaeth mawr yng nghyflwr fy meddwl bryd hynny – wedi fy narbwyllo yn ddeallusol ei bod hi'n rhywun rhyfeddol – a chyflwr fy meddwl yn awr ar ôl profiadau sawl blwyddyn o briodas, sy'n sail i mi allu dweud, 'Rydw i'n gwybod ei bod hi'n rhywun rhyfeddol.' Pan fydd Cristion yn dweud 'rydw i'n gwybod mai Iesu yw'r gwirionedd' o ran ei ffydd, nid yn unig mae'n golygu ei fod yn gwybod yn ddeallusol mai ef yw'r gwirionedd, ond ei fod wedi cael profiad o Iesu fel y gwirionedd.

Bywyd mewn byd tywyll

Yn drydydd, dywedodd Iesu 'Myfi yw'r bywyd.' Y safbwynt Cristnogol yw bod pobl yn cael eu creu ar ddelw Duw. O ganlyniad, mae rhywbeth urddasol yn perthyn i bob bod dynol. Mae'r gred hon wedi symbylu sawl diwygiwr cymdeithasol mawr, o William Wilberforce i Martin Luther King Jr a Desmond Tutu. Ond mae ochr arall i'r geiniog, hefyd.

Fe wnaeth Alexander Solzhenitsyn, awdur o Rwsia a enillodd Wobr Nobel am Lenyddiaeth, droi at Gristnogaeth pan oedd yn alltud o'r Undeb Sofietaidd, a dywedodd 'Nid yw'r llinell sy'n gwahanu da a drwg yn rhedeg trwy daleithiau, na thrwy ddosbarthau, na rhwng pleidiau gwleidyddol . . . ond yn syth drwy bob calon ddynol a thrwy'r holl galonnau dynol.' [8]

Roeddwn i'n arfer meddwl fy mod i'n rhywun 'da' – gan nad oeddwn yn dwyn o fanciau nac yn cyflawni troseddau difrifol eraill. Dim ond pan ddechreuais weld fy mywyd ochr yn ochr â bywyd Iesu Grist y gwnes i sylweddoli cymaint oedd o'i le.

Mae pawb ohonom angen maddeuant, a dim ond yng Nghrist y gellir ei ganfod. Fe wnaeth y ddyneiddwraig Marghanita Laski gyffes ryfeddol yn ystod trafodaeth gyda Christion ar y teledu. Dywedodd 'Yr hyn sy'n fy ngwneud i'n eiddigeddus o Gristnogion yw eich maddeuant.' Yna, ychwanegodd sylw arall braidd yn hiraethus, 'Nid oes gen i unrhyw un i faddau i mi.' [9]

Yr hyn wnaeth Iesu pan gafodd ei groeshoelio drosom oedd talu'r pris am yr holl bethau rydym wedi eu gwneud o'i le. Fe wnawn ni edrych yn fanylach ar y pwnc hwn ym Mhennod 3. Fe wnawn ni weld ei fod ef wedi marw i gael gwared ar ein heuogrwydd a'n rhyddhau o gaethiwed, ofn a marwolaeth.

Fe wnaeth Iesu nid yn unig farw drosom ni, ond fe gododd o farw'n fyw drosom ni. Trwy'r weithred hon fe drechodd farwolaeth. Daeth Iesu i ddod â 'bywyd tragwyddol' i ni. Mae bywyd tragwyddol yn ansawdd bywyd sy'n dod drwy fyw mewn perthynas â Duw (Ioan 17:3). Ni wnaeth Iesu addo bywyd rhwydd i unrhyw un, ond fe wnaeth addo bywyd yn ei holl gyflawnder (Ioan 10:10).

Fe gafodd y cerddor roc profiadol Alice Cooper ei gyfweld gan The Sunday Times unwaith, a byrdwn y pennawd oedd: 'mae gan Alice Cooper gyfrinach dywyll – mae'r rociwr 53 oed yn Gristion.' Yn y cyfweliad, disgrifiodd ei dröedigaeth at Gristnogaeth. 'Ni fu'n hawdd cyfuno crefydd a roc. Dyma'r peth mwyaf gwrthryfelgar rydw i wedi ei wneud erioed. Mae yfed cwrw yn hawdd. Mae gwneud llanast yn eich ystafell mewn gwesty yn hawdd. Ond mae bod yn Gristion yn anodd. Dyna beth yw gwrthryfela o ddifrif.' [10]

Disgrifiodd y diwinydd a'r athronydd Paul Tillich y cyflwr dynol fel un sydd bob amser yn cynnwys tri ofn: ofn euogrwydd, ofn diffyg ystyr, ac ofn marwolaeth. Mae Iesu Grist yn cwrdd â phob un o'r ofnau hynny'n llawn, gan mai ef yw'r 'ffordd a'r gwirionedd a'r bywyd'. [11]

"... ac ofn bywyd heb siocled"

PWY YW IESU?

Nid oedd gennyf unrhyw ddiddordeb mewn Cristnogaeth am gryn amser. Iddew seciwlar oedd fy nhad, ac ni fyddai fy mam yn mynd i'r eglwys yn aml. Roeddwn yn anffyddiwr ambell dro, ac yn agnostig dro arall, yn ansicr iawn beth yr oeddwn yn ei gredu. Roeddwn wedi astudio'r Beibl mewn gwersi crefydd yn yr ysgol, ond gwrthodais y cyfan a dadlau yn erbyn y ffydd Gristnogol. Ar noson San Ffolant 1974, fe heriwyd fy argyhoeddiadau gan fy ffrind agosaf, Nicky Lee. Newydd ddod adref o barti oeddwn i, pan ymddangosodd Nicky a'i gariad, a dweud eu bod nhw newydd ddod yn Gristnogion. Roeddwn wedi dychryn am fy mywyd! Yn ystod fy mlwyddyn i ffwrdd rhwng ysgol a phrifysgol roeddwn wedi dod ar draws Cristnogion, ac roeddwn i'n ddrwgdybus iawn ohonyn nhw, yn enwedig eu tuedd i wenu o hyd.

Gwyddwn fod yn rhaid i mi helpu fy ffrindiau. Felly fe benderfynais ymchwilio'n drwyadl i'r pwnc. Roedd copi braidd yn llychlyd o'r Beibl yn digwydd bod gennyf ar fy silff, a'r noson honno fe'i cymerais a dechrau ei ddarllen. Darllenais efengyl Mathew, Marc a Luc ar eu hyd, a hanner efengyl Ioan. Syrthiais i gysgu. Pan ddeffrais, gorffennais efengyl Ioan, yna fe wnes i barhau i ddarllen Actau, Rhufeiniaid, ac 1 a 2 Corinthiaid. Roedd yr hyn a ddarllenais wedi cychwyn gafael ynof. O'r blaen nid oedd y Beibl wedi golygu dim i mi. Ond y tro yma, daeth yn fyw, ac ni allwn ei roi i lawr. Roedd yna dinc o wirionedd yn perthyn iddo. Roeddwn yn gwybod wrth ei ddarllen fod angen i mi ymateb oherwydd ei fod yn siarad â mi mewn ffordd mor nerthol. Yn fuan iawn wedi hynny, fe wnes i roi fy ffydd yn Iesu Grist.

Sut bynnag, treuliais yn agos at ddeng mlynedd wedyn yn astudio'r gyfraith ac yn ymarfer fel bargyfreithiwr – felly mae tystiolaeth yn bwysig iawn i mi. Byddai cymryd naid o ffydd ddall wedi bod yn amhosibl, ond roeddwn yn fodlon cymryd cam o ffydd wedi'i seilio ar dystiolaeth hanesyddol gadarn. Yn y bennod hon, rydw i am archwilio peth o'r dystiolaeth hanesyddol hon.

Rydw i ar ddeall fod un gwyddoniadur Rwseg o gyfnod y comiwnyddion yn disgrifio Iesu fel "ffigwr mytholegol nad oedd erioed yn bodoli". Ni fyddai unrhyw hanesydd gwirioneddol yn datgan hynny heddiw. Mae llawer iawn o dystiolaeth fod Iesu wedi bodoli. Mae'r dystiolaeth yn dod nid yn unig o'r efengylau a gweithiau Cristnogol eraill, ond hefyd o ffynonellau amrywiol. Er enghraifft, mae'r haneswyr Rhufeinig Tacitus a Suetonius ill dau'n ysgrifennu amdano. Mae'r hanesydd Iddewig, Josephus, a anwyd yn OC 37, yn disgrifio Iesu a'i ddilynwyr fel hyn:

> Yn y cyfnod hwn, roedd dyn doeth o'r enw Iesu, os yw'n gyfreithlon ei alw'n ddyn, oherwydd yr oedd yn gwneud gweithiau rhyfeddol – yn athro'r rhai oedd yn llawenhau wrth dderbyn y gwirionedd. Tynnodd ato'i hunan lawer o'r Iddewon, a llawer o'r rhai nad oeddent yn Iddewon.[12]

Felly ceir tystiolaeth y tu allan i'r Testament Newydd o blaid bodolaeth Iesu. Yn ogystal â hynny, mae'r dystiolaeth yn y Testament Newydd yn gadarn iawn. Weithiau mae pobl yn dweud, 'Cafodd y Testament Newydd ei ysgrifennu amser maith yn ôl. Sut ydym yn gwybod nad yw'r hyn a ysgrifennwyd wedi'i newid gydag amser?' Yr ateb i hynny yw ein bod yn gwybod, yn fanwl gywir, trwy waith beirniadaeth destunol, beth ysgrifennodd awduron y Testament Newydd. Yn y bôn, po leiaf y cyfnod rhwng dyddiad ysgrifennu'r llawysgrif a'r copi cynharaf sydd ar gael, po fwyaf o gopïau sydd gennym, a'r gorau yw ansawdd y testunau hyn, wedyn llai o amheuaeth sydd ynghylch y gwreiddiol.

Yn ei lyfr, *The New Testament Documents: Are They Reliable?* mae'r diweddar Athro F F Bruce (cyn athro Rylands mewn Beirniadaeth ac Esboniadaeth Feiblaidd ym Mhrifysgol Manceinion) yn dangos mor gyfoethog yw'r Testament Newydd o ran tystiolaeth y llawysgrifau wrth gymharu testunau'r Testament Newydd gyda gweithiau hanesyddol eraill.[1] Mae'r tabl isod yn crynhoi'r ffeithiau ac yn dangos cymaint o dystiolaeth sydd i'r Testament Newydd.

Mae F F Bruce yn nodi bod gennym rhyw naw neu ddeg o gopïau o *Ryfel Gâl*, gan Iwl Cesar, a bod y copi hynaf wedi'i ysgrifennu ryw 950 o flynyddoedd wedi cyfnod Cesar. Nid oes fwy nag ugain copi'n bod o

GWAITH	DYDDIAD	COPI CYNHARAF	CYFNOD	COPÏAU
Herodotus	CC 488–428	OC 900	1,300 o flynyddoedd	8
Thucydides	tua CC 460–400	tua OC 900	1,300 o flynyddoedd	8
Tacitus	OC 100	OC 1100	1,000 o flynyddoedd	20
Rhyfel Gâl, Iwl Cesar	CC 58–50	OC 900	950 o flynyddoedd	9–10
Hanes Rhufain, Lifi	CC 59 – OC 17	OC 900	900 o flynyddoedd	20
Testament Newydd	OC 40–100	OC 130	30–310 o flynyddoedd	5,000 +
		(llawysgrifau cyflawn OC 350)		(Groeg) 10,000 (Lladin) 9,300 (Eraill)

Hanes Rhufain gan Livius, ac mae'r cynharaf yn dyddio o tua OC 900, er nad oes yr un copi'n gyflawn. O'r pedwar llyfr ar ddeg gan Tacitus, dan y teitl Histories, dim ond ugain copi sydd wedi goroesi; o'r 16 llyfr o'i *Annals* sydd wedi goroesi, mae deg adran o'i ddau gampwaith hanesyddol yn dibynnu'n llwyr ar ddwy lawysgrif, un o'r nawfed ganrif, a'r llall o'r unfed ganrif ar ddeg. Mae hanes Thucydides yn hysbys bron yn gyfan gwbl o wyth llawysgrif sy'n dyddio o tua OC 900. Mae'r un peth yn wir am *Histories* gan Herodotus. Ond nid oes yr un ysgolhaig clasurol sy'n amau dilysrwydd y gweithiau hyn, er mor fawr yw'r bwlch amser ac er bod nifer y llawysgrifau sydd ar gael yn gymharol isel.

Wrth droi at y Testament Newydd, mae gennym gyfoeth o ddeunydd. Yn ôl pob tebyg, cafodd y Testament Newydd ei ysgrifennu rhwng OC 40 ac OC 100. Mae gennym lawysgrifau llawn o'r holl Destament Newydd mewn cyflwr gwych sy'n dyddio mor fuan ag OC 350 (cyfnod amser o 300 o flynyddoedd yn unig), papuri yn cynnwys y rhan fwyaf o ysgrifeniadau'r Testament Newydd yn dyddio o'r drydedd ganrif, a hyd yn oed darn o efengyl Ioan sydd wedi'i garbon-ddyddio gan wyddonwyr o gwmpas OC 125. Mae dros 5,000 o lawysgrifau yn yr iaith Roeg, dros 10,000 o lawysgrifau Lladin a 9,300 o lawysgrifau eraill, ynghyd â thros 36,000 o ddyfyniadau yn ysgrifeniadau Tadau'r Eglwys Fore. Fel y dywedodd F J A Hort, un o'r beirniaid testunol mwyaf a fu erioed, 'o ran amrywiaeth a llawnder y dystiolaeth sy'n sail iddo, fe saif testun y Testament Newydd yn llwyr ac yn hollol ar ei ben ei hun ymysg ysgrifeniadau rhyddiaith hynafol.'[2]

Mae F F Bruce yn crynhoi'r dystiolaeth drwy ddyfynnu Sir Frederic Kenyon, ysgolhaig blaenllaw yn y maes hwn:

Mae'r cyfnod rhwng y cyfansoddi gwreiddiol a'r dystiolaeth gynharaf sydd wedi goroesi mor fyr fel nad yw bron â bod o unrhyw arwyddocâd, ac mae'r sail olaf ar gyfer unrhyw amheuaeth fod yr Ysgrythurau sydd gennym heddiw yr hyn a ysgrifennwyd, wedi'i diddymu. Rhaid ystyried dilysrwydd ac integriti cyffredinol llyfrau'r Testament Newydd fel rhywbeth sydd wedi'i sefydlu'n derfynol.[3]

Rydym yn gwybod felly, o'r gwahanol fathau o dystiolaeth y tu allan i'r Testament Newydd, ac oddi mewn iddo, fod Iesu wedi bodoli.[3] Ond pwy yw Iesu? Clywais Martin Scorsese yn dweud ar y teledu mai ei fwriad wrth gynhyrchu'r ffilm *The Last Temptation of Christ* oedd dangos fod Iesu'n ddyn go iawn. Ond nid dyna'r hyn sy'n cael ei gwestiynu ar hyn o bryd. Ychydig iawn yw'r bobl fyddai heddiw'n amau fod Iesu'n ddyn go iawn. Roedd ganddo gorff dynol; roedd yn flinedig weithiau (Ioan 4:6) ac roedd arno eisiau bwyd (Mathew 4:2). Roedd ganddo emosiynau dynol; roedd yn gwybod beth oedd teimlo'n ddig (Marc 11:15-17), beth oedd caru (Marc 10:21) a thristáu (Ioan 11:35). Fe gafodd brofiadau dynol: cafodd ei fagu mewn teulu (Marc 6:3), roedd ganddo swydd (Marc 6:3), cafodd ei demtio (Marc 1:13) ac fe brofodd ddioddefaint a marwolaeth (Marc 15:15-40).

Yr hyn mae llawer o bobl yn ei ddweud heddiw yw mai *dim ond* unigolyn dynol oedd Iesu – ac athro crefyddol arbennig at hynny. Mae'r comedïwr Billy Connolly yn siarad dros lawer o bobl pan ddywedodd, 'Ni allaf gredu mewn Cristnogaeth, ond rwy'n credu fod Iesu'n unigolyn rhyfeddol'. Pa dystiolaeth sydd i awgrymu fod Iesu'n fwy na dyn oedd â dylanwad syfrdanol neu athro moeseg gwych? Yr ateb, fel y gwelwn, yw bod cryn dipyn o dystiolaeth. Mae'r dystiolaeth yn cefnogi'r honiad Cristnogol mai Iesu oedd ac yw unig Fab Duw, ail Berson y Drindod.

Beth ddywedodd amdano'i hun?

Mae rhai pobl yn dweud, 'Ni wnaeth Iesu honni erioed ei fod yn Dduw.' Mae'n wir nad oedd Iesu'n mynd o gwmpas yn dweud, 'Duw ydw i.' Eto i gyd, pan fyddwch yn edrych ar beth oedd yn ei ddysgu ac yn ei ddweud, nid oes amheuaeth fod Iesu'n ymwybodol o fod yn unigolyn a welai ei hun fel Duw.

Dysgeidiaeth amdano'i hun

Un o'r pethau sy'n rhyfeddol am Iesu yw'r ffaith fod cymaint o'i ddysgeidiaeth yn sôn amdano ef ei hunan. Mae'r rhan fwyaf o arweinwyr crefyddol yn tynnu sylw oddi arnynt eu hunain ac yn cyfeirio at Dduw, fel y byddem yn ei ddisgwyl. Trwy gyfeirio pobl at Dduw, fe gyfeiriodd Iesu, yr unigolyn mwyaf gostyngedig a gwylaidd a fu erioed, ato'i hunan. Dywedodd, i bob pwrpas, 'Os ydych eisiau cael perthynas gyda Duw, mae'n rhaid i chi ddod ataf fi' (Ioan 14:6). Trwy gael perthynas gydag ef rydym yn dod at Dduw.

Mae newyn mawr o fewn y galon ddynol. Mae tri seicolegydd blaenllaw o'r ugeinfed ganrif wedi cydnabod hyn. Dywedodd Freud, 'Mae pobl yn newynu am gariad.' Dywedodd Jung, 'Mae pobl yn newynu am sicrwydd.' Dywedodd Adler, 'Mae pobl yn newynu am ystyr ac arwyddocâd.' Dywedodd Iesu, 'Myfi yw bara'r bywyd' (Ioan 6:35). Mewn geiriau eraill, 'Os ydych am ddiwallu'ch newyn, dewch ataf fi.'

Mae bod yn ddibynnol ar rywbeth yn broblem fawr yn ein cymdeithas. Ac yntau'n siarad amdano'i hun, dywedodd Iesu, 'Felly, os yw'r Mab yn eich rhyddhau chi, byddwch yn rhydd mewn gwirionedd.' (Ioan 8:36).

Mae llawer o bobl yn dioddef o iselder, ac yn byw mewn dadrithiad ac mewn tywyllwch. Dywedodd Iesu, 'Fi yw goleuni'r byd. ..... Ni bydd neb sy'n fy nghanlyn i byth yn rhodio yn y tywyllwch, ond bydd ganddo oleuni'r bywyd.' (Ioan 8:12). I mi, pan ddes i'n Gristion, roedd fel petai'r golau'n sydyn wedi dod ymlaen, ac roeddwn yn gallu gweld pethau am y tro cyntaf.

Mae llawer o bobl yn ofni marwolaeth. Dywedodd gwraig wrthyf ei bod hi weithiau yn methu cysgu, a'i bod hi weithiau'n deffro ganol nos mewn chwys oer, yn ofni marwolaeth am nad oedd yn gwybod beth oedd am ddigwydd pan fyddai'n marw. Dywedodd Iesu, 'Myfi yw'r atgyfodiad a'r bywyd. Pwy bynnag sy'n credu ynof fi, er iddo farw, fe fydd byw; a phob un sy'n byw ac yn credu ynof fi, ni bydd marw byth' (Ioan 11:25 -26). Gofynnwyd i'r Fam Teresa ychydig amser cyn iddi farw, 'A ydych yn ofni marw?' Atebodd 'Sut y gallaf ofni? Mynd adref at Dduw yw marwolaeth. Dydw i erioed wedi bod ag ofn. Na. I'r gwrthwyneb, rwy'n edrych ymlaen ato'n fawr!'

Mae llawer o bobl yn llwythog gan ofid, pryder, ofn ac euogrwydd. Dywedodd Iesu, 'Dewch ataf fi, bawb sy'n flinedig ac yn llwythog, ac fe roddaf fi orffwystra i chwi' (Mathew 11:28). Mae llawer o bobl heddiw nad ydyn nhw'n siŵr sut i fyw eu bywydau, neu pwy y dylen nhw ei ddilyn. Gallaf gofio, cyn dod yn Gristion, pan fyddai rhywun yn creu argraff arnaf, byddwn am fod yn debyg iddynt. Ond cyn hir, byddwn am ddilyn rhywun arall, ac yna rhywun arall. Dywedodd Iesu, 'Dewch ar fy ôl i' (Marc 1:17).

Dywedodd fod ei dderbyn ef yn golygu derbyn Duw (Mathew 10:40), bod ei groesawu ef yn golygu croesawu Duw (Marc 9:37), a bod wedi ei weld ef yn golygu bod wedi gweld Duw (Ioan 14:9). Unwaith, tynnodd rhyw blentyn lun a gofynnodd ei fam beth oedd yn ei wneud. Dywedodd y plentyn 'Rwy'n gwneud llun o Dduw.' Dywedodd y fam, 'Paid â bod yn wirion. Elli di ddim tynnu llun Duw. Does neb yn gwybod sut un ydy Duw.' Atebodd y plentyn, 'Wel, byddan nhw'n gwybod erbyn i mi orffen y llun!' Dywedodd Iesu, i bob pwrpas, 'Os ydych chi am wybod sut un ydy Duw, edrychwch arnaf fi.'

Honiadau anuniongyrchol

Dywedodd Iesu nifer o bethau nad oeddent yn uniongyrchol yn dweud mai Duw oedd ef, ond eto i gyd maent yn dangos ei fod yn gweld ei hun yn yr un safle â Duw, fel y gwelwn o'r enghreifftiau sy'n dilyn.

Mae'r honiad fod Iesu'n gallu maddau pechodau'n gyfarwydd. Er enghraifft, dywedodd Iesu un tro wrth ddyn wedi'i barlysu 'Fy mab, maddeuwyd dy bechodau' (Marc 2:5). Ymateb yr arweinwyr crefyddol oedd, 'Pam mae'r dyn yma'n siarad fel hyn? Mae'n cablu! Pwy sy'n gallu maddau pechodau ond Duw ei hun?' Profodd Iesu fod ganddo awdurdod i faddau pechodau drwy iacháu'r dyn oedd wedi'i barlysu. Mae'r honiad hwn ei fod yn gallu maddau pechodau yn rhyfeddol.

Yn ei lyfr *Mere Christianity* mae C S Lewis yn egluro'r peth yn dda iawn:

> Mae un rhan o'i honiad yn dueddol o gael ei hanghofio gennym oherwydd ein bod ni wedi ei chlywed mor aml, fel nad ydym yn gweld beth yn union mae'n ei olygu. Yr honiad sydd gennyf mewn golwg yw'r honiad i faddau pechodau: unrhyw bechodau. Yn awr, os nad Duw yw'r un sy'n gwneud yr honiad, mae'r peth mor anhygoel fel ei fod yn chwerthinllyd. Gallwn ddeall sut y gall rhywun faddau pechodau yn ei erbyn ef ei hun. Rydych chi'n sefyll ar fysedd fy nhroed ac rydw i'n maddau i chi; rydych yn dwyn fy arian, ac rydw i'n maddau i chi. Ond beth a wnawn â rhywun, nad oes neb wedi sefyll ar fysedd ei draed na dwyn ei arian, sy'n cyhoeddi ei fod yn maddau i chi am sefyll ar fysedd traed eraill ac am ddwyn arian eraill? Twpdra llwyr fyddai'r disgrifiad mwyaf caredig o'r fath ymddygiad. Eto, dyma a wnaeth Iesu. Roedd yn dweud wrth bobl fod eu pechodau wedi'u maddau, heb oedi i ymgynghori â'r bobl oedd yn sicr wedi dioddef oherwydd eu pechodau. Roedd yn ymddwyn fel mai ef oedd yr un pwysig yn hyn i gyd, yr un oedd yn cael ei bechu yn ei erbyn. Nid yw hyn yn gwneud synnwyr os nad ef yw'r Duw y mae ei ddeddfau'n cael eu torri a'i gariad yn cael ei glwyfo gyda phob pechod. Yng ngenau unrhyw un arall nad Duw mohono, ni all y geiriau yma ond awgrymu twpdra a thraha na welwyd ei debyg gan neb arall mewn hanes.[4]

Honiad anghyffredin arall a wnaeth Iesu oedd dweud y byddai'n barnu'r byd un diwrnod (Mathew 25:31–32). Dywedodd y byddai'n dod yn ôl ac yn 'eistedd ar orsedd ei ogoniant' (adnod 31). Byddai pobl o bob cenedl yn dod ger ei fron. Byddai ef yn eu dedfrydu. I rai, byddai'n rhoi bywyd tragwyddol, ac etifeddiaeth a baratowyd ers cread y byd, ond i eraill, byddai'n eu cosbi trwy eu gwahanu oddi wrtho am byth.

Dywedodd Iesu y byddai ef yn penderfynu beth fyddai'n digwydd i bob un ohonom ar ddiwedd amser. Nid yn unig fe fyddai ef yn Farnwr ond ef hefyd fyddai sail y barnu. Bydd yr hyn sy'n digwydd i ni yn nydd y farn yn dibynnu ar sut yr ydym yn ymateb i Iesu yn y bywyd hwn (Mathew 25:40, 45).

Dychmygwch eich bod yn gweld rhywun yn gweiddi gyda megaffon

'Ar ddydd y farn, byddwch i gyd yn ymddangos ger fy mron i, a fi fydd yn penderfynu eich tynged dragwyddol. Bydd yr hyn sy'n digwydd i chi'n dibynnu ar sut y gwnaethoch fy nhrin, a sut rydych wedi trin fy nilynwyr.' Petai unigolyn dynol yn gwneud yr honiadau hyn, byddai'r peth yn chwerthinllyd. Yma eto, fe gawn honiad anuniongyrchol arall ei fod yn uniaethu ei hun â Duw Hollalluog.

Honiadau uniongyrchol

Pan gafodd Iesu ei holi, 'Ai ti yw'r Meseia, Mab y Bendigedig?' atebodd:

> 'Myfi yw ... ac fe welwch Fab y Dyn yn eistedd ar ddeheulaw'r Gallu ac yn dyfod gyda chymylau'r nef.' Yna, rhwygodd yr archoffeiriad ei ddillad a dweud, "Pa raid i ni wrth dystion bellach? Clywsoch ei gabledd: sut y barnwch chwi?'

Marc 14:61–64

Mae'n ymddangos yn ôl yr hanes hwn fod Iesu wedi'i gondemnio i farwolaeth am ddweud y pethau hyn amdano'i hun. I'r Iddewon, cabledd oedd honni eich bod yn Dduw, ac roedd cablu'n drosedd a haeddai farwolaeth.

Un tro, pan gasglodd yr Iddewon gerrig i labyddio Iesu, gofynnodd, 'Pam ydych chi'n fy llabyddio?' Atebodd yr Iddewon eu bod yn ei labyddio oherwydd cabledd, 'oherwydd dy fod ti, a thithau'n ddyn, *yn dy wneud dy hun yn Dduw*' (Ioan 10:33, fy mhwyslais i). Roedd ei elynion yn amlwg yn credu mai dyma'n union yr oedd Iesu'n ei ddweud.

Pan benliniodd Tomos, un o ddisgyblion Iesu, o flaen Iesu a dweud, 'Fy Arglwydd a'm Duw' (Ioan 20:28), nid atebodd Iesu gyda 'Na, paid â dweud hynny; nid Duw ydw i.' Yn hytrach, dywedodd wrtho, 'Ai am i ti fy ngweld i yr wyt ti wedi credu? Gwyn eu byd y rhai a gredodd heb iddynt weld' (Ioan 20:29). Ceryddodd Tomos am fod mor araf i ddeall!

Os yw rhywun yn gwneud honiadau fel hyn amdano'i hun, rhaid iddyn nhw gael eu profi. Mae pob math o honiadau'n cael eu gwneud gan bob math o bobl. Nid yw'r ffaith bod rhywun yn honni bod yn rhywun arbennig yn golygu eu bod yn dweud y gwir. Mae llawer o bobl, rhai mewn ysbytai seiciatryddol, sydd wedi'u twyllo eu hunain yn llwyr. Y maent yn credu mai nhw yw Napoleon neu'r Pab, ond nid hynny yw'r gwir. Felly sut gallwn brofi honiadau pobl?

Roedd Iesu'n honni ei fod yn Fab unigryw Duw - yn Dduw yn y cnawd. Mae tri phosibilrwydd rhesymegol. Os nad yw'r honiad yn wir, naill ai roedd Iesu'n gwybod hyn - ac os felly, twyllwr oedd, ac un drwg oherwydd hynny. Dyna'r posibilrwydd cyntaf. Neu, nid oedd yn ymwybodol fod yr honiad yn gelwyddog - roedd wedi camarwain ei hunan; yn wir, roedd yn ddyn gwallgof. Dyna'r ail bosibilrwydd. Y trydydd posibilrwydd yw bod yr honiad yn wir.

Dywedodd CS Lewis: 'Petai dyn oedd yn dweud y pethau a ddywedodd Iesu, ni fyddai'n athro moesol arbennig.' Naill ai dyn gwallgof oedd hwn, neu'r 'diafol o uffern'. 'Rhaid i chi ddewis,' meddai. Naill ai Iesu oedd, ac yw, Mab Duw, neu roedd yn ddyn gwallgof neu'n ddyn drwg. Ond fe ddywed CS Lewis, 'peidiwn â siarad lol a dweud yn nawddoglyd mai athro arbennig oedd hwn. Ni allwn wneud y dewis hwnnw. Nid dyna oedd ei fwriad.'[5]

Pa dystiolaeth sydd i gefnogi'r hyn a ddywedodd Iesu?

Er mwyn barnu pa un yw'r posibilrwydd cywir, rhaid archwilio'r dystiolaeth sydd gennym ynglŷn â bywyd Iesu.

Dysgeidiaeth Iesu

Mae dysgeidiaeth Iesu wedi'i chydnabod ym mhobman, ym mhob oes, fel y ddysgeidiaeth fwyaf arbennig a ddaeth o enau dyn. Mae'r Bregeth ar y Mynydd yn cynnwys dysgeidiaeth hollol heriol a chwbl newydd: 'Carwch eich gelynion' (Mathew 5:44); 'Os bydd rhywun yn dy daro ar dy foch dde, tro'r llall ato hefyd' (Mathew 5:39); 'Fel y dymunwch i eraill wneud i chwi, gwnewch chwithau yr un fath iddynt hwy' (Luc 6:31).

Eglurodd John Mortimer, awdur y gyfres deledu *Rumpole*, pam y disgrifiodd ei hun yn 'arweinydd blaenllaw o'r Gymdeithas Anffyddwyr dros Grist', er gwaetha'r ffaith ei fod yn anffyddiwr am flynyddoedd. Pan ofynnwyd iddo beth oedd wedi achosi'r newid, dywedodd: 'Gweld sut mae cenhedlaeth sy'n gwrthod Duw, ac o ganlyniad moeseg Gristnogol, wedi cael y fath effaith ar gymdeithas. Heb os nac oni bai, mae'r efengylau'n rhoi system foesegol y mae'n rhaid i ni ddychwelyd ati os ydym am osgoi trychinebau cymdeithasol.' Pennawd yr erthygl, a ymddangosodd yn y *Mail on Sunday* ym mis Ebrill 1995 oedd: *'Even the unbelievers should go back to church today.'*

Dysgeidiaeth Iesu yw sylfaen ein diwylliant yn y Gorllewin. Mae'r rhan fwyaf o'n cyfreithiau wedi'u seilio ar ei ddysgeidiaeth. Ym mhob adran o fyd gwyddoniaeth a thechnoleg bron a bod, rydym yn symud ymlaen. Rydym yn teithio'n gynt ac yn gwybod llawer mwy ond eto, yn y ddwy fil o flynyddoedd diwethaf nid oes neb wedi gwella ar ddysgeidiaeth foesol Iesu Grist.

Dywedodd Bernard Ramm, athro Diwinyddiaeth o America, ynghylch geiriau Iesu:

> Cânt eu darllen yn fwy, eu dyfynnu'n fwy, eu caru'n fwy, eu credu'n fwy a'u cyfieithu'n fwy oherwydd dyma'r geiriau mwyaf a lefarwyd erioed ... Eu mawredd yw'r ysbrydolrwydd pur ac eglur wrth ddelio yn glir, yn ddiffiniol, ac yn awdurdodol gyda'r problemau mwyaf sy'n corddi ym meddwl y ddynoliaeth ... Nid oes geiriau neb arall â'r apêl sydd gan eiriau Iesu oherwydd ni all neb arall ateb y cwestiynau sylfaenol hyn fel y gwnaeth Iesu eu hateb. Maent y math o eiriau a'r math o atebion y byddem yn disgwyl i Dduw eu rhoi.[6]

Gweithredoedd Iesu

Er mwyn profi a yw'r honiadau anghyffredin a wnaeth Iesu'n wir, byddai'n synhwyrol edrych nid yn unig ar ei eiriau ond hefyd ar ei weithredoedd. Dywedodd Iesu fod y gwyrthiau yr oedd yn eu gwneud yn brawf ynddynt eu hunain fod 'y Tad ynof fi, a minnau yn y Tad' (Ioan 10:38).

Mae'n siŵr mai Iesu oedd yr un mwyaf rhyfeddol i fod yn ei gwmni. Weithiau mae pobl yn dweud bod Cristnogaeth yn ddiflas. Wel, nid oedd bod yng nghwmni Iesu'n ddiflas.

Un tro pan aeth Iesu i barti rhywun, fe drodd y dŵr yn win (Ioan 2:1–11). Cymerodd ginio rhywun arall, a'r droi'n ddigon o fwyd i filoedd o bobl (Marc 6:30–44). Roedd yn rheoli'r elfennau, ac roedd yn gallu siarad â'r gwynt a'r tonnau i ostegu storm (Marc 4:35–41). Cyflawnodd y gwyrthiau mwyaf rhyfeddol: agor llygaid y deillion, gwneud i'r mud a'r byddar siarad a chlywed, a galluogi'r bobl oedd wedi'u parlysu i gerdded eto. Pan ymwelodd ag ysbyty rywdro, roedd dyn yno a fu'n glaf ers 38 o flynyddoedd – cododd hwnnw ei wely a cherdded eto (Ioan 5:1–9). Rhyddhaodd bobl o afael ysbrydion aflan oedd wedi'u gormesu. Ambell waith, cododd Iesu'r meirw'n fyw, hyd yn oed (er enghraifft, Ioan 11:38–44).

Er hynny, nid y gwyrthiau'n unig a wnâi ei waith mor drawiadol. Roedd ei gariad, yn enwedig at y rhai nad oedd neb arall yn eu caru (er enghraifft, y gwahanglwyfus a'r puteiniaid) fel petai'n symbylu pob peth roedd yn ei wneud. A choron y cwbl oedd y cariad a welwyd ar y groes pan offrymodd ei fywyd 'dros ei gyfeillion' (Ioan 15:13). Nid dyma ymddygiad dyn drwg neu wallgof, does bosibl?

Cymeriad Iesu

Mae cymeriad Iesu wedi creu argraff ar filiynau o bobl na fydden nhw'n galw eu hunain yn Gristnogion. Er enghraifft, dywedodd Bernard Levin am Iesu: 'Onid yw natur Crist, yng ngeiriau'r Testament Newydd, yn ddigon i gyffwrdd enaid neb sydd ag enaid i'w gyffwrdd? ... mae'n dal i daflu ei olwg dros y byd, mae ei neges yn dal i fod yn glir, ei drugaredd yn dragwyddol, ei gysur yn dal yn effeithiol, ei eiriau'n dal i fod yn llawn gogoniant, doethineb a chariad.'[7] Dywedodd y cylchgrawn *Time*: 'Iesu, symbol mwyaf parhaus purdeb, anhunanoldeb a chariad yn hanes y Gorllewin'.

Dyma un a oedd yn esiampl unigryw o ddiffyg hunanoldeb, ond byth yn hunandosturiol; yn ostyngedig ond nid yn wan; yn llawen ond nid ar draul neb arall; yn garedig ond nid yn faldodus. Dyma ddyn yr oedd hyd yn oed ei elynion yn methu dod o hyd i unrhyw fai ynddo, a'i gyfeillion yn ei adnabod yn ddigon da i ddweud ei fod heb bechod. Caiff ein cymeriad ei brofi mewn gwirionedd pan fyddwn dan bwysau neu mewn poen. Pan yr oedd Iesu'n cael ei boenydio, dywedodd, 'O Dad, maddau iddynt, oherwydd ni wyddant beth y maent yn ei wneud' (Luc 23:34). Nid yw'n bosibl i ddyn â'r fath gymeriad fod yn ddyn drwg neu heb fod yn ei iawn bwyll.

Cyflawniad Iesu o broffwydoliaeth yr Hen Destament

Cyflawnodd Iesu dros 300 o broffwydoliaethau (a lefarwyd gan leisiau gwahanol dros gyfnod o 500 mlynedd), gan gynnwys 29 proffwydoliaeth fawr a gyflawnwyd mewn un diwrnod - y diwrnod y bu farw. Er i rai o'r proffwydoliaethau hyn gael eu cyflawni ar un lefel yn oes y proffwyd ei hun, fe gawson nhw eu cyflawni'n derfynol yn Iesu Grist.

Rwy'n gwybod y byddai'n bosibl awgrymu mai twyllwr medrus oedd Iesu, a aeth ati'n fwriadol i gyflawni'r proffwydoliaethau hyn er mwyn dangos mai ef oedd y Meseia yr oedd yr Hen Destament wedi proffwydo amdano.

Y broblem gyda'r awgrym hwn, yn y lle cyntaf, yw bod eu nifer yn gwneud hynny'n anodd iawn. Yn ail, a siarad yn ddynol, nid oedd ganddo unrhyw reolaeth dros lawer o'r digwyddiadau. Er enghraifft, rhagfynegwyd union ddull ei farw yn yr Hen Destament (Eseia 53), lle ei gladdu a hyd yn oed man ei eni (Micha 5:2). Petai Iesu yn dwyllwr fyddai am gyflawni'r holl broffwydoliaethau hyn, byddai wedi bod ychydig yn hwyr erbyn iddo ddarganfod lle'r oedd i fod i gael ei eni!

Atgyfodiad Iesu

Atgyfodiad corfforol Iesu Grist oddi wrth y meirw yw conglfaen Cristnogaeth. I mi, trwy fywyd, marwolaeth ac yn arbennig atgyfodiad Iesu y des i gredu bod Duw yn bod.

Dywedodd y Parch. Tom Wright, athro'r Testament Newydd a Christnogaeth gynnar ym Mhrifysgol St Andrews: 'Yr honiad Cristnogol yw bod Iesu i'w ddeall nid yn nhermau Duw, yr hwn yr ydym yn gwybod amdano eisoes. Dyma'r honiad: mae atgyfodiad Iesu yn awgrymu'n gryf fod gan y byd Greawdwr, a bod angen gweld y Creawdwr yn nhermau Iesu, a thrwy ei lens ef.' Ond beth yw'r dystiolaeth fod yr atgyfodiad wedi digwydd mewn gwirionedd? Hoffwn grynhoi'r dystiolaeth dan bedwar pen:

1. *Y bedd gwag.* Mae sawl theori wedi eu rhoi gerbron i esbonio'r ffaith nad oedd corff Iesu yn y bedd y Dydd Pasg cyntaf hwnnw, ond nid yw'r un ohonyn nhw'n argyhoeddi dyn.

Yn gyntaf, mae rhai wedi awgrymu nad oedd Iesu wedi marw ar y groes, ond ei fod yn dal yn fyw pan gafodd ei roi yn y bedd, a bod Iesu wedi dod ato'i hun yn ddiweddarach. Ond roedd y trawma corfforol o fflangellu yn y dull Rhufeinig yn ddigon i ladd llawer un. Daeth y trawma hwn yn fyw yn ffilm Mel Gibson *The Passion of the Christ*. Yna, cafodd Iesu ei hoelio ar groes, lle bu'n hongian am chwe awr. A fyddai dyn yn ei gyflwr ef yn gallu gwthio carreg yn pwyso rhyw dunnell a hanner? Mae'n amlwg fod y milwyr yn credu ei fod wedi marw neu ni fyddan nhw wedi tynnu ei gorff oddi ar y groes. Petai'r milwyr wedi gadael i garcharor ddianc, fe fydden nhw eu hunain yn wynebu marwolaeth. Dywedodd un arbenigwr ar y Testament Newydd, â'i dafod yn ei foch, mai'r unig elfen bryfoclyd ynglŷn â'r theori hon yw ei bod yn dal i gael ei hatgyfodi!

Yn ogystal, pan wnaeth y milwyr weld fod Iesu wedi marw'n barod, 'fe drywanodd un o'r milwyr ei ystlys ef a phicell, ac ar unwaith dyma waed a dŵr yn llifo allan' (Ioan 19:34). Mae hyn yn ymddangos fel y ceulad a'r serwm yn ymwahanu sydd, fel rydym yn gwybod heddiw, yn dystiolaeth feddygol gadarn fod Iesu wedi marw.[8] Nid dyna pam yr ysgrifennodd Ioan hynny. Ni fyddai'n gwybod am y fath beth, sydd yn ei wneud yn dystiolaeth gryfach byth fod Iesu yn wir wedi marw.

Yn ail, mae rhai wedi awgrymu fod y disgyblion wedi dwyn y corff ac yna dechrau'r si fod Iesu wedi codi oddi wrth y meirw. Gan anghofio'r ffaith fod y bedd yn cael ei wylio, mae'r theori hon yn seicolegol annhebygol. Roedd y disgyblion yn isel eu hysbryd ac wedi'u dadrithio pan fu farw Iesu. Byddai angen rhywbeth allan o'r cyffredin i drawsnewid yr apostol Pedr o'r enciliwr digalon i'r dyn a bregethodd mor rymus ar y Pentecost pan gafodd 3,000 o bobl dröedigaeth.

Yn ychwanegol, o ystyried faint y bu'n rhaid i'r disgyblion ddioddef am eu cred (fflangellu, poenydio, a rhai hyd yn oed yn wynebu marwolaeth) mae'n amhosibl dychmygu y bydden nhw'n fodlon dioddef hynny i gyd am rywbeth yr oeddent yn wybod ei fod yn gelwydd.

Yn drydydd, mae rhai wedi dweud mai'r awdurdodau a gymerodd y corff. Dyma efallai yw'r theori leiaf tebygol ohonynt i gyd. Petai'r awdurdodau wedi dwyn y corff, pam na wnaethon nhw ei ddangos i dawelu'r sïon fod Iesu wedi codi o farw'n fyw? Yn sicr byddai'r awdurdodau (Iddewig a Rhufeinig) wedi defnyddio'r holl adnoddau oedd at eu gwasanaeth i arddangos corff Iesu'n gyhoeddus petaen nhw wedi gallu dod o hyd iddo.

Efallai mai'r dystiolaeth fwyaf diddorol sy'n dangos nad oedd corff Iesu yn y bedd yw disgrifiad Ioan o'r llieiniau claddu. Mewn ffordd, nid yw'n iawn i ni ddweud y 'bedd gwag'. Pan aeth Pedr ac Ioan at y bedd fe welsant y llieiniau claddu a oeddent, yn ôl yr awdur Cristnogol Josh McDowell, 'fel crysalis gwag sy'n perthyn i gocŵn lindysyn', wedi i'r iâr fach yr haf hedfan yn rhydd.[9] Roedd Iesu'n syml iawn fel petai wedi mynd drwy'r llieiniau claddu. Nid oes syndod i Ioan 'weld a chredu' (Ioan 20:8).

2. *Iesu'n ymddangos i'r disgyblion*. Ai gweld pethau oedd y disgyblion? Mae'r *Concise Oxford Dictionary* yn disgrifio rhithweledigaeth fel '...

canfyddiad ymddangosiadol o wrthrych allanol nad yw'n bresennol mewn gwirionedd.' Fel arfer pobl nerfus iawn gyda dychymyg byw sy'n gweld pethau i'r graddau hyn, neu bobl sy'n sâl neu ar gyffuriau. Nid yw disgyblion Iesu'n perthyn i unrhyw un o'r grwpiau hyn. Pysgotwyr cyhyrog, casglwyr trethi a phobl ddrwgdybus fel Tomos - nid dyma'r math o bobl sy'n debygol o weld pethau! Ar ben hyn, byddai'r rhai sy'n gweld pethau'n annhebygol o stopio â gwneud hynny ar unwaith. Ymddangosodd Iesu i'w ddisgyblion ar 11 achlysur gwahanol dros gyfnod o chwe wythnos. O edrych ar nifer yr ymddangosiadau a'r ffaith eu bod wedi dod i ben yn sydyn, mae'r honiad fod y disgyblion yn gweld pethau yn annhebygol iawn.

Yn ychwanegol, gwelodd dros 500 o bobl yr Iesu atgyfodedig. Mae'n bosibl i unigolyn weld pethau. Efallai ei bod yn bosibl i ddau neu dri o bobl ddychmygu eu bod yn gweld yr un peth. Ond a yw'n debygol bod 500 o bobl i gyd ar yr un pryd yn dychmygu gweld yr un peth? Yn olaf, rhywbeth goddrychol yw gweld pethau. Nid oes unrhyw realiti gwrthrychol - mae'n debyg i weld ysbryd. Roedd modd cyffwrdd ag Iesu, bwytaodd ddarn o bysgodyn wedi'i rostio (Luc 24:42-43) ac ar un achlysur fe goginiodd frecwast i'w ddisgyblion (Ioan 21:1-14). Mae Pedr yn dweud, 'ni, y rhai a fu'n cydfwyta ac yn cydyfed gydag ef wedi iddo atgyfodi oddi wrth y meirw' (Actau 10:41). Bu'n sgwrsio am hir gyda'r disgyblion gan ddysgu iddynt lawer o bethau am deyrnas Dduw (Actau 1:3).

3. *Yr effaith uniongyrchol.* Fel y byddem yn disgwyl, fe gafodd atgyfodiad Iesu effaith ddramatig ar y byd. Daeth yr eglwys i fod, ac fe dyfodd yn gyflym iawn. Dyma beth a ddywed Michael Green, awdur nifer o lyfrau poblogaidd ac ysgolheigaidd:

> Gan ddechrau fel dyrnaid o bysgotwyr annysgedig a chasglwyr trethi, ysgubodd yr eglwys ar draws y byd yn ystod y tri chan mlynedd nesaf. Mae'n stori ryfeddol o chwyldro tawel nad oes ei thebyg yn hanes y byd. Fe ddigwyddodd am fod Cristnogion yn gallu dweud wrth y rhai oedd am wybod beth oedd yn digwydd: 'Nid dim ond marw'n dy le wnaeth Iesu. Mae'n fyw! Mae modd i ti gyfarfod ag ef a dod o hyd i realiti'r hyn rydym yn sôn amdano drosot dy hun!' Fe wnaethon nhw ddod o hyd i'r realiti hwnnw, ymuno â'r eglwys, a dyma'r eglwys, a ddaeth i fod o fedd y Pasg, yn estyn i bob man.'[10]

4. Profiad Cristnogion. Mae miliynau ar filiynau o bobl i lawr y canrifoedd wedi cael profiad o'r Iesu Grist atgyfodedig. Maen nhw'n cynnwys pobl o bob lliw, hil, llwyth, cyfandir a chenedl. Maen nhw'n dod o wahanol gefndiroedd economaidd, cymdeithasol ac addysgol.

Mae miliynau o Gristnogion dros y byd i gyd heddiw'n profi perthynas gyda'r Iesu Grist atgyfodedig. Ar hyd y blynyddoedd rydw i hefyd wedi profi drosof fy hun fod Iesu Grist yn fyw heddiw. Rydw i wedi profi ei gariad, ei nerth a realiti perthynas sy'n fy argyhoeddi i hefyd fod Iesu wir yn fyw. Fel y dywedodd y cymeriad ffuglennol Sherlock Holmes, 'Wedi i chi ddileu'r amhosibl, mae'n rhaid mai'r hyn sydd ar ôl, pa mor annhebygol bosibl ydyw, yw'r gwir.'[11]

Fe welsom, yn gynharach yn y bennod, wrth edrych ar yr hyn roedd Iesu yn ei ddweud amdano'i hun ein bod yn wynebu tri dewis – un ai hwn oedd ac yw Mab Duw, neu roedd yn dwyllwr neu'n rhywbeth mwy sinistr. Wrth edrych ar y dystiolaeth nid yw'n gwneud unrhyw synnwyr i ddweud ei fod yn wallgof nac yn ddrwg. Mae holl bwysau ei ddysgeidiaeth, ei weithredoedd, ei gymeriad, ei gyflawniad o broffwydoliaethau'r Hen Destament a'i fuddugoliaeth dros farwolaeth yn gwneud yr awgrymiadau hynny yn rhai dwl, afresymol ac anghredadwy. Ond ar y llaw arall, dyma'r dystiolaeth fwyaf cadarn o blaid y ffaith fod Iesu'n ymwybodol o fod yn ddyn a welai ei hun fel Duw.

Wrth gloi, dyma ddywedodd CS Lewis: 'Rydym yn wynebu dewis difrifol iawn.' Un ai Iesu oedd (ac yw) yr hyn a ddywedodd amdano'i hun, neu'n hytrach rydym yn gorfod dweud ei fod yn wallgof neu'n rhywbeth gwaeth. Mae'n amlwg na allai CS Lewis gredu ei fod yn wallgof nac yn ddyn ddrwg, ac felly daeth i'r casgliad, 'Er mor rhyfedd neu ofnadwy neu annhebygol mae'n ymddangos, mae'n rhaid i mi dderbyn y farn mai Duw ydyw.'[12]

PAM Y BU IESU FARW?

Beth sydd gan yr enwogion hyn yn gyffredin - Madonna, Elton John, Bono a'r Pab? Un ateb yw eu bod i gyd yn gwisgo croes. Mae llawer o bobl heddiw yn gwisgo croes yn eu clustiau, ar freichled neu o gwmpas eu gyddfau, neu hyd yn oed fel tatŵ wedi'i ysgythru ar eu corff. Rydym wedi hen arfer â'i gweld fel nad yw'n achosi unrhyw syndod na sioc i ni. Efallai y byddem yn cael sioc o weld rhywun â chrocbren neu gadair drydan ar freichled; ond dull o ddienyddio oedd y groes yn union fel y rhain.

"Ym... rhyw gysylltiad â'r Eidal?"

I ddweud y gwir, dyma un o'r dulliau mwyaf creulon o ddienyddio a welodd y ddynolryw. Cafodd yr arfer ei ddiddymu yn 337 OC, am fod hyd yn oed y Rhufeiniaid yn credu ei fod yn rhy greulon.

Eto i gyd, mae'r groes wedi'i gweld fel symbol o'r ffydd Gristnogol erioed. Mae darnau mawr o'r pedair efengyl yn adrodd hanes marwolaeth Iesu. Mae llawer o weddill y Testament Newydd yn ceisio egluro beth ddigwyddodd ar y groes - pam y bu Iesu farw. Mae gwasanaeth canolog yr eglwys, y cymun, yn canolbwyntio ar gorff Iesu wedi'i ddryllio, a'i waed wedi'i dywallt. Yn aml mae eglwysi'n cael eu codi ar ffurf croes. Pan aeth yr apostol Paul i Gorinth dywedodd, 'Dewisais beidio â gwybod dim yn eich plith ond Iesu Grist, ac yntau wedi ei groeshoelio' (1 Corinthiaid 2:2). Mae'r rhan fwyaf o arweinwyr sydd wedi dylanwadu ar y byd neu hyd yn oed ei newid yn cael eu cofio am effaith eu bywydau. Mae Iesu, a newidiodd hanes y byd yn fwy na neb, yn cael ei gofio am ei farwolaeth hyd yn oed yn fwy na'i fywyd.

Pam mae cymaint o sylw'n cael ei roi i farwolaeth Iesu? Beth yw'r gwahaniaeth rhwng ei farwolaeth ef a marwolaeth Socrates, neu un o'r merthyron, neu arwr rhyfel? Beth wnaeth ei farwolaeth gyflawni? Beth y mae'r Testament Newydd yn ei olygu wrth ddweud ei fod wedi marw 'dros ein pechodau'? Pam y bu farw dros ein pechodau? Yr ateb byr yw, 'oherwydd bod Duw yn dy garu di'. Dywedodd Raniero Cantalamessa, pregethwr i weision y Pab, 'Cariad Duw yw'r ateb i bob "pam" yn y Beibl: pam y cread, pam yr ymgnawdoliad, pam y brynedigaeth.'[1] Y rheswm yw hyn: 'Carodd Duw y byd gymaint nes iddo roi ei unig Fab, er mwyn i bob un sy'n credu ynddo ef beidio â mynd i ddistryw ond cael bywyd tragwyddol' (Ioan 3:16).

Y broblem

Weithiau bydd pobl yn dweud, 'Does dim angen Cristnogaeth arna' i'. Maen nhw'n dweud rhywbeth fel hyn, 'Rydw i'n ddigon hapus fy myd, mae fy mywyd i'n llawn, ac rydw i'n gwneud fy ngorau i fod yn glên wrth bobl eraill a byw bywyd da.' Yn ôl y Beibl, mae pob un ohonom wedi cael ein creu ar ddelw Duw. O ganlyniad, mae rhywbeth da ac anrhydeddus ynghylch pob person. Fel y soniais ym Mhennod 1, mae'r ddealltwriaeth hon o'r natur ddynol wedi ysgogi daioni mawr yn hanes y byd.

I ddweud y gwir, mae wedi gosod sylfaen ar gyfer ein dealltwriaeth fodern o urddas a hawliau dynol, trwy fynnu ein bod ni'n fwy na bwndeli o enynnau a chynnyrch ein hamgylchedd. Er hyn, mae ochr arall i'r geiniog. Yn sicr, byddai'n rhaid i mi gyfaddef fy mod i'n gwneud pethau yn fy mywyd rydw i'n gwybod eu bod yn anghywir - rydw i'n gwneud camgymeriadau. Er mwyn deall pam y bu Iesu farw, rhaid i ni fynd yn ôl ac edrych ar y broblem fwyaf sy'n wynebu pawb.

Os ydym yn onest, byddai'n rhaid i ni gyd gyfaddef ein bod yn gwneud pethau yr ydym yn gwybod eu bod yn anghywir. Ysgrifennodd Paul: 'Oherwydd y maent oll wedi pechu, ac yn amddifad o ogoniant Duw' (Rhufeiniaid 3:23). Mewn geiriau eraill, o'n cymharu â safonau Duw, rydym i gyd yn syrthio'n fyr iawn o'r nod. Os ydym yn cymharu ein hunain â lladron arfog neu gyda rhai sy'n cam-drin plant neu hyd yn oed gyda'n cymdogion, efallai ein bod yn meddwl ein bod ni'n bobl eithaf da. Ond wrth gymharu ein hunain â Iesu Grist, rydym yn gweld pa mor fyr ydym o'r nod. Dywedodd Somerset Maugham, 'Petawn i'n ysgrifennu popeth rydw i wedi'i feddwl erioed, a phopeth rydw i wedi'i wneud erioed, byddai dynion yn fy ngalw'n fwystfil o drythyllwch.'[2]

Gwreiddyn pechod yw gwrthryfela yn erbyn Duw – anwybyddu Duw trwy ymddwyn fel pe na bai Duw yn bod (Genesis 3), neu trwy ddewis gwneud pethau sy'n anghywir; o ganlyniad rydym wedi ein torri i ffwrdd oddi wrtho. Fel y Mab Colledig, (Luc 15), rydym wedi cael ein hunain yn bell o dŷ ein Tad, wedi gwneud llanast ofnadwy o'n bywydau. Weithiau mae pobl yn dweud, 'Os ydym i gyd yn yr un cwch, oes ots mewn gwirionedd?' Yr ateb yw bod ots oherwydd canlyniadau pechod. Rydym yn gallu crynhoi'r effeithiau dan bedwar pennawd.

Llygredd pechod

Dywedodd Iesu ei bod yn bosibl i ni lygru'r bywyd mae Duw wedi ei roi i ni. Dywedodd Iesu, 'Yr hyn sy'n dod allan o rywun, dyna sy'n ei halogi. Oherwydd o'r tu mewn, o galon dynion, y daw allan feddyliau drwg, puteinio, lladrata, llofruddio, godinebu, trachwantu, anfadwaith, twyll, anlladrwydd, cenfigen, cabledd, balchder, ynfydrwydd; o'r tu mewn y mae'r holl ddrygau hyn yn dod ac yn halogi rhywun' (Marc 7:20–23). Mae'r pethau hyn yn llygru ein bywydau.

Efallai eich bod chi'n dweud, 'Dydw i ddim yn gwneud y rhan fwyaf o'r pethau hyn.' Ond mae un o'r pethau hyn ar ei ben ei hun yn ddigon i wneud llanast o'n bywydau. Efallai y byddem yn dymuno i'r Deg Gorchymyn fod fel papur arholiad, lle does dim ond rhaid 'rhoi cynnig ar unrhyw dri' gorchymyn. Ond mae'r Testament Newydd yn dweud os ydym yn torri *unrhyw* ran o'r Gyfraith, ein bod ni'n euog o'i thorri i gyd (Iago 2:10). Er enghraifft, nid yw'n bosibl i ni gael trwydded yrru sy'n 'gymharol lân'. Mae hi naill ai'n lân neu ddim yn lân. Mae un drosedd wrth yrru'n ddigon i ddifetha'r drwydded lân. Felly y mae yn ein bywydau; mae un drosedd yn eu llygru.

Pŵer pechod

Mae gan ein gweithredoedd drwg allu i'n rheoli a'n gwneud yn gaethion. Dywedodd Iesu, 'fod pob un sy'n cyflawni pechod yn gaethwas i bechod' (Ioan 8:34). Mae'n haws gweld hyn mewn rhai pethau nag eraill. Er enghraifft, rydym yn gwybod os bydd rhywun yn cymryd cyffur caled fel heroin, yn fuan iawn mae'n arwain at fod yn gaeth iddo.

Mae hefyd yn bosibl bod yn gaeth i dymer ddrwg, eiddigedd, balchder, hunanoldeb, celwydd neu anfoesoldeb rhywiol. Mae'r pethau hyn yn gallu rheoli ein bywydau. Rydym yn gallu mynd yn gaeth i ffordd arbennig o feddwl neu ymddygiad, na allwn ei thorri, trwy ein nerth ein hunain. Dyma'r caethiwed y soniodd Iesu amdano. Dyma'r hyn sydd â nerth dinistriol yn ein bywydau.

Ysgrifennodd yr Esgob JC Ryle, cyn esgob Lerpwl:

> Mae gan bob pechod dyrfaoedd o gaethion anhapus wedi'u dal mewn cadwynau ... Mae'r caethion druain ... yn ymfalchïo weithiau eu bod yn gwbl rhydd ... Nid oes y fath gaethiwed â hyn. Pechod yn wir yw'r creulonaf o bob meistr. Diflastod a siomedigaeth ar y ffordd, anobaith ac uffern yn y diwedd – dyna'r unig gyflogau y mae pechod yn eu talu i'w weision.[3]

Cosb pechod

Mae rhywbeth yn y natur ddynol sy'n crefu am gyfiawnder. Pan fyddwn yn clywed am blant yn cael eu cam-drin neu ymosodiad creulon ar hen bobl yn eu cartrefi, rydym yn awyddus i'r bobl sydd wedi gwneud y pethau hyn gael eu dal a'u cosbi. Rydym yn credu y dylen nhw gael cosb. Yn aml, efallai bod ein rhesymau am hyn yn gymysg: rhyw elfen o ddial yn ogystal ag awydd am gyfiawnder. Ond mae'r fath beth yn bod â dicter cyfiawn. Rydym yn iawn i gredu y dylai pechodau gael eu cosbi ac na ddylai'r bobl sy'n eu cyflawni fynd yn rhydd.

Ond nid dim ond pechodau pobl eraill sy'n haeddu cosb; mae ein pechod ni hefyd yn ei haeddu. Un diwrnod byddwn i gyd yn dod gerbron Duw i gael ein barnu. Mae Sant Paul yn dweud bod 'pechod yn talu cyflog, sef marwolaeth' (Rhufeiniad 6:23).

Mae pechod yn gwahanu

Nid dim ond marwolaeth gorfforol y mae Paul yn sôn amdani yma. Mae hefyd yn farwolaeth ysbrydol, sy'n arwain at gael ein gwahanu oddi wrth Dduw yn dragwyddol. Mae'r gwahanu'n dechrau yn awr. Cyhoeddodd y proffwyd Eseia, 'Nid aeth llaw'r Arglwydd yn rhy fyr i achub, na'i glust yn rhy drwm i glywed; ond eich camweddau chwi a ysgarodd rhyngoch a'ch Duw, a'ch pechodau chwi a barodd iddo guddio'i wyneb fel nad yw'n eich clywed' (Eseia 59:1–2). Y gweithredodd drwg yr ydym yn eu cyflawni sy'n achosi'r rhwystr. Dyna hefyd sy'n digwydd wrth gael ffrae gyda rhywun ac ni allwn edrych i fyw eu llygaid. Mae rhywbeth rhyngom. Weithiau mae pobl yn dweud, 'Rydw i wedi trïo gweddïo. Ond mae fy ngweddïau'n mynd dim pellach na'r nenfwd.' Mae pechod yn gwahanu: y gweithredodd drwg yr ydym yn eu cyflawni sy'n achosi'r rhwystr rhyngom a Duw.

Yr ateb

Mae angen i ni i gyd ddelio â phroblem pechod yn ein bywydau. Po fwyaf yr ydym yn sylweddoli ein hangen, y mwyaf i gyd y byddwn yn gwerthfawrogi'r hyn mae Duw wedi'i wneud. Newyddion da Cristnogaeth yw bod Duw yn ein caru, ac nad yw wedi ein gadael yn y llanast yr ydym wedi'i wneud o'n bywydau.

Daeth Duw i'r byd, ym mherson ei Fab Iesu, i farw yn ein lle (2 Corinthiaid 5:21; Galatiaid 3:13). Mae hyn wedi'i ddisgrifio fel 'Duw yn rhoi ei hun dros eraill ac yn eu lle.'[4] Yng ngeiriau'r apostol Pedr, '*Ef* ei hun a ddygodd *ein* pechodau yn *ei* gorff ar y croesbren ...Trwy *ei* archoll *ef* y cawsoch iachâd' (1 Pedr 2:24, fy mhwyslais i).

Ar ddiwrnod olaf mis Gorffennaf 1941 cyhoeddodd seirenau gwersyll Auschwitz fod carcharor wedi dianc. I ddial, byddai'n rhaid i ddeg o'i gyd-garcharorion farw - drwy gael eu newynu'n araf, a'u claddu'n fyw mewn byncer concrid pwrpasol. Drwy gydol y dydd roedd yn rhaid i'r dynion aros a dioddef gwres, newyn ac ofn wrth i'r penswyddog Almaenig a'i was bach o'r gwasanaeth cudd gerdded ymysg y rhengoedd i ddewis, ar fympwy bron, ddeg o'r carcharorion. Â'r penswyddog yn pwyntio at un o'r dynion, Francis Gajowniczek, gwaeddodd hwnnw mewn anobaith 'O! fy ngwraig druan a'm plant.' Y foment honno, dyma ffigwr o ddyn di-nod gyda llygaid wedi suddo a sbectol gron mewn ffrâm wifren yn camu allan o'i linell, a thynnu ei gap. 'Beth mae'r mochyn Pwylaidd eisiau?'

gofynnodd y penswyddog.

'Offeiriad Catholig ydw i; rydw i eisiau marw dros y dyn hwn. Rydw i'n hen, mae ganddo fo wraig a phlant... Does gen i neb' dywedodd y Tad Maximilian Kolbe.

'Popeth yn iawn,' oedd ateb parod y penswyddog, cyn symud ymlaen.

Y noson honno, aeth naw o ddynion ac un offeiriad i'r byncer newyn. Fel arfer bydden nhw'n rhwygo ei gilydd yn ddarnau fel canibaliaid. Ond nid y tro hwn. Tra roedd nerth gan y dynion buon nhw'n gweddïo a chanu salmau, yn gorwedd yn noeth ar y llawr. Wedi tair wythnos, roedd tri o'r dynion a'r Tad Maximilian yn dal yn fyw. Roedd angen y byncer ar gyfer carcharorion eraill, felly ar 14 Awst dyma'r awdurdodau'n cael gwared â'r pedwar dyn oddi yno. Am 12.50 yh, ar ôl pythefnos yn y byncer newyn, ac yntau'n dal yn ymwybodol, rhoddwyd chwistrelliad o asid carbolig i'r offeiriad Pwylaidd a bu farw'n 47 oed.

Ar 10 Hydref 1982 yn Sgwâr Sant Pedr, Rhufain, dyma roi marwolaeth y Tad Maximilian yn ei iawn bersbectif. Yn y dyrfa, a oedd yn rhifo 150,000 mewn nifer, gan gynnwys 26 cardinal a 300 esgob ac archesgob, roedd Francis Gajowniczek a'i deulu - yn wir, roedd llawer wedi cael eu hachub gan y dyn hwnnw. Disgrifiodd y Pab farwolaeth y Tad Maximilian gyda'r geiriau 'Roedd hon yn fuddugoliaeth dros holl systemau dirmyg a chasineb mewn dyn - buddugoliaeth fel yr un a enillodd ein Harglwydd Iesu Grist.'

Pan fu farw Francis Gajowniczek, yn 94 oed, darllenais ei ysgrif goffa yn yr *Independent*. Roedd wedi treulio gweddill ei fywyd yn mynd o le i le'n dweud wrth bobl am yr hyn yr oedd Maximilian Kolbe wedi ei wneud drosto, wrth farw yn ei le. Roedd marwolaeth Iesu hyd yn oed yn fwy rhyfeddol oherwydd iddo farw nid dros un dyn yn unig, ond dros bob un yn y byd.

Daeth Iesu i'n byd i'w roi ei hun drosom. Dioddefodd ei groeshoelio yn ein lle. Yn ôl Cicero, y croeshoelio oedd 'y poenydio mwyaf creulon ac erchyll'. Tynnwyd dillad Iesu, a'i glymu i bostyn i'w fflangellu. Fflangellwyd ef gan ddefnyddio chwip ledr â darnau o asgwrn a phlwm miniog a tholciog wedi'u gwau i mewn i'r gynffon. Disgrifiodd Eusebius, hanesydd eglwysig o'r drydedd ganrif, fflangellu'r Rhufeiniaid fel hyn: 'roedd gwythiennau'r truan yn gwbl agored, ac .... roedd y cyhyrau, gewynnau a pherfeddion yn cael eu dinoethi i'r llygaid'. Yna aethant ag ef i bencadlys Pilat a hyrddio coron o ddrain am ei ben. Dyma fataliwn o 600 o ddynion yn ei wawdio ac yn ei daro, o gwmpas ei wyneb a'i ben. Wedyn, cafodd ei orfodi i gario croesfar trwm ar ei ysgwyddau gwaedlyd hyd nes iddo syrthio i'r llawr; yna cafodd dyn o'r enw Simon o Cyrene ei orfodi i gario'r groes iddo.

Ar ôl cyrraedd lle'r croeshoelio, tynnwyd ei ddillad oddi amdano eto. Cafodd ei osod i orwedd ar y groes, ac fe darodd y milwyr hoelion chwe modfedd trwy ei freichiau, ychydig uwchben yr arddyrnau. Cafodd ei bengliniau eu troi i'r ochr fel y byddai'r migyrnau'n gallu cael eu hoelio rhwng y tibia a llinyn yr ar. Cafodd ei godi ar y groes, ac yna gosodwyd y groes mewn twll yn y ddaear. Gadawyd efo yno i hongian mewn gwres tanbaid, a syched annioddefol, a'r dorf yn ei watwar. Bu'n hongian yno mewn poen dirdynnol am chwe awr, tra llifai'r bywyd allan ohono'n araf, araf. Yma profwyd poen a chywilydd heb ei debyg.

Eto i gyd, nid poen corfforol y poenydio a'r croeshoelio oedd y rhan waethaf o'i ddioddefaint, na hyd yn oed y boen emosiynol o gael ei wrthod gan y byd a chael ei adael yn unig gan ei ffrindiau ei hun, ond yn hytrach y boen ysbrydol, a chael ei wahanu oddi wrth ei Dad wrth iddo ddwyn ein pechodau.

Roedd buddugoliaeth Iesu'n gyflawn – bu farw nid dros un yn unig, ond dros bawb ohonom – ac roedd y fuddugoliaeth yn gostus hefyd. Ym mhob un o'r pedair efengyl rydym yn gweld dioddefaint Iesu yng ngardd Gethsemane, wrtho'i hun, yn galw ar ei Dad, 'Abba, Dad ... Cymer y cwpan hwn oddi wrthyf. Eithr nid yr hyn a fynnaf fi, ond yr hyn a fynni di' (Marc 14:36).

Mae Raniero Cantalamessa yn dweud hyn:

> Yn y Beibl mae'r cwpan bron bob amser yn cynrychioli'r syniad o ddigofaint Duw yn erbyn pechod ... Lle bynnag y mae pechod, ni all barn Duw ond craffu arno. Fel arall byddai Duw'n cyfaddawdu â phechod, ac ni fyddai'r ffin rhwng da a drwg yn bodoli mwyach. Mae Iesu ... yn ... ddyn a gafodd ei wneud 'yn bechod'. Bu farw Crist dros bechaduriaid, yn ôl yr Ysgrythur; bu farw yn eu lle ac nid yn unig er eu lles ... mae ef, felly'n 'gyfrifol' am bopeth, yr euog o flaen Duw! Tuag ato ef y mae digofaint Duw yn cael ei 'ddangos', a dyna beth yw ystyr 'yfed y cwpan'.[5]

Y canlyniad

Mae'r groes yn debyg i ddiemwnt prydferth ag iddo lawer o wynebau. O ba bynnag ongl yr ydych chi'n syllu arno, fe welwch chi liwiau a golau gwahanol. Mewn un ystyr mae'r groes yn ddirgelwch; mae'n llawer rhy ddwfn i'w deall. Er hynny, o ba bynnag gyfeiriad yr ydych chi'n edrych ar y groes, fyddwch chi byth yn gallu dirnad ei dyfnder a'i phrydferthwch. Mae'r Testament Newydd yn dweud llawer am yr agweddau hyn i gyd.

Yn gyntaf, mae'r groes yn dangos faint mae Duw yn ein caru. Os byddwch chi byth yn amau bod Duw yn ein caru, edrychwch ar y groes. Dywedodd Iesu, 'Nid oes gan neb gariad mwy na hyn, sef bod rhywun yn rhoi ei einioes dros ei gyfeillion' (Ioan 15:13). Mae'r groes hefyd yn dweud rhywbeth wrthym am natur Duw. Efallai mai'r cwestiwn mwyaf cyffredin sy'n cael ei ofyn ynglŷn â Christnogaeth yw: Sut mae Duw'n caniatáu cymaint o ddioddef yn y byd? 'Does dim atebion rhwydd i'r cwestiwn anodd hwnnw, ond rydym yn gwybod un peth: mae Duw ei hunan yn gwybod ac yn deall beth yw dioddefaint. Mae wedi dod i mewn i'n byd ym mherson ei Fab, fe ddioddefodd yn ein lle, ac mae'n nesáu atom yn ein dioddefaint. Ar y groes mae Iesu'n gosod esiampl i ni o gariad hunanaberthol (1 Pedr 2:21). Mae'r groes a'r atgyfodiad, sydd mewn un ystyr yn un digwyddiad, yn dweud wrthym bod grym marwolaeth a drygioni wedi cael eu trechu (Colosiaid 2:15).

Mae pob un o'r agweddau hyn yn haeddu pennod i'w hunain, ond nid yw hynny'n bosibl yn y gyfrol hon. Er hynny, rydw i'n mynd i ganolbwyntio yma ar bedwar darlun y mae'r Testament Newydd yn eu defnyddio i ddisgrifio beth wnaeth Iesu drosom ar y groes.[6] Fel y nododd y diweddar John Stott, awdur adnabyddus a chyn-reithor emeritws yn Eglwys All Souls, Langham Place, mae pob un o'r darluniau'n rhai sy'n dod o fywyd arferol y cyfnod.

Mae'r llun cyntaf yn dod o'r *deml*. Yn yr Hen Destament, gosodwyd deddfau manwl ar sut i ddelio â phechodau. Roedd system gyfan o aberthau a oedd yn dangos peth mor ofnadwy oedd pechod a'r angen am lanhad oddi wrtho.

Yn arferol, byddai'r pechadur yn cymryd anifail. Roedd yn rhaid i'r anifail fod mor berffaith â phosib. Byddai'r pechadur yn gosod ei ddwylo ar yr anifail ac yn cyffesu ei bechodau. Yn y modd hwn, byddai'r pechodau yn pasio o'r pechadur i'r anifail, a fyddai wedyn yn cael ei ladd.

Mae awdur y llythyr at yr Hebreaid yn nodi ei bod yn 'amhosibl i waed teirw a geifr dynnu ymaith bechodau' (Hebreaid 10:4). Darlun yn unig oedd yr aberth, neu 'gysgod' (Hebreaid 10:1). Daeth yn realiti gydag aberth Iesu Grist. Dim ond gwaed Iesu Grist, yr un yn ein lle ac er ein mwyn, sy'n gallu cymryd ein pechodau i ffwrdd. Pan welodd Ioan Fedyddiwr Iesu, dywedodd 'Dyma Oen Duw, sy'n cymryd ymaith bechod y byd!' (Ioan 1:29). Ef, ac ef yn unig oedd yr aberth perffaith am mai ef yn unig wnaeth fyw bywyd perffaith. Mae gwaed Iesu yn ein glanhau o bob pechod (1 Ioan 1:7). Mae'n golchi ymaith a chael gwared ar *bechod sy'n llygru.*

Mae'r ail lun yn dod o'r *farchnad.* Nid problem yr oes fodern yn unig yw dyled; roedd yn broblem yn yr hen fyd hefyd. Pe byddai rhywun mewn llawer o ddyled, efallai byddai'n gorfod gwerthu ei hun fel caethwas i dalu ei ddyledion. Dychmygwch fod rhyw ddyn yn sefyll yn y farchnad yn cynnig ei hun fel caethwas. Efallai i rywun dosturio wrtho, gan ofyn 'Faint yw dy ddyled?' Ei ateb, hwyrach, yw, '£10,000.' Petai'r cwsmer yn cynnig talu £10,000 ac yna'n ei adael yn rhydd, wrth wneud hynny, byddai'r cwsmer yn ei 'brynu' drwy dalu'r 'pridwerth'. Yn yr un modd, daeth ein rhyddid 'trwy'r prynedigaeth sydd yng Nghrist Iesu' (Rhufeiniaid 3:24). Trwy farw ar y groes, talodd Iesu ein pridwerth (Marc 10:45).

Oherwydd hyn rydym yn rhydd o nerth pechod. Dyma ryddid mewn gwirionedd. Dywedodd Iesu, 'Os yw'r Mab yn eich rhyddhau chwi, byddwch yn rhydd mewn gwirionedd' (Ioan 8:36). Pan ddes i'n Gristion, cefais fy rhyddhau o rai pethau ar unwaith, ond mewn pethau eraill rydw i wedi gorfod brwydro'n barhaus. Nid ydym yn darfod â phechod eto, ond mae gafael pechod drosom wedi ei thorri.

Roedd Billy Nolan yn arfer bod yn y llynges fasnach; fe redodd i ffwrdd, a bu'n alcoholig am 38 o flynyddoedd. Am 20 mlynedd byddai'n arfer eistedd y tu allan i eglwys y Drindod Sanctaidd, Brompton, yn yfed alcohol a chardota am arian. Ar 13 Mai 1990 edrychodd yn y drych ac meddai, 'Nid ti yw'r un Billy Nolan roeddwn i'n arfer ei 'nabod.' I ddefnyddio'i eiriau ei hun, gofynnodd i'r Arglwydd Iesu Grist ddod i'w fywyd a gwnaeth gytundeb i beidio ag yfed alcohol eto. Ers hynny, nid yw wedi cael diferyn o alcohol. Mae ei fywyd wedi cael ei drawsnewid. Mae cariad a llawenydd Crist yn llewyrchu trwy ei fywyd. Dywedais wrtho un tro, 'Billy, rwyt ti'n edrych yn hapus.' Atebodd, 'Rydw i'n hapus am fy mod i'n rhydd. Rhyw ddrysfa yw bywyd ond o'r diwedd rydw i wedi dod o hyd i fy ffordd allan trwy Iesu Grist.' Mae'r rhyddid hwn o *nerth pechod* yn bosibl oherwydd marwolaeth Iesu ar y groes.

Mae'r trydydd llun yn dod o'r *llys barn*. Dywedodd Paul mai trwy farwolaeth Crist yr ydym wedi 'ein cyfiawnhau' (Rhufeiniaid 5:1). Term cyfreithiol yw 'cyfiawnhau'. Petaech chi'n mynd i lys barn, a chael eich rhyddfarnu, yna byddech wedi eich cyfiawnhau. Mae un darlun da iawn a'm helpodd i ddeall hyn.

Aeth dau unigolyn drwy'r ysgol a'r brifysgol gyda'i gilydd, a dod yn ffrindiau agos iawn. Gydag amser, aeth y ddau ar hyd ffyrdd gwahanol nes iddyn nhw golli cysylltiad â'i gilydd. Aeth un ymlaen i fod yn farnwr, aeth y llall tuag i lawr gan orffen fel troseddwr. Un diwrnod, dyma'r troseddwr yn ymddangos gerbron y barnwr. Roedd wedi troseddu ac roedd wedi pledio'n euog. Dyma'r barnwr yn adnabod ei hen ffrind a chael ei hun mewn cyfyng-gyngor. Roedd yn farnwr, ac roedd rhaid iddo fod yn gyfiawn; nid oedd yn gallu gadael i'w ffrind fynd yn rhydd ac yntau'n euog. Ond ar y llaw arall, nid oedd am gosbi'r dyn am ei fod yn ei garu. Felly dywedodd wrth ei ffrind y byddai'n ei ddirwyo am y swm priodol ar gyfer ei drosedd. Dyna gyfiawnder. Yna, daeth i lawr o'i safle fel barnwr ac ysgrifennu siec i dalu swm y ddirwy. Rhoddodd y siec i'w ffrind, gan ddweud y byddai'n talu'r gosb drosto. Dyna gariad.

Mae'r stori'n ddarlun o'r hyn y mae Duw wedi'i wneud drosom. Yn ei gyfiawnder, mae'n ein barnu oherwydd ein bod yn euog, ond wedyn, yn ei gariad, mae'n dod i'n byd ym mherson ei Fab Iesu Grist ac yn talu'r gosb drosom. Yn y ffordd hon mae ef yn 'gyfiawn' (sef nad yw'n gadael i'r euog fynd heb eu cosbi) a hefyd yr un 'sy'n cyfiawnhau'– Rhufeiniaid 3:26 (trwy gymryd y gosb ei hun, ym mherson ei Fab, mae'n caniatáu i ni fynd yn rhydd). Ef yw ein Barnwr a'n Gwaredwr. Nid rhywun arall dieuog sydd yn ein hachub, ond Duw ei hun. I bob pwrpas, mae'n rhoi siec i ni, gan ddweud bod gennym ddewis: a ydym am iddo dalu'r swm drosom, neu a ydym yn mynd i wynebu barn Duw am ein drygioni ein hunain?

Nid yw'r darlun rydw i wedi'i ddefnyddio'n hollol gywir am dri rheswm. Yn gyntaf, mae ein sefyllfa ni'n waeth. Y gosb yr ydym yn ei hwynebu yw marwolaeth, nid dirwy. Yn ail, mae'r berthynas yn agosach. Nid dau ffrind sydd yma: yn hytrach ein Tad yn y nefoedd sy'n ein caru'n fwy nag y mae unrhyw dad dynol yn caru ei blentyn ei hun. Yn drydydd, roedd y gost yn llawer mwy: nid arian oedd y gost i Dduw, ond ei unig Fab – a dalodd *gosb pechod.*

Mae'r pedwerydd llun yn dod o'r *cartref.* Gwelsom mai gwreiddyn a chanlyniad pechod yw bod y berthynas â Duw wedi'i thorri. Canlyniad y groes yw gallu adfer y berthynas gyda Duw. Mae Paul yn dweud fod '*Duw, yng Nghrist,* yn cymodi'r byd ag ef ei hun' (2 Corinthiaid 5:19, fy mhwyslais i). Mae rhai pobl yn ceisio bwrw sen ar ddysgeidiaeth y Testament Newydd trwy awgrymu fod Duw'n farbaraidd ac anghyfiawn am iddo gosbi Iesu yn ein lle ac yntau'n ddiniwed. Nid dyna y mae'r Testament Newydd yn ei ddweud o gwbl. Yn hytrach, mae Paul yn dweud, 'yr oedd Duw yng Nghrist...' Duw ei hun oedd yn ein lle ym mherson ei Fab. Fe'i gwnaeth yn bosibl i ni ddod yn ôl i berthynas gydag Ef. Mae'r *gwahanu sy'n dod oherwydd pechod* wedi'i ddinistrio; 'a dyma len y deml yn cael ei rhwygo yn ddwy o'r pen i'r gwaelod' (Mathew 27:51).

Mae'r hyn ddigwyddodd i'r Mab Colledig yn gallu digwydd i ni. Rydym yn gallu dod yn ôl at y Tad a phrofi ei gariad a'i fendith. Nid ar gyfer y bywyd hwn yn unig mae'r berthynas: mae'n berthynas dragwyddol. Un dydd, byddwn gyda'r Tad yn y nefoedd a'r ddaear newydd – yno, fe fyddwn yn rhydd, nid yn unig oddi wrth gosb pechod, rheolaeth pechod, llygredd pechod a'r gwahanu oherwydd pechod, ond hefyd oddi wrth bresenoldeb pechod. Dyma beth mae Duw wedi'i wneud yn bosibl trwy roi ei hunan yn ein lle ar y groes.

Mae Duw yn caru pob un ohonom, ac mae'n awyddus i gael perthynas â phob un ohonom, fel y mae rhiant dynol yn awyddus i gael perthynas gyda phob un o'i blant. Bu farw Iesu dros bawb - ond mae'n fwy na hynny. Bu farw drosot ti a throsof fi; mae'n rhywbeth personol iawn. Ysgrifennodd Paul am 'Fab Duw, yr hwn a'm carodd i ac a'i rhoes ei hun i farw trosof fi' (Galatiaid 2:20). Petaech chi'r unig berson yn y byd, byddai

Iesu wedi marw drosoch chi. Fel y dywedodd Awstin Sant, 'bu farw dros bob un ohonom, fel pe na bai ond un ohonom'. Unwaith i ni weld y groes yn y termau personol hyn, yna bydd ein bywydau'n cael eu trawsnewid.

Disgrifiodd John Wimber, gweinidog o America, sut ddaeth y groes yn realiti personol iddo ef:

> Ar ôl i mi astudio'r Beibl am ryw dri mis, fe allwn fod wedi pasio arholiad sylfaenol ar y groes. Roeddwn yn deall fod Duw yn bod mewn tri Pherson. Roeddwn yn deall fod Iesu wir yn Dduw ac yn wir yn ddyn a'i fod wedi marw ar y groes dros bechodau'r byd. Ond doeddwn i ddim yn deall fy mod i'n bechadur. Roeddwn i'n meddwl fy mod yn ddyn da. Roeddwn i'n gwybod fy mod wedi gwneud llanast o'r peth hyn a'r peth arall, ond doeddwn i ddim yn sylweddoli pa mor ddifrifol oedd fy sefyllfa.
>
> Ond un noson, tua'r adeg yma, dywedodd Carol [ei wraig], 'Rydw i'n credu ei bod yn bryd i ni wneud rhywbeth am yr holl bethau 'ma rydym wedi bod yn dysgu amdanyn nhw.'
>
> Yna, â minnau'n edrych mewn syndod, fe benliniodd ar y llawr a dechrau gweddïo tua'r nenfwd. 'O Dduw,' meddai, 'Mae'n ddrwg gen i am fy mhechod.'
>
> Doeddwn i ddim yn gallu credu'r peth. Roedd Carol yn llawer gwell person na mi, ac eto roedd hi'n credu ei bod yn bechadur. Gallwn deimlo ei phoen a dyfnder ei gweddïau. O fewn ychydig roedd yn wylo ac yn dweud eto, 'Mae'n ddrwg gen i am fy mhechod.' Roedd rhyw chwech neu saith o bobl eraill yn yr ystafell ac roedd llygaid pob un ar gau. Edrychais arnyn nhw, a dyma rywbeth yn fy nharo: *maen nhw i gyd wedi gweddïo fel hyn hefyd!* Roeddwn yn chwys stêcs, ac yn meddwl fy mod yn mynd i farw. Roedd y chwys yn rhedeg i lawr fy wyneb wrth i mi feddwl wrthyf fy hun, "Nid ydw i am wneud hyn. Mae hyn yn beth twp iawn. Rydw i'n ddyn da." Yna, fe wnaeth fy nharo i. Dim ar y nenfwd plaster yr oedd Carol yn gweddïo, ond ar Dduw oedd yn gallu ei chlywed. O'i chymharu ag Ef roedd hi'n gwybod ei bod yn bechadur a bod angen maddeuant arni.
>
> Mewn chwinciad, roedd y groes yn gwneud synnwyr i mi'n bersonol. Yn sydyn, roeddwn yn gwybod rhywbeth nad oeddwn wedi'i deimlo o'r blaen; fy mod wedi dod â loes i galon Duw. Roedd Duw yn fy ngharu, ac yn ei gariad tuag ataf, anfonodd Iesu i'r byd. Ond roeddwn wedi troi i ffwrdd o'r cariad hwnnw; roeddwn wedi ei wrthod ar hyd fy mywyd. Roeddwn yn bechadur, ac yn ymwybodol iawn bod angen y groes arnaf.
>
> Yna roeddwn i'n penlinio hefyd, yn wylo, fy llygaid yn llawn dagrau, a'r

chwys yn diferu. Roeddwn yn gwbl ymwybodol fy mod yn siarad gyda rhywun oedd wedi bod gyda mi trwy fy mywyd, ond nid oeddwn wedi ei adnabod. Fel Carol, dechreuais siarad gyda'r Duw byw, gan ddweud wrtho fy mod yn bechadur ond yr unig eiriau yr oeddwn yn gallu eu llefaru oedd, 'O Dduw, O Dduw.'

Roeddwn yn gwybod bod rhyw fath o newid llwyr yn digwydd y tu fewn i mi. 'Rwy'n gobeithio fod hyn yn gweithio,' meddyliais wrthyf fy hun, 'achos rydw i'n gwneud ffŵl go iawn o fy hunan.' Yna cofiais am ddyn a welais flynyddoedd ynghynt yn Sgwâr Perishing, Los Angeles, oedd yn cario arwydd yn dweud 'Rydw i'n ffŵl er mwyn Crist. Ffŵl pwy ydych chi?' Bryd hynny roeddwn yn credu mai dyna'r peth mwyaf hurt roeddwn wedi'i weld erioed.   Ond wrth i mi benlinio ar y llawr, fe ddois i sylweddoli gwirionedd yr arwydd rhyfedd hwnnw: mae'r groes yn ffolineb 'i'r rhai sydd ar lwybr colledigaeth' (1 Corinthiaid 1:18). Y noson honno penliniais wrth y groes a chredu yn Iesu. Rydw i wedi bod yn ffŵl er mwyn Crist ers hynny.[7]

SUT Y GALLWN GAEL FFYDD?

Mae rhai pobl yn well yn y bore, ond mae eraill yn bywiogi gyda'r nos. Yr amser gorau i mi yw'r bore. Rwy'n deffro'n llawn egni, ond yna rwy'n dechrau arafu wrth i'r dydd fynd rhagddo. Erbyn naw o'r gloch rwy'n barod am fy ngwely. Erbyn deg o'r gloch rwy'n syrthio i gysgu. Erbyn un ar ddeg, rwy'n cysgu, lle bynnag yr ydwyf!

"Nid yw'n hoff iawn o fwyta ganol nos."

Rydw i wedi bod fel hyn erioed, hyd yn oed pan oeddwn yn y coleg. Ar ddiwedd y tymor roedd dawns wedi'i threfnu. Yn ystod y noson, fe gwrddais â merch roeddwn i wedi siarad â hi ryw ddwywaith o'r blaen. Roedd hi tua'r un oed â mi. Fe wnaethom ddechrau siarad, yna fe gawsom ddawns neu ddwy. Aeth hi'n un ar ddeg o'r gloch...yna'n dri o'r gloch y bore. Pump o'r gloch. Am saith o'r gloch dechreuom chwarae tenis. Yna aethom mewn cwch ar yr afon, ac wedyn i gael cinio. Doeddwn i ddim wedi cael eiliad o gwsg, ond nid oedd blinder o fath yn y byd wedi dod drosof. Yn fuan iawn, roedd si ar led ymhlith fy ffrindiau fy mod yn sicr am briodi'r ferch yma am fy mod yn dal ar fy nhraed wedi un ar ddeg o'r gloch! Ac roedden nhw'n hollol iawn - fe briodais Pippa ddwy flynedd yn ddiweddarach.

Roedd bywyd newydd wedi cychwyn y noson honno – doeddwn i ddim yr un peth byth eto. Yn yr un modd, mae dod yn Gristion yn ddechrau bywyd newydd. Mae bod mewn perthynas â rhywun yn gyffrous, ond y berthynas fwyaf cyffrous yw ein perthynas gyda Duw. Fel y dywedodd Paul, 'os yw rhywun yng Nghrist, y mae'n greadigaeth newydd; aeth yr hen heibio, y mae'r newydd yma' (2 Corinthiaid 5:17) Weithiau, byddaf yn cadw cofnod o beth mae rhywun yn ei ddweud neu'n ysgrifennu ar ôl cychwyn y bywyd newydd mae Paul yn sôn amdano. Er enghraifft:

> Mae gen i obaith yn awr, lle gynt doedd gen i ond anobaith. Rydw i'n gallu maddau'n awr, lle o'r blaen doedd dim ond oerni... Mae Duw mor fyw i mi. Rydw i'n ei deimlo yn fy arwain ac mae'r unigrwydd ofnadwy hwnnw roeddwn yn arfer ei deimlo wedi mynd. Mae Duw'n llanw gwacter mawr, mawr.
>
> Roeddwn i wedi cyfarfod Cristnogion eraill (drwy fy ffrind) oedd fel petaen nhw mewn heddwch gyda'r byd, ac yn bobl hapus eu byd, ac roeddwn am gael beth oedd ganddyn nhw ... Fe wnes i gwrdd â Duw, a dod yn Gristion ar gwrs Alffa ... Rydw i'n teimlo mewn heddwch ac yn llawer hapusach gyda bywyd... Rydw i'n chwilio am ffyrdd o gryfhau fy mherthynas gyda Duw.

Pan mae Sant Paul yn sôn am bobl yn dod yn Gristnogion, beth mae'n ei olygu? Beth yw Cristion? Mae'r gair *Crist*ion yn gallu cael ei ddefnyddio mewn llawer o ffyrdd gwahanol yn ein cymdeithas heddiw. Eto i gyd, yn wreiddiol, cafodd y term ei fathu i ddisgrifio Cristion, rhywun sy'n dilyn Iesu; rhywun sydd mewn perthynas gyda Duw trwy ei Fab.

Mae profiadau pobl o ddechrau'r berthynas hon yn amrywio'n fawr iawn. Mae rhai pobl, fel fi, yn gwybod yr union ddyddiad y daethon nhw'n Gristion. Ond byddai rhai'n dweud, 'Alla'i ddim cofio amser pan doeddwn i ddim yn Gristion.' Byddai eraill yn dweud, 'Rwy'n meddwl bod adeg pan doeddwn i ddim yn Gristion. Yn awr rydw i'n Gristion, ond roedd yn brofiad mwy graddol; alla'i ddim dweud pryd yn union y digwyddodd hyn.' Yn hyn sy'n bwysig yw nid y profiad, ond y ffaith ein bod, wrth dderbyn Crist, yn dod yn blentyn i Dduw. Fel y mae'r apostol Ioan yn ei ysgrifennu, 'Ond cynifer ag a'i derbyniodd, rhoes iddynt hwy, y rhai sy'n credu yn ei enw, hawl i ddod yn blant Duw' (Ioan 1:12) Mae gan CS Lewis ddarlun sy'n egluro hyn: wrth deithio ar drên o Baris i Berlin, mae rhai pobl sy'n effro yr eiliad y mae'r trên yn croesi'r ffin. Mae'r teithwyr hyn yn gwybod pa bryd yn union y mae hyn wedi digwydd. Ond mae teithwyr eraill yn cysgu. Yr hyn sy'n bwysig yw eu bod nhw'n gwybod iddyn nhw gyrraedd Berlin.

Mae llawer o bobl yn ansicr a ydyn nhw'n Gristnogion ai peidio. Ar ddiwedd y cwrs Alffa rwy'n gofyn i bobl lenwi holiadur. Un o'r cwestiynau yw, 'Fyddech chi wedi disgrifio'ch hun fel Cristion ar ddechrau'r cwrs?' Dyma rai o'r atebion:

'Byddwn, ond heb unrhyw brofiad real o berthynas â Duw.'

'Rhyw fath.'

'Efallai/ meddwl mod i.'

'Ddim yn siŵr.'

'Mwy na thebyg.'

'Eitha.'

'Byddwn – ond wrth edrych yn ôl efallai ddim.'

'Na fyddwn, rhyw hanner Cristion.'

Mae'r Testament Newydd yn dweud yn glir ei bod yn bosib i ni fod yn sicr ein bod yn Gristnogion a bod gennym fywyd tragwyddol. Mae'r apostol Ioan yn ysgrifennu, 'Yr wyf yn ysgrifennu'r pethau hyn atoch chwi, y rhai sydd yn credu yn enw Mab Duw, er mwyn i chwi *wybod* bod gennych fywyd tragwyddol' (1 Ioan 5:13, fy mhwyslais i).

Sut gallwn wybod ein bod ni wedi derbyn bywyd tragwyddol? Fel y mae tair coes yn cynnal treipod camera, mae sicrwydd ein perthynas gyda Duw'n sefyll yn gadarn ar waith tri Pherson y Drindod: yr addewidion y mae'r Tad yn eu rhoi i ni yn ei air, aberth y Mab trosom ni ar y groes, a sicrwydd yr Ysbryd yn ein calonnau. Gallwn grynhoi hyn dan dri phennawd: gair Duw, gwaith Iesu, a thystiolaeth yr Ysbryd Glân.

Gair Duw

Petaech chi'n gofyn i mi sut rwy'n gwybod fy mod i'n briod, un ateb fyddai dangos dogfen arbennig i chi, sef ein tystysgrif priodas. Mae'r ddogfen yn brawf o'r ffaith fod Pippa a mi'n briod. Petaech yn gofyn i mi sut rwy'n gwybod fy mod yn Gristion, gallwn ddangos dogfen arall i chi, sef y Beibl.

Coes gyntaf y treipod yw gair Duw. Mae ein gwybodaeth am Dduw'n seiliedig ar yr addewidion sydd yn y Beibl. Mae'n seiliedig ar ffeithiau, nid teimladau. O ddibynnu ar ein teimladau'n unig ni allwn fod yn sicr am ddim byd. Mae ein teimladau'n newid fel y gwynt, yn dibynnu ar y tywydd, neu beth gawsom i frecwast. Maen nhw'n gallu bod yn gyfnewidiol, a hyd yn oed yn dwyllodrus ar adegau. Mae'r addewidion yn y Beibl, sef gair Duw, yn ddigyfnewid ac yn gwbl ddibynadwy.

Mae llawer o addewidion gwych i'w cael yn y Beibl. Cefais fy helpu'n fawr gan un adnod yn llyfr olaf y Beibl, yn enwedig ar ddechrau fy mywyd Cristnogol. Mae Sant Ioan yn cael gweledigaeth o Iesu'n siarad â saith eglwys wahanol. Mae Iesu'n dweud wrth yr eglwys yn Laodicea: 'Wele, yr wyf yn sefyll wrth y drws ac yn curo; os clyw rhywun fy llais ac agor y drws, dof i mewn ato, a bydd y ddau ohonom yn cydfwyta gyda'n gilydd' (Datguddiad 3:20).

Mae sawl ffordd wahanol o sôn am beth sy'n digwydd wrth ddechrau bywyd newydd y ffydd Gristnogol – er enghraifft 'dod yn Gristion', 'rhoi ein bywyd i Grist', 'derbyn Crist', 'gwahodd Iesu i'n bywyd', 'credu ynddo ef', 'agor drws ein calon i Iesu'. Mae nhw i gyd yn disgrifio'r un realiti; sef bod Iesu'n dod i'n bywyd trwy'r Ysbryd Glân, a dyma'r darlun sydd yn yr adnod yma.

Fe baentiodd Holman Hunt (1827-1910), yr arlunydd Cyn-raffaelaidd, ei lun *The Light of the World* wedi iddo gael ei ysbrydoli gan yr adnod hon. Fe baentiodd dair fersiwn o'r llun i gyd. Mae un yng ngholeg Keble, Rhydychen; fersiwn arall yn Oriel Gelf Ddinesig Manceinion; aeth y fersiwn enwocaf o'r tair ar daith o gwmpas y byd yn 1905-7 a chael ei chyflwyno yn y diwedd i eglwys gadeiriol Sant Paul ym Mehefin 1908, ac mae yno hyd heddiw. Pan arddangoswyd y llun am y tro cyntaf, ni chafodd lawer o groeso gan y beirniaid. Yna, ar 5 Mai 1854, ysgrifennodd John Ruskin, arlunydd a beirniad celf, at bapur newydd *The Times* i egluro symbolaeth y darlun, a'i amddiffyn 'fel un o'r gweithiau celf mwyaf aruchel a gynhyrchwyd gan yr oes hon neu unrhyw oes arall'.

Mae Iesu, Goleuni'r Byd, yn sefyll wrth ddrws wedi'i orchuddio gan eiddew a chwyn. Mae'r drws yn cynrychioli'r drws i fywyd rhywun. Nid yw'r unigolyn hwn erioed wedi gwahodd Iesu i mewn i'w fywyd. Mae Iesu'n sefyll wrth y drws yn curo. Mae'n disgwyl ymateb. Mae am ddod i mewn a bod yn rhan o fywyd perchennog y drws. Mae'n debyg fod rhywun wedi dweud wrth Holman Hunt ei fod wedi gwneud camgymeriad. 'Rydych chi wedi anghofio peintio handlen ar y drws'; meddai.

'Naddo wir,' atebodd Hunt, 'mae hynny'n fwriadol. Dim ond un handlen sydd i'r drws, ac mae honno ar y tu mewn.'

Mewn geiriau eraill, rhaid i ni agor y drws a gofyn i Iesu ddod i mewn i'n bywydau. Ni fydd Iesu yn gwthio nac yn gorfodi ei hun i mewn. Mae'n rhoi rhyddid i ni ddewis. Ni sydd i benderfynu a ydym ni am agor y drws ai peidio. Os gwnawn, mae'n addo, 'dof i mewn...a bydd y ddau ohonom yn cydfwyta gyda'n gilydd.' Mae cydfwyta'n arwydd o'r cyfeillgarwch y mae Iesu yn ei gynnig i bawb sy'n agor drws eu bywyd iddo.

Wedi i ni wahodd Iesu i ddod i mewn mae ef yn addo wedyn na fydd byth yn ein gadael. Mae'n dweud wrth ei ddisgyblion, 'yr wyf i gyda chwi yn wastad' (Mathew 28:20). Efallai nad ydym yn siarad ag ef yn uniongyrchol bob amser, ond fe fydd ef yno bob amser. Wrth weithio mewn ystafell gyda ffrind, fyddwch chi ddim yn siarad â'ch gilydd drwy'r amser, ond rydych yn dal i fod yn ymwybodol o bresenoldeb eich gilydd. Dyma sut y mae gyda phresenoldeb Iesu. Mae ef gyda ni yn wastad.

Mae'r addewid o bresenoldeb Iesu gyda ni yn perthyn yn agos i addewid rhyfeddol arall sydd i'w weld yn y Testament Newydd. Mae Iesu'n addo rhoi bywyd tragwyddol i'w ddilynwyr (Ioan 10:28). Mae 'bywyd tragwyddol' yn y Testament Newydd, fel rydym wedi gweld yn barod, yn golygu safon bywyd sy'n deillio o fod mewn perthynas gyda Duw drwy Iesu Grist (Ioan 17:3). Mae'n dechrau yn awr, pan fyddwn yn profi'r bywyd llawn y mae Iesu wedi dod i'w roi (Ioan 10:10). Ond nid dim ond rhywbeth i'r bywyd hwn yn unig yw hwn; mae'n parhau hyd dragwyddoldeb.

Mae gan atgyfodiad Iesu oddi wrth y meirw nifer o oblygiadau. Yn gyntaf, mae'n rhoi sicrwydd i ni ynglŷn â'r *gorffennol*, bod yr hyn wnaeth Iesu ar y groes yn effeithiol. 'Nid yw'r atgyfodiad yn cynrychioli methiant yn cael ei wyrdroi; yn hytrach mae'r atgyfodiad yn cyhoeddi buddugoliaeth.'[1] Yn ail, mae'n rhoi sicrwydd i ni ynglŷn â'r *presennol*; mae Iesu'n fyw. Mae ei nerth gyda ni, yn rhoi bywyd yn ei holl gyflawnder. Yn drydydd, mae'n rhoi sicrwydd i ni ynglŷn â'r *dyfodol*. Nid y bywyd hwn yw'r diwedd; mae bywyd y tu hwnt i'r bedd. Nid yw hanes yn ddiystyr nac yn troi mewn cylchoedd; mae'n symud tuag at uchafbwynt gogoneddus.

Un diwrnod bydd Iesu'n dod yn ôl i'r byd i greu nefoedd newydd a daear newydd (Datguddiad 21:1). Yna bydd y rhai sydd yng Nghrist yn cael bod 'gyda'r Arglwydd yn barhaus' (1 Thesaloniaid 4:17). Ni bydd dim mwy o wylo yno, gan na fydd poen yn bod. Ni fydd rhagor o demtasiwn, oherwydd bydd pechod wedi darfod. Ni fydd dim mwy o ddioddef na chael ein gwahanu oddi wrth ein hanwyliaid. Yna fe welwn Iesu wyneb yn wyneb (1 Corinthiaid 13:12). Byddwn yn derbyn cyrff gogoneddus yr atgyfodiad, cyrff sy'n gwbl rydd o boen (1 Corinthiaid 15). Fe gawn ein trawsnewid i fod yn debyg i gymeriad Iesu Grist hefyd (1 Ioan 3:2). Bydd y nefoedd yn lle o lawenydd a hyfrydwch rhyfeddol a fydd yn para am byth. Mae rhai pobl yn gwneud hwyl am ben y syniad hwn gan ddweud y bydd y nefoedd yn lle diflas ac undonog. Ond, 'Pethau na welodd llygad, ac na chlywodd clust, ac na ddaeth i feddwl neb, y cwbl a ddarparodd Duw ar gyfer y rhai sy'n ei garu' (1 Corinthiaid 2:9 gan ddyfynnu Eseia 64:4).

Fel y dywedodd C S Lewis yn un o'i lyfrau o gyfres Narnia:

> Mae'r tymor drosodd: mae'r gwyliau wedi dechrau. Mae'r freuddwyd wedi dod i ben: mae'r bore wedi gwawrio ... dim ond clawr a thudalen deitl oedd eu holl fywyd yn y byd hwn: yn awr, o'r diwedd, roedden nhw'n cychwyn ar Bennod Un y Stori Fawr nad oes neb ar y ddaear wedi'i darllen o'r blaen: stori sydd yn para am byth: lle mae pob pennod yn well na'r un o'i blaen.[2]

Gwaith Iesu

Wrth ateb y cwestiwn sut rwy'n gwybod fy mod i'n briod, byddwn yn gallu dangos i chi'r dystysgrif briodas. Gallwn hefyd dynnu eich sylw at rywbeth a ddigwyddodd ar 7 Ionawr 1978, sef ein priodas. Yn yr un modd, petaech chi'n gofyn i mi sut rwy'n gwybod fy mod i'n Gristion, gallwn hefyd dynnu eich sylw at ddigwyddiad yn hanes; marwolaeth ac atgyfodiad Iesu Grist.

Felly, ail goes y treipod yw gwaith Iesu. Y newyddion rhyfeddol yw bod ein hyder ni o gael bywyd tragwyddol, yn dibynnu nid ar unrhyw beth rydym yn ei wneud neu'n ei gyflawni, ond ar beth mae Iesu wedi'i wneud drosom ni. Mae'r hyn a wnaeth ef ar y groes yn ei gwneud yn bosibl i ni dderbyn bywyd tragwyddol fel rhodd (Ioan 10:28). Nid ydym yn gweithio am rodd. Rydym yn ei derbyn gyda diolch.

Mae'r cyfan yn dechrau gyda chariad Duw tuag atom ni: 'Carodd Duw y byd gymaint nes iddo roi ei unig Fab, er mwyn i bob un sy'n credu ynddo ef beidio â mynd i ddistryw ond cael bywyd tragwyddol' (Ioan 3:16). Rydym i gyd yn haeddu 'mynd i ddistryw'. Yn ei gariad tuag atom, fe welodd Duw ein trybini, ac anfonodd ei unig Fab, Iesu, i farw yn ein lle. Fel canlyniad i'w farwolaeth ef, mae bywyd tragwyddol yn cael ei gynnig i bawb sy'n credu.

Ar y groes, cymerodd Iesu ein pechodau i gyd arno ef ei hun. Roedd hyn wedi'i broffwydo yn yr Hen Destament yn llyfr Eseia, a gafodd ei ysgrifennu gannoedd o flynyddoedd yn gynt. Roedd y proffwyd wedi rhagweld beth fyddai'r 'gwas dioddefus' yn ei wneud drosom, gan ddweud: 'Rydym ni i gyd wedi crwydro fel defaid, pob un yn troi i'w ffordd ei hun; a rhoes yr Arglwydd arno ef [hynny yw, Iesu] ein beiau ni i gyd' (Eseia 53:6).

Mae'r proffwyd yn dweud ein bod i gyd wedi gwneud yr hyn sy'n anghywir – pob un wedi crwydro a throi i'w ffordd ei hun. Mewn man arall, mae'n dweud fod ein beiau yn peri i ni gael ein gwahanu oddi wrth Dduw (Eseia 59:1-2). Dyma un rheswm pam mae Duw'n gallu ymddangos yn bell oddi wrthym. Mae yna fur rhyngom ni a Duw, a dyna sy'n ein hatal rhag profi ei gariad ef.

Ar y llaw arall, wnaeth Iesu ddim byd yn anghywir. Fe wnaeth fyw bywyd perffaith. Doedd dim mur rhyngddo ef a'i Dad. Ar y groes, fe gymerodd Duw ein pechodau ('ein beiau') a'u gosod ar Iesu ('a rhoes yr Arglwydd arno ef ein beiau ni i gyd'). Dyna pam y gwaeddodd Iesu ar y groes â llef uchel, 'Fy Nuw, fy Nuw, pam yr wyt wedi fy ngadael?' (Marc 15:34). Yr eiliad hwnnw, roedd wedi'i dorri i ffwrdd oddi wrth Dduw - nid oherwydd ei feiau ei hun, ond oherwydd ein beiau ni.

Rydw i ychydig yn amheus o glywed pobl yn sôn am 'rodd sy'n rhad ac am ddim'. Mae bywyd tragwyddol yn rhodd gwbl unigryw sydd yn rhad ac am ddim, ac er nad oes rhaid i ni dalu amdano, roedd Iesu wedi gorfod talu gyda'i fywyd. Rydym yn derbyn y rhodd drwy edifeirwch a ffydd.

Beth yw edifeirwch? Mae'r gair Groeg am 'edifeirwch' yn golygu newid ein meddwl. Os ydym am dderbyn y rhodd hon, rhaid i ni fod yn barod i droi ein cefn ar bopeth yr ydym yn gwybod ei fod yn anghywir. Dyma'r pethau sy'n gwneud drwg i ni gan arwain at 'farwolaeth' (Rhufeiniaid 6:23a). Dywedodd C S Lewis fod edifeirwch fel 'rhoi heibio eich arfau, ymostwng, ymddiheuro a dweud ei bod yn flin gennych, sylweddoli eich bod wedi bod ar y llwybr anghywir, a bod yn barod i gychwyn byw bywyd eto o'r llawr gwaelod'.

Beth yw ffydd? Acrobat enwog oedd Blondin yn y bedwaredd ganrif ar bymtheg. Byddai hefyd yn cerdded rhaff, a byddai tyrfaoedd enfawr yn dod i'w wylio, yn enwedig pan oedd yn croesi Rhaeadr Niagra ar raff. Byddai'r act yn dechrau gyda rhywbeth gweddol syml - er enghraifft, croesi gyda pholyn. Yna byddai'n taflu'r polyn a dechrau rhyfeddu'r gwylwyr. Ar un achlysur yn 1860, aeth rhai o deulu brenhinol Prydain i'w weld yn perfformio. Cerddodd ar hyd y rhaff ar stiltiau, yna gyda mwgwd dros ei lygaid; y peth nesaf a wnaeth oedd stopio hanner ffordd a choginio omled a'i bwyta. Yna, rholiodd ferfa o un pen i'r llall wrth i'r dyrfa fynd i hwyl a bloeddio'n uchel. Rhoddodd sach o datws yn y ferfa a'i rholio o un pen y rhaff i'r llall. Bloeddiodd y dyrfa'n fwy croch. Yna nesaodd at y teulu brenhinol a gofynnodd i Ddug Newcastle, 'Ydych chi'n credu y gallwn i fynd â dyn ar hyd y rhaff yn y ferfa hon?'

'Ydw' meddai'r Dug.

'Neidiwch i mewn!' atebodd Blondin. Aeth y dorf yn gwbl dawel, ond nid oedd Dug Newcastle am dderbyn ei sialens. Doedd neb yn fodlon gwirfoddoli. Ymhen hir a hwyr, camodd hen wraig o'r dorf a dringodd i mewn i'r ferfa. Aeth Blondin â hi yn y ferfa yr holl ffordd ar hyd y rhaff a'r holl ffordd yn ôl. Mam Blondin oedd yr hen wraig, a'r unig berson oedd yn fodlon ymddiried ei bywyd iddo. Mae ffydd yn debyg i rywun yn neidio i mewn i'r ferfa. Nid dim ond rhywbeth deallusol, academaidd yw ffydd; mae'n golygu'r weithred o fentro ar Iesu ac ymddiried ynddo.

Wrth edifarhau a chredu, gallwn fod yn sicr o faddeuant Duw a gwybod bod ein heuogrwydd wedi'i gymryd ymaith. Rydym yn gallu bod yn sicr hefyd na chawn ein condemnio mwyach. Fel y dywedodd Paul, 'Yn awr, felly, nid yw'r rhai sydd yng Nghhrist Iesu dan gollfarn o unrhyw fath' (Rhufeiniaid 8:1). Dyma, felly, yw'r ail reswm dros fod yn sicr fod gennym ni fywyd tragwyddol – oherwydd yr hyn a wnaeth Iesu er ein mwyn ar y groes wrth farw drosom.

Tystiolaeth yr Ysbryd Glân

Er mwyn profi fy mod i'n briod, gallwn nid yn unig dynnu eich sylw at ddogfen a digwyddiad hanesyddol, ond hefyd sôn am flynyddoedd o brofiad o fod yn briod. Er mwyn dangos sut rwy'n gwybod fy mod yn Gristion, rwy'n gallu cyfeirio at ddogfen, digwyddiad hanesyddol, ac yn drydydd rwy'n gallu sôn am brofiad o'r Ysbryd Glân. Pan fydd rhywun yn dod yn Gristion, mae Ysbryd Glân Duw yn dod i fyw ynddyn nhw. Mae dwy elfen i'r profiad sy'n ein helpu i fod yn sicr o'n ffydd yng Nghrist.

Yn gyntaf, mae'r Ysbryd yn ein trawsnewid o'r tu mewn. Mae'n cynhyrchu cymeriad Iesu yn ein bywydau ac rydym yn galw hyn yn 'ffrwyth yr Ysbryd' – 'cariad, llawenydd, tangnefedd, goddefgarwch, caredigrwydd, daioni, ffyddlondeb, addfwynder, hunanddisgyblaeth' (Galatiaid 5:22–23). Pan ddaw'r Ysbryd Glân i fyw ynom mae'r 'ffrwyth' hwn yn dechrau tyfu.

Bydd newidiadau yn ein cymeriad y dylai pobl eraill sylwi arnyn nhw, ond wrth gwrs ni fydd y newidiadau'n digwydd dros nos. Mae gennym goeden ellyg yn ein gardd, ac rydw i'n edrych bron â bod bob dydd i weld a yw'r goeden wedi dwyn ffrwyth. Un diwrnod dyma ffrind yn chwarae tric arna' i a chlymu afal Granny Smith enfawr wrth un o'r canghennau. Nid oeddwn wedi cael fy nhwyllo gan hyn! Mae fy ngwybodaeth gyfyngedig o arddio yn dweud wrthyf ei bod yn cymryd amser i ffrwyth dyfu, ac nad yw coed gellyg yn dwyn afalau. Mae'r Ysbryd Glân yn ein trawsnewid yn raddol yn bobl fwy cariadus, mwy llawen, mwy tangnefeddus, mwy amyneddgar, mwy caredig a mwy hunan-ddisgybledig.

Yn ogystal â newidiadau yn ein cymeriad, dylai ein perthynas â Duw a phobl eraill hefyd fod yn wahanol. Rydym yn datblygu cariad newydd tuag at Dduw - yn Dad, Mab ac Ysbryd Glân. Er enghraifft, bydd clywed yr enw 'Iesu' yn cael effaith emosiynol wahanol arnom. Cyn i mi ddod yn Gristion, roedd y gair 'Iesu', i mi, yn ddim byd ond rheg. Pan fyddwn yn gwrando ar y radio neu'n gwylio'r teledu, a chlywed sôn am Iesu, byddwn yn diffodd y rhaglen; doedd dim diddordeb gennyf mewn crefydd. Wedi dod yn Gristion byddwn yn codi'r sŵn i fyny ac yn gwrando'n astud gan fod fy agwedd at Iesu wedi newid yn llwyr. Dyma un arwydd bach iawn o fy nghariad newydd tuag ato.

Mae ein hagwedd tuag at eraill yn newid hefyd. Yn aml, mae Cristnogion newydd yn dweud wrthyf eu bod yn dechrau sylwi ar wynebau pobl ar y stryd neu sy'n teithio ar y bws. Ynghynt, doedd ganddyn nhw ddim diddordeb mewn eraill; yn awr, maent yn teimlo consyrn dros bobl sy'n edrych yn ddigalon neu'n unig. I mi, y newid mawr ar ôl dod yn Gristion oedd fy agwedd tuag at Gristnogion eraill. Roeddwn i'n arfer ceisio osgoi pobl oedd yn proffesu'r ffydd Gristnogol. Ond wedi i mi ddod yn Gristion, gwelais nad oedden nhw mor ofnadwy wedi'r cwbl! Yn wir, cyn bo hir dechreuais deimlo rhyw gyfeillgarwch dwfn tuag at Gristnogion eraill, rhywbeth nad oeddwn wedi'i brofi o'r blaen yn fy mywyd.

Yn ail, mae'r Ysbryd Glân yn rhoi i ni brofiad ysbrydol mewnol o Dduw. Mae'n rhoi sicrwydd dwfn, personol i ni ein bod yn blant i Dduw (Rhufeiniad 8:15–16).

Mae gennyf dri o blant sy'n oedolion erbyn hyn. Yn fy marn i, mae llawer o blant yn cael llawer gormod o waith yn yr ysgol. Y cyngor y byddwn i'n ei roi i'r plant fel arfer oedd, 'Paid â gweithio mor galed!' Dim ots beth fyddai'r adroddiadau ar ddiwedd y flwyddyn ei ddweud, roeddwn yn meddwl bod fy mhlant yn ardderchog. Rwy'n cofio darllen adroddiad ysgol fy merch pan oedd hi'n 13 oed, a oedd yn wych (wrth gwrs). Ond roedd fy merch yn siomedig gyda rhai pynciau, a dywedodd y dylai fod wedi gwneud yn well yn Ffrangeg, ac ati. Fy ymateb i oedd, 'Does dim ots gen i wir beth oedd y radd gefaist ti yn Ffrangeg. Rydw i'n meddwl dy fod yn ardderchog. I ddweud y gwir, byddai dim ots gen i hyd yn oed petai'r adroddiad cyfan yn siomedig, rydw i'n dy garu di am fy mod i'n dy garu *di*.' Y noson honno wrth feddwl am ein sgwrs ynglŷn â'r adroddiad, teimlwn fod Duw'n dweud wrthyf, 'Dyma sut rwy'n teimlo amdanat ti.'

Mae cariad Duw tuag at bob un ohonom yn fwy o lawer na chariad unrhyw riant dynol tuag at eu plant. Yn aml rwy'n teimlo y gallwn wneud yn well, nad ydw i'n arbennig o dda mewn un peth neu'r llall, ac rwy'n methu dro ar ôl tro. Eto i gyd, mae Duw'n ein derbyn, ac yn ein caru, yn syml iawn oherwydd ei fod yn ein caru. Rydym yn gwybod hyn oherwydd bod yr Ysbryd Glân yn tystiolaethu i ni - yn wrthrychol trwy newid yn ein cymeriad a'n perthynas gydag eraill, ac yn oddrychol trwy sicrwydd dwfn tu fewn i ni ein bod yn blant i Dduw.

Yn y tair ffordd hon (gair Duw, gwaith Iesu a thystiolaeth yr Ysbryd) mae'r rhai sy'n credu yn Iesu yn gallu bod yn sicr eu bod yn blant i Dduw a bod ganddynt fywyd tragwyddol.

Nid peth balch, hunangyfiawn yw bod yn sicr fod gennym fywyd tragwyddol. Mae wedi'i seilio ar beth mae Duw wedi'i addo, ar yr hyn mae Iesu wedi'i wneud ac ar waith yr Ysbryd Glân yn ein bywydau. Dyma un o'r breintiau o fod yn blentyn i Dduw: gallu bod yn gwbl hyderus am ein perthynas gyda'n Tad, profi ei faddeuant, bod yn siŵr ein bod yn Gristnogion a gwybod fod gennym fywyd tragwyddol.

Os nad ydych chi'n siŵr eich bod wedi credu yn Iesu mewn gwirionedd, gallwch weddïo'r weddi hon i ddechrau'r bywyd Cristnogol a derbyn yr holl fendithion sy'n dod drwy'r hyn mae Iesu wedi'i wneud.

> Dad Nefol, mae'n ddrwg iawn gen i am y pethau anghywir rydw i wedi'u gwneud yn fy mywyd. [Treuliwch ychydig eilliadau'n gofyn am faddeuant am unrhyw beth sydd ar eich cydwybod.] Os gweli di'n dda, maddau i mi. Rydw i'n troi oddi wrth bob peth rydw i'n gwybod ei fod yn anghywir.
>
> Diolch i ti am anfon dy Fab, Iesu, i farw ar y groes drosof er mwyn i mi gael maddeuant a chael bod yn rhydd. O hyn allan, rydw i am ddilyn Iesu ac ufuddhau iddo fel fy Arglwydd.
>
> Diolch i ti dy fod yn awr yn cynnig dy faddeuant a'th Ysbryd yn rhodd i mi. Rydw i'n derbyn y rhodd yn awr.
>
> Os gweli di'n dda, tyrd i mewn i fy mywyd trwy dy Ysbryd Glân i fod gyda fi'n wastad. Trwy Iesu Grist, ein Harglwydd. Amen.

PAM A SUT RYDW I'N GWEDDÏO?

Mae arolwg ar ôl arolwg wedi dangos fod tri chwarter poblogaeth y wlad ddi-gred a seciwlar hon yn cyfaddef eu bod yn gweddïo o leiaf unwaith yr wythnos. Cyn i mi ddod yn Gristion, byddwn yn gweddïo dwy fath o weddi. Yn gyntaf, roeddwn yn gweddïo gweddi a ddysgais gan fy mam-gu (nad oedd yn mynd i gapel nac eglwys) 'Dduw, bendithia Mam a Dad ... a phawb arall, a gwna fi'n fachgen da. Amen.' Doedd dim o'i le ar y weddi, ond i mi, nid oedd ond fformiwla yr oeddwn yn ei defnyddio bob nos cyn mynd i gysgu, ynghyd ag ofnau ofergoelus am beth fyddai'n digwydd petawn i ddim yn gwneud.

Yn ail, roeddwn yn gweddïo ar adegau o argyfwng. Er enghraifft, roeddwn yn teithio ar fy mhen fy hun yn yr Unol Daleithiau yn 17 oed. Llwyddodd y cwmni bysiau i golli fy sach deithio, a oedd yn dal fy holl ddillad, arian a'm llyfr cyfeiriadau. Cefais fy ngadael heb ddim, bron a bod. Treuliais ddeg diwrnod yn byw mewn cymuned o hipis yn rhannu pabell gydag alcoholig. Ar ôl hynny, treuliais y dyddiau'n crwydro nifer o ddinasoedd America a phob nos ar y bws, a'r unigrwydd a'r anobaith yn cynyddu. Un diwrnod, wrth gerdded ar hyd y stryd, gwaeddais ar Dduw (nad oeddwn yn credu ynddo), a gweddïo y byddwn i'n cyfarfod rhywun yr oeddwn yn ei adnabod. Ychydig yn ddiweddarach, fe es ar y bws am 6 o'r gloch y bore yn Phoenix, Arizona, ac yno fe welais hen ffrind ysgol. Rhoddodd fenthyg ychydig o arian i mi ac fe deithion ni gyda'n gilydd am rai dyddiau. Roedd y gwahaniaeth yn anhygoel. Nid oeddwn yn gweld y peth fel ateb i weddi, dim ond fel cyd-ddigwyddiad. Ers dod yn Gristion rydw i wedi sylweddoli pa mor aml mae pethau'n cyd-ddigwydd pan fyddaf yn gweddïo.

Beth yw gweddi?

Gweddi yw gweithgarwch pwysicaf ein bywydau oherwydd dyma sut yr ydym yn datblygu perthynas gyda'n Tad yn y nefoedd. Dywedodd Iesu, 'Pan fyddi di'n gweddïo, dos i mewn i'th ystafell, ac wedi cau dy ddrws gweddïa ar dy Dad sydd yn y dirgel' (Mathew 6:6). Mae dymuno cyfathrebu gyda Duw yn beth naturiol i fodau dynol, ac mae Iesu yn dangos sut yr ydym yn gallu gwneud hyn. Iddo ef, perthynas yw gweddi ac nid defod. Nid rhaffu geiriau'n ddifeddwl fel peiriant yw gweddi. Yn wir, dywedodd Iesu, 'Peidiwch â phentyrru geiriau fel y mae'r Cenhedloedd yn gwneud' (Mathew 6:7). Mae gweddi yn sgwrs gyda'n Tad yn y nefoedd. Mater o berthynas yw gweddi, ac wrth weddïo, mae'r Drindod i gyd yn rhan o'r peth - yn Dad, Mab ac Ysbryd Glân.

Mae gweddi Gristnogol yn weddi 'ar dy Dad'

Dysgodd Iesu ni i weddïo, 'Ein Tad yn y nefoedd' (Mathew 6:9). Mae Duw'n fod personol. Wrth gwrs y mae 'y tu hwnt i bersonoliaeth' fel y dywedodd C S Lewis, ond mae yn dal i fod yn bersonol. Rydym wedi cael ein creu ar lun a delw Duw. Mae ef yn Dad cariadus i ni, ac mae gennym ni'r fraint ryfeddol o allu dod i'w bresenoldeb a'i alw yn 'Abba' – y gair Aramaeg sy'n golygu 'Tada' neu 'Dadi'.

Mae rhyw agosatrwydd hynod yn ein perthynas gyda Duw, ac yn ein gweddïo ar ein Tad yn y nefoedd.

Nid 'Ein Tad' yn unig yw ef; ef yw 'Ein Tad yn y nefoedd'. Mae ganddo allu nefol. Pan fyddwn yn gweddïo rydym yn siarad â Chreawdwr yr holl fydysawd. Ar 20 Awst 1977, cafodd Voyager II ei lansio i chwilio ac anfon gwybodaeth yn ôl i'r byd o eithafion y system blanedol. Roedd yn teithio'n gynt na bwled o ddryll (90,000 milltir yr awr). Ar 28 Awst 1989 cyrhaeddodd y blaned Neifion, 2,700 miliwn o filltiroedd oddi wrth y ddaear. Yna, gadawodd Voyager II gysawd yr haul. Ni ddaw o fewn blwyddyn olau i unrhyw seren am 958,000 o flynyddoedd. Yn ein galaeth ni mae 100,000 miliwn o sêr fel ein haul. Mae ein galaeth yn un o 100,000 miliwn o alaethau. Mewn llinell o frawddeg fer ddisylw yn Genesis, mae'r awdur yn dweud, 'a gwnaeth y sêr hefyd' (Genesis 1:16). Dyna fesur ei allu a'i nerth. Dywedodd yr awdur Cristnogol Andrew Murray, 'Mae nerth gweddi bron â bod yn dibynnu'n gyfan gwbl ar ein dealltwriaeth ni o bwy rydym yn siarad ag ef.'[1]

Pan fyddwn yn gweddïo, rydym yn siarad â Duw tra-rhagorol a mewnfodol. Mae'n llawer mwy na'r bydysawd y creodd ef ei hun, ac yn fwy galluog hefyd, ac eto mae ef yno gyda ni wrth i ni weddïo.

Mae gweddi Gristnogol yn weddi 'trwy'r Mab'

Dywedodd Paul, 'trwyddo ef [Iesu] mae gennym ... ffordd i ddod, mewn un Ysbryd, at y Tad' (Effesiaid 2:18). Dywedodd Iesu y byddai ei Dad yn rhoi 'beth bynnag a ofynnwch ganddo yn fy enw' (Ioan 15:16). Nid oes gennym unrhyw hawl ohonom ein hunain i ddod at Dduw, ond rydym yn gallu gwneud hynny 'trwy Iesu' ac 'yn ei enw'. Dyna'r rheswm ein bod yn gorffen gweddïau gyda'r geiriau 'trwy Iesu Grist ein Harglwydd' neu 'yn enw Iesu'. Nid ffurf ar eiriau'n unig yw hyn; wrth ddweud hyn rydym yn cydnabod mai dim ond trwy Iesu rydym yn gallu dod at Dduw. Iesu, trwy farw ar y groes, a symudodd y mur oedd rhyngom ni a Duw. Ef yw ein Harchoffeiriad mawr. Dyna pam fod y fath allu yn enw Iesu.

Mae gwerth siec yn dibynnu nid yn unig ar y swm, ond hefyd ar yr enw sy'n ymddangos ar y gwaelod. Petawn i'n ysgrifennu siec am ddeng miliwn o bunnau, byddai'n gwbl ddiwerth. Ond petai Bill Gates, un o'r bobl gyfoethocaf yn y byd, yn ysgrifennu siec am ddeng miliwn o bunnau, byddai'n werth yr union swm hwnnw. Pan fyddwn yn mynd i fanc y nef, nid oes gennym ddim yno. Os byddaf yn mynd yn fy enw fy hun, ni allaf wneud dim. Ond mae gan Iesu Grist gredyd diddiwedd yn y nefoedd ac mae wedi rhoi i ni'r fraint o gael defnyddio ei enw.

Mae gweddi Gristnogol yn weddi 'mewn un Ysbryd' (Effesiaid 2:18)

Mae gweddïo yn anodd weithiau, ond nid yw Duw wedi ein gadael ar ein pennau ein hunain. Mae wedi rhoi ei Ysbryd i fyw ynom a'n helpu i weddïo. Mae Paul yn ysgrifennu, 'Yn yr un modd, y mae'r Ysbryd yn ein cynorthwyo yn ein gwendid. Oherwydd ni wyddom ni sut y dylem weddïo, ond y mae'r Ysbryd ei hun yn ymbil trosom ag ocheneidiau y tu hwnt i eiriau, ac y mae Duw, sy'n chwilio calonnau dynol, yn deall bwriad yr Ysbryd, mai ymbil y mae tros y saint yn ôl ewyllys Duw' (Rhufeiniaid 8:26–27). Mewn pennod ddiweddarach fe edrychwn yn fanylach ar waith yr Ysbryd Glân. Yma, digon yw nodi wrth weddïo, fod Duw yn ein helpu i weddïo trwy ei Ysbryd sy'n byw ynom ni fel Cristnogion.

Pam gweddïo?

Mae gweddi yn weithgarwch hanfodol. Mae llawer o resymau dros weddïo. Yn gyntaf, dyma'r cyfrwng i ddatblygu perthynas gyda'n Tad yn y nefoedd. Weithiau mae pobl yn dweud, 'Mae Duw'n gwybod beth rydym ei angen, felly pam mae'n rhaid i ni ofyn?' Wel, ni fyddai'n llawer o berthynas heb gyfathrebu. Wrth gwrs, nid gofyn yw'r unig ffordd yr ydym yn cyfathrebu gyda Duw. Mae ffurfiau eraill ar weddi: diolch, moli, addoli, cyffesu, gwrando, ac ati. Ond mae gofyn yn bwysig. Wrth i ni ofyn i Dduw am bethau, a gweld atebion i'n gweddïau, mae ein perthynas gydag Ef yn dyfnhau.

Roedd Iesu ei hun yn gweddïo, ac fe'n dysgodd ni i wneud yr un peth. Roedd ganddo berthynas ddi-dor gyda'i Dad, ac roedd ei fywyd yn un o weddi barhaus. Mae llu o gyfeiriadau at Iesu'n gweddïo, ac yn y Beibl rydym yn darllen ei fod yn encilio'n aml i weddïo (er enghraifft Marc 1:35; Luc 6:12).

Mae Iesu hefyd yn ein dysgu y bydd Duw yn ein gwobrwyo pan fyddwn yn gweddïo. Efallai ein bod yn gofyn y cwestiwn, a yw'n iawn i ni chwilio am wobr? Wrth gwrs, mae yna'r fath beth â gwobrau anaddas: mae tâl am gael rhyw yn wobr anaddas. Ond mae yna hefyd wobrau priodol. Petaech chi'n gweithio'n galed ar gyfer arholiad, yna byddai pasio'r arholiad, a chael cymhwyster, yn wobr briodol. Dywedodd C S Lewis hyn: 'Y gwir wobr yw'r gweithgarwch ei hun, nid yn syml yr hyn sy'n deillio o'r gweithgarwch.'[2]

Mae llawer ohonom yn teimlo rhyw aflonyddwch neu dristwch a hiraeth yn ein calon, ac yn fy mhrofiad i, mae gweddi'n diwallu'r newyn ysbrydol hwnnw. Y wobr yw y byddwn yn dechrau profi cariad Duw tuag atom ni a'i bresenoldeb gyda ni pan fyddwn yn gweddïo. Mae'r Salmydd yn dweud, 'Yn dy bresenoldeb di y mae digonedd o lawenydd' (Salm 16:11).

Yn olaf, nid yn unig mae gweddi yn ein newid ni, ond mae hefyd yn newid sefyllfaoedd. Mae llawer o bobl yn fodlon derbyn bod gweddi yn cael effaith ddaionus arnyn nhw eu hunain, ond mae rhai â gwrthwynebiad athronyddol i'r cysyniad fod gweddi'n newid digwyddiadau a newid pobl eraill. Ysgrifennodd y Rabi Daniel Cohn-Sherbok, o Brifysgol Caint, erthygl yn dadlau os yw Duw yn gwybod y dyfodol yna mae'r dyfodol wedi'i bennu'n barod. Atebodd Clifford Longley, cyn-ohebydd materion crefyddol *The Times*, 'Os yw Duw yn bodoli yn y presennol tragwyddol, mae'n clywed pob gweddi ar yr un pryd. Yna mae'n gallu cymryd gweddi o'r wythnos nesaf, a'i chlymu i ddigwyddiad fis yn ôl.

Ar nifer o wahanol achlysuron cawsom ein hannog gan Iesu i ofyn. Dywedodd, 'Gofynnwch ac fe roddir i chwi; ceisiwch, ac fe gewch; curwch, ac fe agorir i chwi. Oherwydd y mae pawb sy'n gofyn yn derbyn, a'r sawl sy'n ceisio yn cael, ac i'r un sy'n curo agorir y drws' (Mathew 7:7-8).

Mae pob Cristion yn gwybod, o'i brofiad ei hun, fod Duw yn ateb gweddïau. Fel Cristion ifanc, dechreuais weddïo am y pethau bach yn fy mywyd. Dechreuais sylwi ar gyd-ddigwyddiadau. Yna, po fwyaf yr oeddwn yn gweddïo, y mwyaf aml y gwelwn gyd-ddigwyddiadau. Fe wnes i gysylltu'r ddau beth gyda'i gilydd a mentro gweddïo am bethau mwy. Wrth gwrs, nid yw'n bosibl profi Cristnogaeth ar sail atebion i'n gweddïau ein hunain oherwydd cânt eu 'hesbonio' gan sinigiaid. Ond mae gweld gweddi ar ôl gweddi yn cael eu hateb yn atgyfnerthu ein ffydd yn Nuw. Rydw i'n cadw dyddiadur gweddi ers blynyddoedd, ac mae'n ddiddorol iawn gweld sut mae Duw wedi ateb fy ngweddïau ddydd ar ôl dydd, wythnos ar ôl wythnos, flwyddyn ar ôl blwyddyn.

A yw Duw bob amser yn ateb gweddi?

Yn yr adran o efengyl Mathew a ddyfynnais ar ddechrau'r bennod (Mathew 7:7-8), ac mewn sawl rhan arall o'r Testament Newydd, mae'r addewidion yn ymddangos yn gwbl bendant ac absoliwt.   Ond wrth edrych ar y Beibl cyfan, rydym yn gweld digon o resymau da pam nad ydym bob amser yn cael popeth yr ydym yn gofyn amdano.

Y mae pechod heb ei gyffesu yn gallu codi rhwystr rhyngom a Duw: 'Nid aeth llaw'r Arglwydd yn rhy fyr i achub, na'i glust yn rhy drwm i glywed; ond eich camweddau chwi a ysgarodd rhyngoch a'ch Duw, a'ch pechodau chwi a barodd iddo guddio'i wyneb fel nad yw'n eich clywed.' (Eseia 59:1–2). Wrth gwrs, mae pob un ohonom yn pechu, a phetai pechod yn golygu nad ydym yn cael gweddïo, fyddai neb yn gweddïo! Ond mae Iesu wedi marw ar y groes er mwyn i ni gael maddeuant. Mae hyn yn ei gwneud yn bosibl i ni weddïo. Pan fydd pobl yn dweud, 'Dydw i ddim yn teimlo fod Duw yn fy nghlywed. Dydw i ddim yn teimlo fod neb yno,' y cwestiwn cyntaf i ofyn iddyn nhw yw a ydyn nhw wedi derbyn maddeuant Duw trwy Grist ar y groes. Rhaid tynnu'r rhwystr cyn i ni allu disgwyl i Dduw wrando ar ein gweddïau, a'u hateb.

Hyd yn oed fel Cristnogion mae ein perthynas gyda Duw yn gallu cael ei niweidio gan bechod neu anufudd-dod. Mae Ioan yn ysgrifennu, 'Gyfeillion annwyl, os nad yw'n calon yn ein condemnio, y mae gennym hyder gerbron Duw, ac yr ydym yn derbyn ganddo ef bob dim yr ydym yn gofyn amdano, am ein bod yn cadw ei orchmynion ac yn gwneud y pethau sydd wrth ei fodd' (1 Ioan 3:21–22). Os ydym yn ymwybodol o unrhyw bechod neu anufudd-dod tuag at Dduw, mae angen i ni ei gyffesu, a throi oddi wrtho. Canlyniad hyn fydd perthynas iawn gyda Duw unwaith eto, a'r hyder i nesáu ato unwaith eto. Mae Duw yn gweld popeth - nid yw'n bosibl i ni ei dwyllo trwy gynllunio'r pechod a'r edifeirwch (troi oddi wrth bechod) ar yr un pryd.

Gall ein cymhellion hefyd fod yn rhwystr i ni gael yr hyn yr ydym yn gofyn amdano. Nid yw pob cais i ennill y loteri, neu i briodi un o sêr Hollywood, neu am gar Aston Martin yn cael ei ateb! Mae Iago, brawd Iesu, yn ysgrifennu:

> Yr ydych yn chwennych ac yn methu cael; yr ydych yn llofruddio ac eiddigeddu ac yn methu meddiannu: yr ydych yn ymladd a rhyfela. Nid ydych yn cael am nad ydych yn gofyn. A phan fyddwch yn gofyn, nid ydych yn derbyn, a hynny am eich bod yn gofyn ar gam, â'ch bryd ar wario yr hyn a gewch ar eich pleserau. Iago 4:2–3

Enghraifft enwog o weddi sy'n llawn gofyn ar gam yw gweddi John Ward o Hackney, a gafodd ei hysgrifennu yn y ddeunawfed ganrif:

> O Arglwydd; rwyt yn gwybod fod gennyf naw stad yn Ninas Llundain, a fy mod yn ddiweddar wedi prynu stad arall yn swydd Essex; rwy'n gweddïo arnat i gadw Siroedd Essex a Middlesex rhag tân a daeargryn; a chan fod gennyf forgais yn Hertfordshire, rydw i'n deisyf i ti yn yr un modd i edrych yn drugarog ar y sir honno; am weddill y siroedd, gelli di wneud â nhw fel y gweli'n dda.
>
> O Arglwydd, caniatâ i'r banc allu talu pob bil, a gwna fy nyledwyr yn ddynion da. Rho daith lwyddiannus i'r llong *Mermaid*, oherwydd rydw i wedi'i hyswirio; a chan dy fod wedi dweud mai byr fydd dyddiau'r drygionus, rydw i'n ymddiried ynot ti i beidio ag anghofio dy addewid, gan fy mod wedi prynu stad a fydd yn dod yn eiddo i mi ar farwolaeth y dyn

ifanc afradlon hwnnw, Syr J.L.

Cadw fy ffrindiau'n ddiogel, a chadw fi rhag lladron, a gwna fy ngweision yn onest a ffyddlon wrth ofalu am fy musnes. A phaid â gadael iddynt fy nhwyllo mewn dim, ddydd na nos.

Mae Ioan yn ysgrifennu, 'bydd ef yn gwrando arnom os gofynnwn am rywbeth *yn unol â'i ewyllys ef*' (1 Ioan 5:14, fy mhwyslais i). Wrth i ni ddod i adnabod Duw yn well, fe fyddwn yn gwybod yn well hefyd beth yw ei ewyllys, ac o ganlyniad fe welwn fwy o'n gweddïau yn cael eu hateb.

Weithiau nid yw ein gweddïau yn cael eu hateb oherwydd byddwn yn gofyn am bethau nad ydynt o les i ni. Dim ond 'rhoddion da' y mae Duw yn addo i ni (Mathew 7:11). Mae ef yn ein caru ac yn gwybod beth sydd orau i ni. Nid yw rhieni da yn rhoi i'w plant yr hyn y maen nhw'n gofyn amdano bob amser. Os yw plentyn dwyflwydd oed am chwarae gyda chyllell fara, gobeithiwn y bydd y rhiant yn dweud 'na'! Fel y dywedodd John Stott, bydd Duw yn ateb 'na' os nad yw'r hyn yr ydym yn gofyn amdano 'o les ynddo ac ohono'i hun, neu os na fydd o les i ni ein hunain neu i eraill, boed hynny'n uniongyrchol neu'n anuniongyrchol, ar y pryd hwn neu yn y pen draw'.

'Ie', neu 'na' fydd yr ateb i'n gweddïau, ond weithiau'r ateb fydd 'aros', ac fe ddylem fod yn ddiolchgar am hyn. Petaem yn cael popeth y gofynnem amdano, ni fyddem yn gweddïo byth eto. Dywedodd Ruth Graham (gwraig yr awdur a'r pregethwr Billy Graham) wrth gynulleidfa ym Minneapolis, 'Nid yw Duw wedi ateb fy ngweddïau bob amser, neu fe fyddwn wedi priodi'r dyn anghywir - sawl gwaith!'

Yn fy mhrofiad i, mae'n ymddangos weithiau fel petai Duw'n cuddio ei wyneb oddi wrthym. Gweddïodd y salmydd: 'Am ba hyd, Arglwydd, yr anghofi fi'n llwyr? Am ba hyd y cuddi dy wyneb oddi wrthyf? (Salm 13:1). Ar adegau fel hyn rhaid i ni ymddiried yn Nuw er gwaetha'r ffaith nad oes ateb yn dod. Fel dywedodd y Salmydd: 'Ond yr wyf fi'n ymddiried yn dy ffyddlondeb; a chaiff fy nghalon lawenhau yn dy waredigaeth' (Salm 13:5).

Ambell waith ni fyddwn yn cael gwybod yn y byd hwn pam mai 'na' yw'r ateb. Yn 1996 roeddwn yn chwarae sboncen gydag un o'm ffrindiau pennaf, Mick Hawkins, oedd yn 42 oed ac yn dad i chwech o blant. Ar ganol y gêm fe gafodd drawiad ar y galon a bu farw yn y fan a'r lle. Dydw i erioed o'r blaen yn cofio gweiddi ar Dduw fel y gwnes i bryd hynny.

Gofynnais i Dduw iacháu fy ffrind a'i wella, gan weddïo na fyddai'r trawiad yn farwol. Nid wyf yn gwybod pam y bu Mick farw.

Y noson honno, doeddwn i ddim yn gallu cysgu ac mi godais am bump o'r gloch y bore. Fe es am dro, a dywedais wrth yr Arglwydd, 'Dwi ddim yn deall pam mae Mick wedi marw. Roedd o'n rhywun mor rhyfeddol, yn dad ac yn ŵr hyfryd. 'Dwi ddim yn deall....' Yna fe sylweddolais fod gennyf ddewis. Gallwn fod wedi dweud, 'Dwi ddim am gredu mwyach.' Ar y llaw arall gallwn fod wedi dweud, 'Rydw i'n mynd i ddal ati i gredu er gwaetha'r ffaith nad ydw i'n deall, ac rydw i am ddal i ymddiried ynot ti, Arglwydd, er na fydda' i byth yn deall - yn y bywyd hwn - pam mae hyn wedi digwydd.'

Efallai bod adegau pan fydd yn rhaid i ni aros nes y gwelwn wyneb Duw yn y nefoedd er mwyn deall ei ewyllys, a deall pam na chafodd ein gweddi ei hateb yn y ffordd roeddem wedi ei ddymuno.[3]

Sut y dylem weddïo?

Nid oes yr un ffordd 'iawn' o weddïo. Mae gweddi yn rhan annatod o'n perthynas gyda Duw, ac rydym yn rhydd i siarad ag ef yn gwbl naturiol. Nid yw Duw am i ni ddweud geiriau gwag drosodd a throsodd na defnyddio jargon crefyddol; yn hytrach, mae am i ni fod yn onest a dweud wrtho beth sydd yn ein calonnau. Mae llawer o bobl yn teimlo bod cael patrwm yn eu helpu i weddïo, rhywbeth tebyg i hyn:

> ADDOLI – addoli Duw am bwy ydyw ac am beth mae wedi'i wneud
>
> CYFFESU – gofyn i Dduw faddau i ni am unrhyw beth yr ydym wedi'i wneud sy'n anghywir
>
> DIOLCH – diolch i Dduw am iechyd, teulu, ffrindiau ac ati
>
> YMBIL – gweddi drosom ni ein hunain, dros ein ffrindiau a thros eraill

Yn ddiweddar rydw wedi cael fy hun yn dilyn patrwm gweddi'r Arglwydd (Mathew 6:9-13):

'Ein Tad yn y nefoedd' (adnod 9)

Rydym wedi edrych ar ystyr hyn ar ddechrau'r bennod. O dan y pennawd hwn, rydw i'n treulio amser yn diolch i Dduw am bwy ydyw, am fy mherthynas ag ef ac am y ffordd mae wedi ateb gweddïau.

'Sancteiddier dy enw' (adnod 9)

Mewn Hebraeg roedd enw rhywun yn datgelu rhywbeth arbennig am ei bersonoliaeth. Wrth i ni weddïo y bydd enw Duw yn cael ei sancteiddio, rydym yn gweddïo y caiff ei enw ei barchu. Yn aml iawn heddiw pan fyddwn yn edrych o'n cwmpas, rydym yn gweld nad yw enw Duw yn cael ei barchu o gwbl - mae llawer iawn o bobl yn anwybyddu Duw ac ond yn defnyddio'i enw fel rheg. Dylem ddechrau trwy weddïo y byddwn yn parchu enw Duw yn ein bywydau ni, yn ein teuluoedd, yn ein llefydd gwaith ac yn y gymdeithas o'n cwmpas.

'Deled dy deyrnas' (adnod 10)

Teyrnas Duw yw ei lywodraeth a'i deyrnasiad. Bydd hyn yn gyflawn pan ddaw Iesu yn ôl i'n byd. Ond fe dorrodd y deyrnas hon i mewn i hanes pan ddaeth Iesu i'n byd am y tro cyntaf. Dangosodd Iesu, yn ei weinidogaeth ei hun, bresenoldeb teyrnas Duw. Pan fyddwn yn gweddïo 'Deled dy deyrnas,' rydym yn gweddïo am weld llywodraeth a theyrnasiad Duw yn dod yn y dyfodol ac yn y presennol. Mae hyn yn cynnwys gweddïo am weld pobl yn dod yn Gristnogion, yn cael eu hiacháu, eu rhyddhau o afael y drwg, yn cael eu llenwi â'r Ysbryd ac yn derbyn doniau'r Ysbryd, fel ein bod yn gallu gwasanaethu ac ufuddhau i'r Brenin gyda'n gilydd.

Mae'n debyg i'r pregethwr o'r bedwaredd ganrif ar bymtheg, D L Moody, lunio rhestr o 100 o bobl i weddïo drostyn nhw'n bersonol ar iddynt ddod yn Gristnogion yn ystod ei fywyd. Erbyn ei farwolaeth, roedd 96 wedi dod yn Gristnogion, a chafodd y pedwar arall dröedigaeth yn ei angladd.

Roedd Cristion o'r enw Monica yn cael problemau gyda'i mab gwrthryfelgar yn ei arddegau. Roedd yn ddiogyn, â thymer ddrwg ac yn fachgen anonest. Yn ddiweddarach yn ei fywyd, ac yntau wedi dod yn gyfreithiwr 'parchus', roedd ei fywyd yn llawn uchelgais bydol a'r ysfa i ennill mwy a mwy o arian. Bu'n byw gyda sawl gwraig ac fe gafodd fab gydag un ohonynt. Ar un adeg yn ei fywyd, fe ymunodd â sect grefyddol ryfedd. Trwy'r holl amser roedd ei fam yn gweddïo drosto. Un diwrnod, rhoddodd yr Arglwydd weledigaeth iddi, ac fe wylodd wrth weddïo oherwydd fe welodd oleuni Iesu Grist ynddo a'i wyneb wedi'i drawsnewid. Bu'n rhaid iddi aros am naw mlynedd arall cyn i'w mab roi ei fywyd i Iesu Grist, ac yntau'n 32 oed. Enw'r dyn hwnnw oedd Awstin. Daeth i ffydd yn 386 OC, cafodd ei ordeinio yn 391, ei wneud yn esgob yn 396 a daeth i fod yn un o ddiwinyddion mwyaf yr eglwys. Roedd bob amser yn dweud mai gweddïau ei fam oedd achos ei dröedigaeth.

Rydym yn gweddïo nid yn unig am lywodraeth Duw a'i deyrnasiad ym mywydau pobl, ond yn y pen draw am newid llwyr yn ein cymdeithas. Rydym yn gweddïo am heddwch Duw, ei gyfiawnder a'i drugaredd. Gweddïwn hefyd am y rhai y mae ein cymdeithas yn eu gwthio i'r cyrion, y rhai mae Duw'n gofalu drostynt mewn modd arbennig, er enghraifft, y gweddwon, yr amddifaid, y carcharorion a'r rhai sy'n unig (Salm 68:4-6a).

'Gwneler dy ewyllys, ar y ddaear fel yn y nef' (adnod 10)

Nid anobaith yw hyn, ond gollwng beichiau yr ydym yn eu cario mor aml. Mae llawer o bobl yn gofidio am benderfyniadau bywyd, rhai mawr a rhai mân. Os ydym am fod yn sicr nad ydym yn gwneud camgymeriad, mae angen i ni weddïo, 'Gwneler dy ewyllys.' Mae'r Salmydd yn dweud, 'Rho dy ffyrdd i'r Arglwydd; ymddiried ynddo, ac fe weithreda' (Salm 37:5). Er enghraifft, os ydych yn gweddïo a yw perthynas yn iawn, efallai y gallech weddïo 'os yw'r berthynas yma'n anghywir, rwy'n gweddïo y byddi'n dod â'r peth i ben. Os yw'r berthynas yn iawn rwy'n gweddïo na fydd unrhyw beth yn torri ar ei thraws.' Yna, ar ôl cyflwyno'r peth i'r Arglwydd, gallwch ymddiried ynddo, a disgwyl iddo weithredu.

'Dyro i ni heddiw ein bara beunyddiol' (adnod 11)

Mae rhai wedi awgrymu mai cyfeirio at fara ysbrydol y cymun neu'r Beibl y mae Iesu yma. Mae hyn yn bosibl, ond rwy'n credu fod y diwygwyr yn iawn i ddweud mai cyfeirio at ein hanghenion sylfaenol y mae Iesu. Dywedodd Luther ei fod yn cyfeirio at 'bob peth angenrheidiol ar gyfer ein bywydau - er enghraifft, bwyd, corff iach, tywydd da, tŷ, cartref, gwraig, plant, llywodraeth dda a heddwch.' Mae gan Dduw ofal dros bob dim sy'n bwysig i ni. Yn union fel rydw i am i'm plant siarad â mi am y pethau sy'n peri poen neu ofid iddyn nhw, felly hefyd mae Duw am glywed am y pethau hynny sy'n peri poen neu ofid i ni.

Roedd ffrind i mi yn holi un oedd newydd ddod yn Gristion am ei busnes a sut hwyl oedd hi'n ei gael arno. Atebodd hithau nad oedd pethau'n mynd yn dda iawn. Felly cynigiodd fy ffrind weddïo am y peth. Ymateb y Cristion newydd oedd, 'Doeddwn i ddim yn gwybod eich bod chi'n cael gweddïo am bethau fel 'na'. Esboniodd fy ffrind ei bod yn iawn gwneud hynny. Gweddïodd y ddau, a'r wythnos ganlynol roedd pethau'n llawer mwy llewyrchus. Mae Gweddi'r Arglwydd yn ein dysgu nad yw'n anghywir i ni weddïo am ein gofalon a'n pryderon ein hunain, gan gofio mai enw Duw, teyrnas Duw ac ewyllys Duw yw ein blaenoriaethau cyntaf.

'Maddau inni ein troseddau fel yr ŷm wedi maddau i'r rhai a droseddodd yn ein herbyn' (adnod.12)

Dysgodd Iesu ni i weddïo ar i Dduw faddau ein dyledion (y pethau anghywir yr ydym yn eu gwneud). Mae rhai pobl yn gofyn, 'Pam mae angen i ni ofyn am faddeuant? Os ydym wedi dod at groes Iesu, mae ef wedi maddau'r gorffennol, y presennol a'r dyfodol, 'does bosib?' Fel y gwelsom ym mhennod 3, mae'n wir ein bod ni wedi cael maddeuant llwyr am bob dim, y gorffennol, y presennol a'r dyfodol oherwydd i Iesu gymryd ein beiau i gyd arno ef ei hun ar y groes. Eto i gyd, mae Iesu yn ein dysgu i weddïo, 'Maddau i ni ein dyledion.' Ond pam mae'n gwneud hynny?

Y darlun mwyaf defnyddiol, yn fy marn i, yw'r un mae Iesu yn ei ddefnyddio yn Ioan 13, wrth baratoi i olchi traed Pedr. Mae Pedr yn dweud, 'Ni chei di olchi fy nhraed i byth.' Ac ateb Iesu yw, 'Os na chaf i dy olchi di, nid oes lle iti gyda mi.' Meddai Pedr wrtho, 'Wel, os felly, golch fy nwylo a'm pen hefyd.' Dywedodd Iesu, 'Y mae'r sawl sydd wedi ymolchi drosto yn lân i gyd, ac nid oes angen golchi dim ond ei draed.' Mae hyn yn ddarlun o faddeuant. Wrth ddod at y groes, rydym yn cael ein golchi'n gwbl lân, ac rydym yn derbyn maddeuant am bob bai. Ond wrth fyw yn y byd o ddydd i ddydd rydym yn gwneud pethau sy'n amharu ar ein cyfeillgarwch gyda Duw. Mae ein perthynas yn sicr a saff, ond mae'r llwch a'r baw rydym yn ei gasglu ar ein traed wrth fyw yn y byd yn effeithio ar ein cyfeillgarwch. Bob dydd mae angen i ni weddïo, 'Arglwydd, maddau i ni, a golch ni oddi wrth y llwch a'r baw.' 'Does dim angen i ni ymolchi eto; mae Iesu wedi gwneud hynny i ni, ond mae angen rhywfaint o lanhau bob dydd.

Aeth Iesu ymlaen i ddweud, 'Os maddeuwch i eraill eu camweddau, bydd eich Tad nefol hefyd yn maddau i chwi. Ond os na faddeuwch i eraill eu camweddau, ni fydd eich Tad chwaith yn maddau eich camweddau chwi' (Mathew 6:14–15). Nid yw hyn yn golygu ein bod ni'n gallu ennill maddeuant wrth faddau i bobl eraill. Ni allwn byth ennill maddeuant drwy ein haeddiant ein hunain. Enillodd Iesu hynny i ni ar y groes. Ond yr arwydd ein bod ni wedi derbyn maddeuant yw ein bod yn barod i faddau i eraill. Os nad ydym yn barod i faddau i eraill, mae hynny'n brawf nad ydym yn gwybod beth yw maddeuant ein hunain. Os ydym yn gwybod beth yw maddeuant Duw mewn gwirionedd, ni allwn ond maddau i rywun arall.

'Paid â'n dwyn i brawf, ond gwared ni rhag yr Un drwg' (adnod 13)

Nid yw Duw yn ein temtio (Iago 1:13), ond ef sy'n rheoli faint o gysylltiad sydd gennym ni â'r diafol (er enghraifft, Job 1-2). Mae gan bob Cristion fan gwan - ofn, efallai, neu uchelgais hunanol, chwantau, balchder, hel clecs, sinigiaeth neu rywbeth arall. Os ydym yn gwybod beth yw ein gwendid, gallwn weddïo am gael ein hamddiffyn rhagddo, ac rydym yn gallu cymryd camau i osgoi temtasiwn diangen. Fe wnawn ystyried hyn ymhellach ym mhennod 11.

Pryd y dylem weddïo?

Mae'r Testament newydd yn ein hannog i weddïo 'yn ddi-baid', 'bob amser' (1 Thesaloniaid 5:17; Effesiaid 6:18). Nid oes rhaid i ni fod mewn adeilad arbennig i weddïo. Gallwn weddïo ar y trên, ar y bws, yn y car, ar ein beic, wrth gerdded ar hyd y ffordd, wrth orwedd yn ein gwely, yng nghanol y nos, pryd bynnag a lle bynnag yr ydym. Fel mewn perthynas glòs, rydym yn gallu sgwrsio tra rydym yn gwneud pethau eraill. Er hynny, mae cael amser gyda'n gilydd pan yr ydym yn gwybod ein bod yn mynd i siarad a rhannu gyda'n gilydd yn gymorth i ni. Dywedodd Iesu, 'Pan fyddi di'n gweddïo, dos i mewn i'th ystafell, ac wedi cau dy ddrws gweddïa ar dy Dad sydd yn y dirgel' (Mathew 6:6). Roedd ef ei hun yn mynd i le unig i weddïo (Marc 1:35). Rydw i'n ei weld yn fuddiol cyfuno amser o weddi gydag amser o ddarllen y Beibl ar ddechrau'r dydd, oherwydd dyma pryd mae fy meddwl i'n gweithio orau. Mae cael patrwm cyson yn beth da. Bydd adeg y dydd yn dibynnu ar nifer o ffactorau gan gynnwys ein personoliaeth, bywyd teuluol a phatrwm gwaith.

Yn ogystal â gweddïo ar ein pen ein hun, mae'n bwysig ein bod yn gweddïo gyda phobl eraill. Er enghraifft, gallai hyn fod mewn grŵp bach o ddau neu dri. Dywedodd Iesu, 'A thrachefn rwy'n dweud wrthych, os bydd dau ohonoch yn cytuno ar y ddaear i ofyn am unrhyw beth, fe'i rhoddir iddynt gan fy Nhad, yr hwn sydd yn y nefoedd' (Mathew 18:19). Mae gweddïo yn uchel o flaen pobl eraill yn gallu bod yn anodd iawn. Y tro cyntaf i mi wneud hyn oedd rhyw ddeufis ar ôl i mi ddod at Grist. Roeddwn i gyda dau o fy ffrindiau gorau, ac fe benderfynom gael amser o weddi gyda'n gilydd. Dim ond am tua deng munud y buom yn gweddïo, ond pan wnes i dynnu fy nghrys wedyn roedd yn wlyb â chwys! Eto i gyd, mae'n werth dal ati i weddïo oherwydd mae gallu mawr mewn gweddïo gyda'n gilydd (Actau 12:5).

Mae Duw wedi ein creu i gael perthynas gydag ef. Mae marwolaeth Iesu ar y groes wedi gwneud hyn yn bosibl, a gweddi yw'r modd yr ydym yn dyfnhau a chryfhau ein cyfeillgarwch. Dyna pam mai gweddi yw gweithgarwch pwysicaf yn ein bywydau.

PAM A SUT Y DYLWN I DDARLLEN Y BEIBL?

Roedd fy nhad wedi bod eisiau ymweld â Rwsia erioed, a phan oedd yn 73 a minnau'n 21, aethom i'r Undeb Sofietaidd ar wyliau fel teulu. Ar y pryd, roedd Cristnogion yn dioddef erledigaeth, ac roedd yn anodd iawn cael gafael ar Feiblau, ond fe es i â pheth llenyddiaeth Gristnogol gyda mi, gan gynnwys y Beibl mewn Rwseg. Yn ystod ein gwyliau, fe ymwelais ag eglwysi a chwiliais am bobl oedd i mi o ran golwg yn Gristnogion. (Yr adeg honno roedd y KGB yn arfer sleifio ysbiwyr i'r cyfarfodydd).

Ar un achlysur wedi i'r cyfarfod orffen, dilynais ryw ddyn a oedd yn ei 60au ar hyd y stryd. Gan edrych o gwmpas i wneud yn siŵr nad oedd neb yn ein gwylio, es i fyny at y dyn a chael ei sylw trwy gyffwrdd â'i ysgwydd. Cymerais un o'r Beiblau a'i roi iddo. Am eiliad edrychodd arnaf ac roedd yn amlwg nad oedd yn coelio'r peth. Yna, tynnodd Destament Newydd hen iawn allan o'i boced – roedd tua 100 oed, a'r tudalennau wedi'u treulio'n ddim. Pan sylweddolodd ei fod wedi derbyn Beibl cyfan, roedd wrth ei fodd. Nid oedd yn gallu siarad fy iaith a doeddwn i ddim yn siarad gair o'i iaith yntau. Ond dyma gofleidio'n gilydd, a dechrau dawnsio i fyny ac i lawr y stryd gan neidio o lawenydd – dim y math o beth rydw i fel arfer yn ei wneud gyda rhywun dieithr, nac unrhyw un arall, o ran hynny! Roedd y gŵr hwn yn gwybod bod ganddo lyfr cwbl unigryw yn ei ddwylo.

Pam oedd y gŵr hwn mor hapus? Byddai llawer heddiw yn ystyried y Beibl fel llyfr sydd braidd yn ddiflas, hen ffasiwn ac amherthnasol i'w bywydau. Mae rhai anffyddwyr blaenllaw yn mynd gam ymhellach gan ddisgrifio Duw'r Beibl fel 'bwystfil llawn drygioni'. A yw hyn yn wir? A yw'r Beibl yn rhywbeth arbennig iawn mewn gwirionedd? Ym mha ffordd mae'n unigryw?

Yn gyntaf, dyma'r llyfr mwyaf poblogaidd oll. Dyma'r llyfr sydd ar frig y siartiau drwy'r byd i gyd. Mae dros gan miliwn o Feiblau, mae'n debyg, yn cael eu gwerthu a'u dosbarthu bob blwyddyn, ac y mae, ar gyfartaledd, 6.8 Beibl ym mhob cartref yn America. Y Beibl yw'r llyfr sydd wedi gwerthu orau erioed - mae'n gwerthu'n well nag unrhyw lyfr arall o hyd ac o hyd. Mae'r Gideoniaid yn rhoi un Beibl i rywun yn rhywle bob eiliad. Mae'r Beibl ar gael mewn 2,436 o ieithoedd, naill ai fel Beibl cyfan neu ran ohono.[1] Roedd erthygl yn y Times yn ddiweddar dan y pennawd *'Forget the modern British novelists and TV tie-ins; the Bible is the biggest-selling book every year.'* Meddai awdur yr erthygl honno:

> Fel arfer, y llyfr a werthodd orau drwy'r flwyddyn oedd ...y Beibl. Petai gwerthiant y Beibl yn cael ei adlewyrchu yn y rhestrau o lyfrau sy'n gwerthu orau, wythnos ryfedd iawn fyddai honno heb y Beibl ar y brig. Mae'n beth rhyfedd ac od, os nad cwbl annealladwy yn ein hoes ddi-dduw ni – pan fo'r dewis o lyfrau'n tyfu'n gyson o flwyddyn i flwyddyn – fod y llyfr hwn yn dal i werthu, fis ar ôl mis ar ôl mis ... Amcangyfrifir bod bron i 1,250,000 o Feiblau a Thestamentau yn cael eu gwerthu'n flynyddol yn y Deyrnas Unedig.

Mae'r awdur yn gorffen trwy ddweud, 'Mae pob fersiwn ar y Beibl yn gwerthu'n dda *bob* amser. A yw Cymdeithas y Beibl yn gallu cynnig esboniad? "Wel" daw'r ateb diymhongar, "mae'n llyfr arbennig o dda."

Yn ail, dyma'r llyfr mwyaf pwerus oll. Fel y dywedodd y Prif Weinidog Stanley Baldwin,

> Mae'r Beibl yn ffrwydrol. Ond mae'n gweithio mewn ffordd ryfedd ac ni all yr un dyn byw ddweud na gwybod sut mae'r llyfr hwnnw, yn ei daith drwy'r byd, wedi ysgogi'r enaid mewn degau o filoedd o lefydd gwahanol i fywyd newydd, byd newydd, cred newydd, syniad newydd, a ffydd newydd.[2]

Wrth i mi ddarllen y Beibl yn y coleg fe greodd awydd mawr ynof i ddarllen mwy. Daeth yn fwy real i mi nag erioed o'r blaen ac roeddwn i'n methu ei roi i lawr. O ganlyniad i'r profiad nerthol hwn fe roddais fy ffydd yng Nghrist.

Yn drydydd, dyma'r llyfr mwyaf gwerthfawr oll. Mae'r Salmydd yn dweud, 'mae geiriau Duw yn fwy gwerthfawr nag aur'. Ar achlysur y coroni, cyflwynodd Llywydd Cynulliad Cyffredinol Eglwys yr Alban gopi o'r Beibl i Frenhines Elisabeth II â'r geiriau hyn: 'Rhoddwn y llyfr hwn i chwi, y llyfr mwyaf gwerthfawr yn y byd.'

Yn ôl yr esgob Hugh Latimer, o'r unfed ganrif ar bymtheg, dylai holl lyfrau'r Beibl fod yn ein dwylo bob amser, ac yn ein llygaid, ein clustiau, ein genau, ond yn bwysicaf oll, yn ein calonnau. Dywedodd yr esgob fod yr Ysgrythur yn 'troi ein henaid ... mae'n cysuro, yn llonni, yn calonogi, ac yn meithrin ein cydwybod. Mae'n berl neu drysor sy'n fwy godidog nag aur neu gerrig gwerthfawr.'[3]

Pam mae'r Beibl mor boblogaidd, mor nerthol ac mor werthfawr? Dywedodd Iesu: 'Nid ar fara yn unig y bydd rhywun fyw, ond ar bob gair sy'n dod allan o enau Duw' (Mathew 4:4). Mae'r ferf 'dod allan' yn y presennol parhaus, ac mae'n golygu 'yn dal i ddod allan o enau Duw'. Mae Duw eisiau parhau i gyfathrebu gyda'i bobl ac mae'n gwneud hynny'n bennaf drwy'r Beibl.

Mae Duw wedi llefaru: datguddiad

'Mewn llawer dull a llawer modd y llefarodd Duw ... ond yn y dyddiau olaf hyn llefarodd wrthym ni mewn Mab' (Hebreaid 1:1). Ffydd sydd wedi'i datguddio yw Cristnogaeth. Iesu Grist yw datguddiad terfynol Duw i'r byd.

Y brif ffordd y gallwn wybod am Iesu yw trwy'r cofnod o ddatguddiad Duw yn y Beibl. Dylai diwinyddiaeth Feiblaidd fod yn astudiaeth o ddatguddiad Duw ohono'i hun yn y Beibl. Mae Duw hefyd wedi datguddio'i hun drwy'r greadigaeth (Rhufeiniaid 1:19-20; Salm 19). Gwyddoniaeth yw'r ymchwil i ddatguddiad Duw yn y greadigaeth (Ni ddylai fod unrhyw wrthdaro rhwng gwyddoniaeth a'r ffydd Gristnogol; yn hytrach maent yn ategu ei gilydd.[4] Dywedodd Albert Einstein, 'mae gwyddoniaeth heb grefydd yn gloff, a chrefydd heb wyddoniaeth yn ddall ... mewn gwirionedd, ni all gwrthdaro cywir fodoli rhwng crefydd a gwyddoniaeth'[5]). Mae Duw hefyd yn siarad â dynion a merched yn uniongyrchol trwy ei Ysbryd: trwy broffwydoliaeth, breuddwydion, gweledigaethau a thrwy bobl eraill. Fe edrychwn ar y rhain i gyd yn fanylach yn nes ymlaen - yn enwedig yn y bennod am arweiniad.

Fel hyn yr ysgrifennodd Paul am ysbrydoliaeth yr Ysgrythurau a oedd ar gael iddo: 'Y mae pob Ysgrythur wedi ei hysbrydoli gan Dduw ac yn fuddiol i hyfforddi, a cheryddu, a chywiro, a disgyblu mewn cyfiawnder. Felly y darperir pob un sy'n perthyn i Dduw â chyflawn ddarpariaeth ar gyfer pob math o weithredoedd da' (2 Timotheus 3:16–17).

Y gair Groeg am 'ysbrydoli' yw *theopneustos*. Yn llythrennol yr ystyr yw 'wedi'i anadlu [allan] gan Dduw'. Mae'r awdur yn dweud mai Duw yn siarad yw'r Ysgrythur. Wrth gwrs fe wnaeth hyn trwy bobl. Cafodd y Beibl ei ysgrifennu dros gyfnod o 1,500 o flynyddoedd gan o leiaf 40 awdur o wahanol gefndiroedd – brenhinoedd, ysgolheigion, athronwyr, pysgotwyr, beirdd, gwleidyddion, haneswyr a meddygon. Mae'r Beibl 100% yn waith pobl ond mae hefyd 100% wedi'i ysbrydoli gan Dduw (yn union fel roedd Iesu yn wir ddyn ac yn wir Dduw).

Sut gall hyn fod? Gall hyn ymddangos fel paradocs dryslyd, ond nid yw'n wrthddywediad. Syr Christopher Wren, pensaer mwyaf ei gyfnod, adeiladodd Eglwys Gadeiriol Sant Paul.

Dechreuodd y prosiect yn 44 mlwydd oed a pharhau â'r gwaith am y 35 mlynedd nesaf. Cafodd y gwaith ei gwblhau yn 1711 pan oedd yn 79 mlwydd oed. Wren adeiladodd Eglwys Gadeiriol Sant Paul, ac eto ni ososdodd yr un garreg yn ei lle. Roedd llawer o wahanol adeiladwyr ond un meddwl, un pensaer ac un ysbrydoliaeth oedd. Felly'n wir gyda'r Beibl: roedd nifer o wahanol awduron ond un ysbrydoliaeth - Duw ei hun.

Mae'n amlwg o'r Efengylau fod Iesu yn edrych ar yr Ysgrythurau fel gair ysbrydoledig Duw. Iddo ef, yr hyn yr oedd yr Ysgrythurau yn ei ddweud, yr oedd Duw yn ei ddweud (Marc 7:5–13). Os yw Iesu'n Arglwydd arnom, dylem fod â'r un agwedd at yr Ysgrythurau. 'Mae credu yn Iesu fel prif ddatguddiad Duw ohono'i hun yn ein harwain i gredu yn ysbrydoliaeth yr Ysgrythur – yr Hen Destament, oherwydd tystiolaeth uniongyrchol

Iesu ei hun, a'r Testament Newydd fel casgliad rhesymegol yn seiliedig ar ei dystiolaeth.'[6]

Mae'r syniad uchel am ysbrydoliaeth y Beibl wedi'i goleddu bron â bod gan yr eglwys fyd-eang ar hyd y canrifoedd. Dyma oedd barn diwinyddion cynnar yr Eglwys. Dywedodd Irenaeus (tua 130-200 OC), 'Mae'r Ysgrythurau yn berffaith.' Yn yr un modd, roedd y diwygwyr fel Martin Luther yn sôn am yr 'Ysgrythur nad yw wedi cyfeiliorni.' Heddiw, mae Catholigion Rhufeinig yn natganiadau Vatican II yn dysgu'r un peth: 'Ysgrifennwyd yr Ysgrythurau dan ysbrydoliaeth yr Ysbryd Glân ... gyda Duw fel awdur iddynt'. Felly rhaid cydnabod ei fod 'heb gamgymeriad'.[7] Dyma, hyd y ganrif ddiwethaf, oedd barn eglwysi Protestannaidd drwy'r byd, ac er bod hynny'n cael ei amau heddiw ac weithiau ei wawdio ar lefel elfennol, mae llawer o ysgolheigion gwych yn dal at y farn honno.

Nid yw hyn yn golygu nad oes rhannau anodd yn y Beibl. Roedd Pedr yn gweld rhai o lythyrau Paul yn 'anodd eu deall' (2 Pedr 3:16). Mae anawsterau moesol a hanesyddol, a rhai pethau sy'n ymddangos eu bod yn gwrthddweud ei gilydd. Mae'n bosibl esbonio rhai o'r anawsterau oherwydd y gwahanol amgylchiadau a'r cyd-destunau yr oedd yr awduron yn ysgrifennu ynddynt dros gannoedd o flynyddoedd. Mae'r Beibl yn cynnwys mathau gwahanol iawn o lenyddiaeth, gan gynnwys hanes, cronicl, naratif, barddoniaeth, proffwydoliaeth, llythyrau, llên doethineb a llên apocalyptaidd.

Er ei bod yn bosibl esbonio rhai o'r pethau sy'n ymddangos fel eu bod yn 'gwrth-ddweud' ei gilydd drwy gymharu ambell gyd-destun, mae eraill yn fwy anodd eu deall a'u hesbonio. Ond nid yw hyn yn golygu ei bod yn amhosibl eu datrys nac y dylem ollwng gafael ar ein cred yn ysbrydoliaeth yr Ysgrythur. Mae gan bob dysgeidiaeth fawr Gristnogol ei phroblemau. Er enghraifft, mae'n anodd iawn cysoni cariad Duw â'r dioddefaint sydd yn y byd. Ac eto, mae pob Cristion yn credu yng nghariad Duw ac yn ceisio deall problem dioddefaint o fewn y cyd-destun hwnnw. Rwy'n gwybod fy mod i, wrth wneud ymdrech i ddod o hyd i atebion i'r cwestiwn hwn, wedi dod i ddeall mwy am ddioddefaint yn ogystal â chariad Duw.

Yn yr un modd, mae'n bwysig i ni ddal ar y ffaith bod yr Ysgrythur *i gyd* wedi'i hysbrydoli gan Dduw, hyd yn oed os nad ydym yn gallu deall pob anhawster. Wrth wneud hynny, fe ddylai drawsnewid sut rydym yn byw ein bywydau. Pan oedd Billy Graham yn ddyn ifanc, roedd nifer o bobl (yn eu plith roedd gŵr o'r enw Chuck) yn dechrau dweud wrtho, 'Elli di ddim credu popeth sydd yn y Beibl.' Dechreuodd boeni am hyn, ac nid oedd yn gallu meddwl yn glir am y peth o gwbl. Dyma gofnod John Pollock, yn ei fywgraffiad o'r efengylwr, o'r hyn ddigwyddodd:

> Felly fe es i nôl fy Meibl, a mynd allan i olau'r lleuad. Fe gyrhaeddais foncyff, gosod Beibl arno, ac fe benliniais, a dweud, 'O Dduw, alla'i ddim profi fod rhai pethau'n wir. Dydw i ddim yn gallu ateb rhai o'r cwestiynau sydd gan Chuck a phobl eraill, ond rydw i'n derbyn trwy ffydd y Llyfr hwn fel Gair Duw.' Oedais am beth amser wrth y boncyff yn gweddïo'n dawel, a'm llygaid yn llawn dagrau ...Cefais brofiad rhyfeddol o bresenoldeb Duw. Roedd gen i deimlad o heddwch fy mod i wedi gwneud y penderfyniad cywir.[8]

Os ydym yn derbyn bod y Beibl wedi'i ysbrydoli gan Dduw, yna rhaid derbyn ei fod yn llyfr ag awdurdod iddo. Os mai gair Duw ydyw, mae'n dilyn bod rhaid iddo fod i ni yn awdurdod pennaf am beth i'w gredu a sut rydym yn byw ein bywyd. Dyma oedd awdurdod Iesu; iddo ef, roedd yn uwch nag arweinwyr crefyddol ei oes (er enghraifft, Marc 7:1–20), ac yn uwch na syniadau neb arall, dim ots pa mor wybodus oedden nhw (er enghraifft, Marc 12:18–27). Wedi dweud hynny, wrth gwrs bod rhaid i ni roi sylw teilwng i'r hyn mae arweinwyr eglwysi a phobl eraill yn ei ddweud.

Fel yr ydym wedi ei weld yn barod, 'Y mae pob Ysgrythur wedi ei hysbrydoli gan Dduw ac yn fuddiol i hyfforddi, a cheryddu, a chywiro, a disgyblu mewn cyfiawnder' (2 Timotheus 3:16). Yn gyntaf, dyma ein hawdurdod ar gyfer beth yr ydym yn ei gredu - ac felly ein hawdurdod ar gyfer 'hyfforddi'. Yn y Beibl rydym yn gweld beth mae Duw yn ei ddweud (ac felly'r hyn y dylem ei gredu) am ddioddefaint, am Iesu, am y groes a'r atgyfodiad, ac ati.

Yn ail, dyma ein hawdurdod ar gyfer sut yr ydym i fod i fyw - ein hawdurdod ar gyfer 'ceryddu', 'cywiro' a 'disgyblu mewn cyfiawnder'. Yma yr ydym yn gweld beth sydd yn annerbyniol yng ngolwg Duw a sut y gallwn fyw bywyd cyfiawn. Er enghraifft, mae'r Deg Gorchymyn wedi cael eu disgrifio fel 'dadansoddiad gwych o'r nifer lleiaf o amodau sydd eu hangen i gymdeithas, pobl a chenedl fyw bywyd sobr, cyfiawn a gwaraidd'.[9]

Mae rhai pethau yn glir iawn yn y Beibl. Mae'n dweud wrthym sut i fyw ein bywydau bob dydd. Yma fe welwn beth yw syniad Duw ynglŷn â'n perthynas â phobl eraill a bywyd teuluol. Rydym yn gwybod fod y bywyd sengl yn gallu bod yn alwedigaeth aruchel (1 Corinthiaid 7:7), ond fod hyn yn eithriad yn hytrach na'r arfer; priodas yw'r norm (Genesis 2:24). Gwyddom fod perthynas rywiol y tu allan i briodas yn anghywir. Rydym yn gwybod ei bod yn iawn i ni geisio dod o hyd i waith os gallwn. Gwyddom ei bod yn iawn i roi ac i faddau.

Mae rhai pobl yn dweud, 'Dydw i ddim eisiau'r llyfr rheolau hyn. Mae'n llawer rhy gaeth – yr holl reolau a deddfau 'na! Rydw i am fod yn rhydd. Os ydych chi'n byw wrth ddilyn y Beibl, does gennych chi ddim rhyddid i fwynhau bywyd.' Ond a yw hynny'n iawn? Ydy'r Beibl yn cymryd ein rhyddid oddi wrthym? Neu a yw'n ein gwneud yn rhydd? Mae rheolau a deddfau yn gallu creu rhyddid a chynyddu ein mwynhad.

Rai blynyddoedd yn ôl, roedd gêm bêl-droed wedi'i threfnu rhwng 22 o fechgyn bach, gan gynnwys fy mab, oedd yn wyth mlwydd ar y pryd. Ffrind i mi o'r enw Andy (oedd wedi bod yn eu hyfforddi drwy'r flwyddyn) oedd i fod i ddyfarnu. Yn anffodus, nid oedd wedi cyrraedd erbyn 2.30yh. Doedd y bechgyn ddim yn gallu aros dim mwy a chefais i fy ngorfodi i fod yn ddyfarnwr. Roedd nifer o anawsterau yn gysylltiedig â hyn: nid oedd chwiban gennyf; doedd dim i'w gael i nodi terfynau'r cae; nid oeddwn yn gwybod enwau'r un o'r bechgyn eraill; doedd ganddyn nhw ddim lliwiau i ddangos i ba dîm roedden nhw'n chwarae; a doeddwn i ddim yn gwybod y rheolau cystal â llawer o'r bechgyn.

Cyn bo hir aeth y gêm yn anhrefn llwyr. Dyma rai yn gweiddi fod y bêl i mewn. Dyma eraill yn mynnu fod y bêl allan. Doeddwn i ddim yn siŵr o gwbl, felly gadewais i bethau fod. Yna dechreuodd y troseddu. Gwaeddai rhai: 'Trosedd!' ac eraill, 'Dim trosedd!' Doeddwn i ddim yn gwybod pwy oedd yn iawn. Felly gadewais i'r gêm fynd yn ei blaen. Yna, dechreuodd rhai o'r bechgyn gael eu hanafu. Erbyn i Andy gyrraedd, roedd tri bachgen ar y llawr wedi'u hanafu, ac roedd y gweddill yn gweiddi, arnaf fi! Ond yr eiliad y cyrhaeddodd Andy, dyma fo'n chwythu ei chwiban, trefnu'r timau, dweud wrth y bechgyn lle'r oedd y terfynau, ac roedden nhw i gyd dan ei reolaeth. Yna cafodd y bechgyn gêm o bêl-droed wrth eu bodd.

Oedd y bechgyn yn fwy rhydd heb reolau, neu'n llai rhydd? Heb unrhyw awdurdod effeithiol roedden nhw'n rhydd i wneud yr hyn a fynnen nhw. O ganlyniad roedd y bechgyn heb syniad beth oedd yn digwydd ac yn cael eu hanafu. Roedd yn llawer gwell ganddyn nhw wybod lle'r oedd y terfynau, yna o fewn y terfynau hynny roedden nhw'n rhydd i fwynhau'r gêm.

Mae Duw wedi rhoi canllawiau i ni ar sut i fyw ein bywyd, am ei fod yn ein caru ac am i ni fwynhau bywyd i'r eithaf. Wnaeth Duw ddim dweud 'Na ladd' i ddifetha pleser bywyd. Ac ni ddywedodd 'Na odineba' i ddifetha ein hwyl. Dywedodd y pethau hyn am nad yw eisiau i bobl gael loes. Y Beibl yw datguddiad Duw ohono'i hun ar gyfer pobl ym mhobman. Wrth ddysgu beth yw ei ewyllys a gweithredu ar hynny, byddwn yn dod yn fwy rhydd. Mae Duw wedi llefaru, ac mae angen i ni glywed yr hyn a ddywedodd.

Mae Duw'n llefaru: perthynas

I rai pobl, nid yw'r Beibl yn ddim mwy na llawlyfr ar gyfer bywyd. Maent yn dadansoddi'r Beibl, yn darllen esboniadau arno (a does dim o'i le ar hynny), ond rhaid i ni gofio nad yn y gorffennol yn unig y mae Duw wedi llefaru; mae yn dal i wneud hynny heddiw drwy'r hyn mae wedi'i ddweud yn y Beibl. Dywedodd San Gregori Fawr, 'Llythyr oddi wrth Dduw yw'r Beibl', ac Awstin Sant, 'Yr un neges sydd yn rhedeg trwy'r Beibl yw neges cariad Duw trosom ni'.

Yn ystod y rhan fwyaf o'n bywyd priodasol, nid yw Pippa na fi wedi gorfod bod ar wahân am amser hir. Unwaith, roedd rhaid i mi fynd i ffwrdd am dair wythnos a hanner. Bob bore, byddwn i'n brysio i lawr at fwrdd bach yn y cyntedd lle'r oeddwn yn aros, i weld a oedd yno lythyr i mi. Byddai fy nghalon yn llamu petawn i'n gweld rhywbeth â llawysgrifen Pippa arno. Pam? Oherwydd roedd y llythyr oddi wrth yr un roeddwn yn ei charu. Yn yr un modd, llythyr caru Duw i ni yw'r Beibl.

Prif amcan y Beibl yw dangos i ni sut i ddod i berthynas gyda Duw trwy Iesu Grist. Dywedodd Iesu, 'Yr ydych yn chwilio'r Ysgrythurau oherwydd tybio yr ydych fod ichwi fywyd tragwyddol ynddynt hwy. Ond tystiolaethu amdanaf fi y mae'r rhain; eto ni fynnwch ddod ataf fi i gael bywyd. (Ioan 5:39-40)

Os ca'i ddefnyddio darlun bach am eiliad....dychmygwch fy mod i'n gyrru Nissan sydd yn hen iawn. Rwy'n hapus iawn gyda'r car ar ôl blynyddoedd o wasanaeth da, felly rwy'n penderfynu archebu Nissan newydd sbon ac rwy'n aros iddo ddod i'n tŷ ni. Pan ddaw'r car newydd sbon, rwy'n mynd allan i'w edmygu. Wrth edrych ar y tu mewn a gwneud yn siŵr fod popeth yn iawn, rwy'n dod o hyd i lawlyfr Nissan. Rydw i wedi gwirioni ac yn mynd â'r llawlyfr i'r tŷ i'w astudio'n fanwl. Yna rwy'n nôl pen ffelt ac yn dechrau tanlinellu'r rhannau rydw i'n eu hoffi, a'u dysgu ar fy nghof. Hefyd, rwy'n torri rhai pethau allan o'r llawlyfr ac yn eu glynu ar wal yr ystafell ymolchi i'w darllen bob bore. Rydw i hyd yn oed yn ymuno â chlwb ar gyfer pobl sydd, fel fi, yn gwirioni ar lawlyfrau ceir. Mae pobl y clwb yn fy annog i ddysgu Japanaeg fel y gallaf astudio'r llawlyfr yn yr iaith wreiddiol. Cofiwch mai darlun yw hwn! Ond petai'r darlun yn wir, byddwn yn amlwg wedi methu'r pwynt; pwrpas y llawlyfr yw ein helpu i yrru'r car.

Yn yr un modd, does dim pwrpas astudio'r Beibl os ydym yn methu'r pwynt, sef dod i berthynas fyw gydag Iesu. Dywedodd Martin Luther, 'Yr Ysgrythur yw'r preseb neu'r "crud" lle mae'r baban Iesu'n gorwedd. Peidiwch â gadael i ni ymddiddori cymaint yn y preseb nes anghofio addoli'r baban.'

Mae ein perthynas gyda Duw yn berthynas ddwy ffordd. Rydym yn siarad ag ef mewn gweddi, ac mae yntau yn siarad â ni mewn nifer o wahanol ffyrdd, ond yn arbennig trwy'r Beibl. Mae Duw'n siarad trwy'r hyn mae wedi'i ddweud. Mae awdur y llythyr at yr Hebreaid yn dweud hyn wrth ddyfynnu'r Hen Destament, 'fel y mae'r Ysbryd Glân yn dweud' (Hebreaid 3:7). Nid yn y gorffennol yn unig y mae'r Ysbryd Glân wedi siarad. Mae'n dal i lefaru o'r newydd trwy'r hyn a ddywedodd yn y Beibl. Dyna sy'n gwneud y Beibl mor fyw. Fel y dywedodd Martin Luther eto, 'Mae'r Beibl yn fyw, mae'n siarad â mi; mae gan y Beibl draed, ac mae'n rhedeg ar fy ôl; mae ganddo ddwylo, ac mae'n gafael ynof fi.'

Beth sy'n digwydd pan fo Duw'n siarad?

Yn gyntaf, mae'n rhoi ffydd i'r rhai sydd ddim eto'n Gristnogion. Mae Paul yn dweud, 'Felly, o'r hyn a glywir y daw ffydd, a daw'r clywed trwy air Crist' (Rhufeiniaid 10:17). Yn aml, wrth i bobl ddarllen y Beibl maent yn dod i gredu yn Iesu Grist. Dyna'n sicr fy mhrofiad i a phrofiad llawer o bobl eraill.

Mae'r actor David Suchet, a ddaeth yn enwog am ei bortread teledu o'r ditectif Poirot, yn adrodd yr hanes amdano'i hun flynyddoedd yn ôl yn y bath mewn gwesty yn America. Cafodd awydd sydyn i ddarllen y Beibl. Llwyddodd i ddod o hyd i Feibl oedd wedi'i osod yno gan y Gideoniaid, a dechreuodd ddarllen y Testament Newydd. Wrth iddo ddarllen, daeth i gredu ac ymddiried yn Iesu Grist. Meddai'r actor:

> O rywle fe ddaeth yr awydd arnaf fi am ddarllen y Beibl eto. Dyna'r rhan bwysicaf o'm tröedigaeth. Dechreuais ddarllen Actau'r Apostolion, ac yna symud ymlaen i lythyrau Paul – Rhufeiniaid a Chorinthiaid. A dim ond wedyn y trois at yr efengylau. Wrth ddarllen y Testament Newydd, fe wnes i weld yn sydyn sut y dylai bywyd gael ei fyw.

Yn ail, mae Duw'n siarad â Christnogion. Wrth i ni ddarllen y Beibl rydym yn profi perthynas gyda Duw trwy Iesu Grist sydd yn ein trawsnewid. Mae Paul yn dweud, 'Ac yr ydym ni i gyd, heb orchudd ar ein hwyneb, yn edrych, fel mewn drych, ar ogoniant yr Arglwydd ac yn cael ein trawsffurfio o ogoniant i ogoniant, yn wir lun ohono ef. A gwaith yr Arglwydd, yr Ysbryd, yw hyn.' (2 Corinthiaid 3:18). Wrth i ni astudio'r Beibl, rydyn ni'n dod i gysylltiad ag Iesu Grist. Mae wastad wedi fy nharo i fel ffaith ryfeddol ein bod ni'n gallu siarad gyda'r un rydym yn darllen amdano ar dudalennau'r Testament Newydd a chlywed ganddo - yr un Iesu Grist. Bydd ef yn siarad â ni (nid yn uchel, fel arfer, ond yn ein calon) wrth i ni ddarllen y Beibl. Fe fyddwn ni'n clywed ei neges i ni. Wrth dreulio amser yn ei gwmni, bydd ein cymeriad yn dod yn debycach i'w gymeriad ef.

Mae treulio amser yn ei bresenoldeb, a gwrando ar ei lais, yn dod â llawer o fendithion i ni. Yn aml mae'n dod â llawenydd a thangnefedd i ni hyd yn oed yng nghanol trafferthion bywyd (Salm 23:5). Pan nad ydym yn sicr pa ffordd y dylem fynd, mae Duw yn aml yn ein harwain trwy ei air (Salm 119:105). Mae llyfr y Diarhebion hyd yn oed yn dweud wrthym fod geiriau Duw yn dod ag iachâd i'n cyrff (Diarhebion 4:22).

Mae'r Beibl hefyd yn rhoi i ni amddiffynfa rhag ymosodiad ysbrydol.

Un enghraifft sydd gennym o Iesu yn cael ei demtio. Ar gychwyn ei weinidogaeth wynebodd Iesu lawer o ymosodiadau gan y diafol (Mathew 4:1–11). Ymateb Iesu yn wyneb bob temtasiwn oedd dyfynnu adnod o'r Ysgrythurau. Rydw i'n ei chael hi'n ddiddorol iawn fod pob un o'r adnodau yn dod o lyfr Deuteronomium 6–8. Mae'n ddigon rhesymol credu fod Iesu newydd fod yn astudio'r darn hwn o'r Ysgrythurau a bod y geiriau'n dal i fod yn fyw yn ei gof.

Mae gair Duw yn nerthol. Mae awdur llyfr yr Hebreaid yn dweud, 'Y mae gair Duw yn fyw a grymus; y mae'n llymach na'r un cleddyf daufiniog, ac yn treiddio hyd at wahaniad yr enaid a'r ysbryd, y cymalau a'r mêr; ac y mae'n barnu bwriadau a meddyliau'r galon.' (Hebreaid 4:12). Mae ganddo'r nerth i ddymchwel pob mur a chyrraedd at ein calonnau. Rwy'n cofio darllen yr adnod yn Philipiaid 2:4, 'Bydded gofal gan bob un ohonoch, nid am eich buddiannau eich hunain yn unig ond am fuddiannau pobl eraill hefyd.' Roedd fel saeth yn mynd trwof fi wrth i mi sylweddoli pa mor hunanol yr oeddwn i'n ymddwyn. Fel hyn, ac mewn llu o ffyrdd eraill, mae Duw yn siarad â ni.

Wrth i Dduw siarad â ni, ac wrth i ni ddysgu clywed ei lais, mae ein perthynas ag ef yn tyfu ac mae ein cariad tuag ato yn dyfnhau. Dywedodd Rick Warren fod darllen y Beibl 'yn cynhyrchu bywyd, yn creu ffydd ac yn dod â newid ... mae'n iacháu briwiau, yn adeiladu cymeriad, yn trawsnewid amgylchiadau, yn rhoi llawenydd i ni, yn goresgyn trafferthion, yn trechu temtasiwn, yn dod â gobaith, yn rhoi nerth [ac] yn glanhau ein meddyliau'.[10]

Sut yn ymarferol y gallwn glywed Duw yn siarad drwy'r Beibl?

Amser yw'r peth mwyaf gwerthfawr sydd gennym. Mae'r galw ar ein hamser yn cynyddu wrth i fywyd fynd yn ei flaen ac wrth i ni fynd yn brysurach ac yn brysurach. Mae yna ddywediad, 'arian yw gallu, ond amser yw bywyd'. Os ydym yn mynd i roi amser o'r neilltu i ddarllen y Beibl, rhaid i ni gynllunio ymlaen llaw. Os nad ydym yn cynllunio, ni fyddwn byth yn llwyddo i'w wneud. Peidiwch â bod yn ddigalon os mai dim ond 80% o'ch cynllun y byddwch yn ei gadw. Weithiau rydym yn cysgu'n hwyr!

Mae'n ddoeth dechrau trwy gael nod realistig. Peidiwch â bod yn rhy uchelgeisiol. Mae'n well treulio ychydig o funudau bob dydd na threulio awr a hanner ar y diwrnod cyntaf ac wedyn rhoi'r gorau iddi'n gyfan gwbl. Os nad ydych erioed wedi astudio'r Beibl o'r blaen, efallai y byddai'n beth da neilltuo rhyw saith munud bob dydd. Rwy'n siŵr os gwnewch chi hyn yn rheolaidd y gallwch gynyddu'r amser yn raddol.

Mae Marc yn dweud wrthym fod Iesu'n arfer codi'n gynnar a mynd i *le unig* i weddïo (Marc 1:35). Mae'n bwysig ceisio dod o hyd i rywle lle gallwn fod ar ein pen ein hunain. Y peth cyntaf yn y bore yw'r amser gorau i mi. Rwy'n cymryd cwpanaid o goffi, y Beibl, fy nyddiadur a llyfr nodiadau. Rwy'n defnyddio'r llyfr nodiadau i gofnodi gweddïau, a hefyd unrhyw beth rwy'n credu y mae Duw yn ei ddweud wrthyf. Rwy'n defnyddio dyddiadur i fy helpu i weddïo am bopeth rwy'n ei wneud yn ystod y dydd, ond hefyd i nodi pethau sy'n dod i fy meddwl. Mae hyn yn atal i'm meddwl grwydro.

Yn gyntaf, rwy'n gofyn i Dduw siarad gyda mi trwy'r darn rydw i'n mynd i'w ddarllen. Yna rwy'n darllen y darn. Mae'n syniad da dechrau trwy ddarllen ychydig o adnodau o un o'r efengylau bob dydd. Efallai y byddai'n help i chi ddefnyddio nodiadau i'ch helpu i ddarllen y Beibl [11] ac maen nhw ar werth mewn siopau llyfrau Cristnogol neu efallai ar wefan astudio'r Beibl.

Wrth i mi ddarllen, rwy'n gofyn tri chwestiwn i mi fy hun:

1. Beth mae'n ei ddweud? Darllenwch y darn o leiaf unwaith, ac os oes rhaid, edrychwch ar gyfieithiadau gwahanol.

2. Beth mae'n ei olygu? Beth oedd yn ei olygu i'r un a ysgrifennodd y darn gyntaf oll, ac i'r rhai cyntaf i'w ddarllen? (Dyma lle mae nodiadau darllen y Beibl yn gallu bod yn ddefnyddiol iawn).

3. Beth mae'n ei olygu i mi, fy nheulu, fy ngwaith, fy nghymdogion, a'r gymdeithas sydd o'm cwmpas? (Dim ond wrth i ni weld pa mor berthnasol i'n bywydau yw darllen y Beibl y gwelwn ei fod yn beth cyffrous ac y byddwn yn ymwybodol ein bod yn clywed llais Duw.)

Yn olaf, rhaid i ni weithredu ar yr hyn rydym yn ei glywed gan Dduw. Dywedodd Iesu, "'Pob un felly sy'n gwrando ar y geiriau hyn o'r eiddof ac yn eu gwneud, fe'i cyffelybir i un call, a adeiladodd ei dŷ ar y graig.' (Mathew 7:24). Fel y dywedodd D L Moody, 'Ni roddwyd y Beibl er mwyn cynyddu ein gwybodaeth, ond er mwyn newid ein bywydau.'

Rydw i'n eich annog i ddatblygu patrwm o ddarllen y Beibl bob dydd ac o weddïo y bydd Duw yn siarad â chi. Pan fydd Duw yn llefaru â ni, mae'n brofiad rhyfeddol. Weithiau gall darllen y Beibl fod yn ddiflas, ond dro arall mae'n brofiad arbennig iawn. Siaradodd Duw yn glir iawn â mi ar ôl marwolaeth fy nhad ym 1981. Fe ddes i'n Gristion ryw saith mlynedd yn gynt, ac roedd fy rhieni wedi ymateb i'r peth gydag arswyd. Ond o dipyn i beth, roedden nhw wedi dechrau gweld newid ynof. Daeth fy mam yn Gristion o argyhoeddiad ymhell cyn iddi farw. Dyn o ychydig eiriau oedd fy nhad. I ddechrau, roedd yn ansicr iawn am fy ymwneud â'r ffydd Gristnogol. Yn raddol, daeth yn fwy agored i'r ffydd. Bu farw'n sydyn. Roeddwn yn ei golli'n ofnadwy, ond y peth anoddaf ynglŷn â'i farwolaeth oedd nad oeddwn i'n gwybod yn sicr a oedd fy nhad yn Gristion.

Ddeg diwrnod yn union ar ôl iddo farw, roeddwn i'n darllen y Beibl. Roeddwn wedi gofyn i Dduw siarad â mi am fy nhad y diwrnod hwnnw oherwydd roeddwn yn dal i boeni amdano. Roeddwn yn digwydd darllen llyfr y Rhufeiniaid pan welais yr adnod 'Bydd pob un sy'n galw ar enw yr Arglwydd yn cael ei achub' (Rhufeiniaid 10:13). Teimlais y foment honno fod Duw yn dweud fod yr adnod yma i fy nhad; ei fod wedi galw ar enw'r Arglwydd a chael ei 'achub'. Bum munud yn ddiweddarach, daeth fy ngwraig Pippa ataf a dweud, 'Rydw i newydd ddarllen adnod yn Actau 2:21 ac rwy'n meddwl fod yr adnod hon yn sôn am dy dad. Mae'n dweud "...a bydd pob un sy'n galw ar enw yr Arglwydd yn cael ei achub."' Roedd y peth yn rhyfeddol oherwydd dwywaith yn unig mae'r adnod yn ymddangos yn y Testament Newydd, ac roedd Duw wedi siarad â'r ddau ohonom drwy'r un geiriau, ar yr un amser, mewn gwahanol rannau o'r Beibl.

Dridiau yn ddiweddarach, roedd y ddau ohonom mewn astudiaeth Feiblaidd yn nhŷ ffrind, ac roeddem yn astudio Rhufeiniaid 10:13, yn union yr un rhan. Felly dair gwaith mewn tridiau roedd Duw wedi siarad â mi am fy nhad trwy'r un geiriau. Er hynny, roeddwn yn dal i feddwl am fy nhad ac yn poeni amdano. Ond ar fy ffordd i'r gwaith gwelais un o'r posteri mawr ag adnod arno, a'r adnod oedd, 'Bydd pob un sy'n galw ar enw yr Arglwydd yn cael ei achub' (Rhufeiniaid 10:13). Rwy'n cofio siarad gydag un o'm ffrindiau am y peth a dweud wrtho beth oedd wedi digwydd, ac meddai wrthyf, 'Wyt ti'n meddwl fod yr Arglwydd yn ceisio dweud rhywbeth wrthyt ti?'

SUT MAE DUW YN EIN HARWAIN?

Mae'n rhaid i ni gyd wneud penderfyniadau mewn bywyd. Mae rhai yn ymwneud â'n perthynas ag eraill, priodas, plant, ein defnydd o amser, swyddi, tai, arian, gwyliau, eiddo, rhoi ac ati. Mae rhai o'r penderfyniadau'n rhai mawr a rhai'n llai. Gyda llawer o benderfyniadau, mae'n bwysig gwneud y penderfyniadau iawn – er enghraifft, wrth ddewis gŵr neu wraig. Mae angen help Duw arnom yn hyn i gyd.

Un o'r pethau hyfryd y mae'r ffydd Gristnogol yn ei ddangos i ni yw nad ydym ar ein pennau ein hunain yn y bywyd hwn. Mae arweiniad yn dod yn naturiol o'n perthynas gyda Duw. Mae Duw yn addo arwain y rhai sy'n byw eu bywyd gydag ef. Mae'n dweud, 'Hyfforddaf di a'th ddysgu yn y ffordd a gymeri' (Salm 32:8). Mae Iesu'n addo arwain ei ddilynwyr: 'Y mae ...yntau'n galw ei ddefaid ei hun wrth eu henwau ac yn eu harwain hwy allan...a'r defaid yn ei ganlyn oherwydd eu bod yn adnabod ei lais ef' (Ioan 10:3-4). Mae Iesu'n defnyddio darlun y ddafad a'r bugail er mwyn sôn am y berthynas y mae eisiau ei chael gyda ni. Mae'n dyheu am i ni geisio beth yw ei ewyllys ef (Colosiaid 1:9; Effesiaid 5:17). Mae'n gofalu am bob un ohonom fel unigolion. Mae'n ein caru, ac mae eisiau siarad gyda ni am yr hyn y dylem ei wneud gyda'n bywydau – am y pethau bach yn ogystal â'r pethau mawr.

Mae gan Dduw gynllun ar gyfer ein bywydau (Effesiaid 2:10). Mae hyn yn medru achosi gofid i bobl weithiau. Maen nhw'n dweud, 'Dydw i ddim yn siŵr fy mod am i Dduw gynllunio fy mywyd i. A fydd yr hyn mae ef wedi'i drefnu'n dda?' Nid oes angen i ni ofni. Mae Duw'n ein caru, ac am y gorau ar gyfer ein bywydau. Mae Paul yn dweud wrthym fod ewyllys Duw ar gyfer ein bywydau yn 'dda, derbyniol a pherffaith' (Rhufeiniaid 12:2).

Dywedodd wrth ei bobl drwy'r proffwyd Jeremeia: 'Oherwydd myfi sy'n gwybod fy mwriadau a drefnaf ar eich cyfer,' medd yr Arglwydd, 'bwriadau o heddwch, nid niwed, i roi i chwi ddyfodol gobeithiol'(Jeremeia 29:11). Mae'n dweud, 'A ydych chi'n sylweddoli bod gen i fwriadau da ar gyfer eich bywyd? Rydw i wedi paratoi rhywbeth hyfryd i chi.' Mae'r gri hon yn dod o galon Duw oherwydd ei fod yn gweld y llanast yr oedd y bobl wedi'i greu o bopeth wrth beidio â dilyn ei ffyrdd ef yn eu bywydau. O'n cwmpas gallwn weld pobl sydd â'u bywydau mewn anhrefn llwyr. Wedi dod yn Gristnogion bydd pobl yn dweud wrthyf yn aml, 'Trueni na fyddwn i wedi dod yn Gristion bum neu ddeng mlynedd ynghynt. Edrychwch ar fy mywyd yn awr. Mae'n llanast pur.'

Os ydym eisiau gwybod beth yw bwriadau Duw ar ein cyfer, rhaid i ni ofyn iddo beth ydyn nhw. Rhybuddiodd Duw ei bobl ynglŷn â chynllunio heb ofyn ei farn: '"Gwae chi, blant gwrthryfelgar" medd yr Arglwydd, "sy'n gweithio cynllun na ddaeth oddi wrthyf ... ânt i lawr i'r Aifft *heb ofyn fy marn*"'(Eseia 30:1-2, fy mhwyslais i). Wrth gwrs, Iesu yw'r esiampl berffaith o wneud ewyllys y Tad. Roedd yn cael ei 'arwain gan yr Ysbryd' yn gyson (Luc 4:1) a dim ond yr hyn yr oedd yn gweld ei Dad yn ei wneud y byddai'n ei wneud (Ioan 5:19).

Weithiau rydym yn gwneud camgymeriadau oherwydd nad ydym yn gofyn i Dduw. Rydym yn gwneud rhyw gynllun neu'i gilydd a meddwl, 'Rwyf am wneud hyn, ond dydw i ddim yn siŵr fyddai Duw eisiau i mi ei wneud. Byddai'n well i mi beidio â gofyn iddo, rhag ofn nad dyna yw ei ewyllys ar fy nghyfer!'

Mae Duw yn ein harwain pan ydym yn barod i wneud ei ewyllys ef yn hytrach na mynnu bod ein ffyrdd ni ein hunain yn iawn. Mae'r Salmydd yn dweud, 'Fe arwain y gostyngedig' (Salm 25:9) ac 'fe gaiff y rhai sy'n ei ofni [sef, ei barchu] gyfeillach yr Arglwydd' (adnod 14). Mae Duw'n arwain y rhai sydd â'r un agwedd â Mair: 'Dyma lawforwyn yr Arglwydd; bydded i mi yn ôl dy air di." (Luc 1:38). Pan fyddwn yn barod i wneud ei ewyllys ef, mae'n dechrau dangos i ni beth yw ei fwriadau ar gyfer ein bywydau.

Mae adnod yn y Salmau rwy'n mynd yn ôl ati dro ar ôl tro: 'Rho dy ffyrdd i'r Arglwydd; ymddiried ynddo, ac fe weithreda' (Salm 37:5). Ein rhan ni yw cyflwyno'r penderfyniad i'r Arglwydd ac ymddiried ynddo. Wedi i ni wneud hynny, gallwn ddisgwyl yn hyderus iddo weithredu.

Tua diwedd ein hamser yn y brifysgol, roedd ffrind i mi o'r enw Nicky a oedd wedi dod yn Gristion tua'r un adeg â mi, wedi dechrau dod i adnabod merch nad oedd yn Gristion. Credai nad oedd yn iawn iddo ei phriodi oni bai ei bod yn rhannu ei ffydd yng Nghrist. Nid oedd am roi unrhyw bwysau arni. Felly gwnaeth beth ddywedodd y Salmydd a chyflwyno'r mater i'r Arglwydd. Roedd yn dweud, mewn geiriau eraill, 'Arglwydd, os nad yw'r berthynas hon yn un gywir, rwy'n gweddïo y byddi di'n dod â'r peth i ben. Os yw'r berthynas yn iawn, rwy'n gweddïo y bydd hi'n dod yn Gristion erbyn diwrnod olaf tymor y gwanwyn.' Ni ddywedodd wrthi hi nac wrth neb arall am y dyddiad hwn yr oedd wedi'i osod. 'Ymddiriedodd ynddo ef', a disgwyl iddo weithredu. Daeth diwrnod olaf tymor y gwanwyn ac roedd y ddau'n digwydd mynd i barti gyda'i gilydd y noson honno. Ychydig cyn hanner nos, dywedodd wrtho ei bod am fynd am dro i rywle yn y car. Felly allan â nhw yn y car a hithau'n rhoi cyfarwyddiadau ble i fynd, a hynny ar hap, am dipyn o hwyl: 'Tro i'r chwith deirgwaith, i'r dde deirgwaith, gyrra'n syth ymlaen am dair milltir, yna stopia.' Gwnaeth yn union fel y gorchmynnodd hi. Fe ddaethon nhw yn y diwedd at fynwent â chroes enfawr yn ei chanol, gyda channoedd o groesau llai o'i chwmpas. Cafodd y ferch sioc o weld hyn ac roedd symbol y groes wedi cael effaith ddofn arni, a'r ffaith fod Duw wedi defnyddio'i chyfarwyddiadau i gael ei sylw. Dechreuodd ei dagrau lifo. Ychydig funudau yn ddiweddarach, daeth i ffydd yng Nghrist. Erbyn hyn mae'r ddau wedi bod yn briod ac yn hapus iawn ers blynyddoedd, ac maen nhw'n dal i edrych yn ôl a chofio bod llaw Duw wedi bod arnynt yr adeg honno.

Os ydym yn barod i wneud beth mae Duw eisiau i ni ei wneud, sut y dylem ddisgwyl i Dduw siarad â ni a'n harwain? Mae Duw yn ein harwain trwy nifer o wahanol ffyrdd. Weithiau mae Duw yn siarad trwy un o'r pum ffordd rwy'n sôn amdanyn nhw yn y bennod hon; dro arall mae'n defnyddio mwy nag un ffordd. Os yw'n benderfyniad mawr, efallai y bydd yn eu defnyddio i gyd.

Yr Ysgrythur yn gorchymyn

Fel rydym wedi gweld, mae ewyllys cyffredinol Duw ar gyfer pawb ym mhob man ac ym mhob cyd-destun wedi'i ddatguddio yn yr Ysgrythur. Yn y Beibl, mae Duw wedi dweud wrthym beth mae'n ei feddwl am nifer fawr o bynciau. O edrych yn y Beibl rydym yn gwybod fod rhai pethau'n anghywir. Felly gallwn fod yn sicr na fydd Duw yn ein harwain i wneud y pethau hyn. Weithiau mae rhywun sy'n briod yn dweud, 'Rydw i mewn cariad gyda dyn / gwraig arall. Rydym yn caru ein gilydd gymaint. Rwy'n teimlo fod Duw yn fy arwain i adael fy ngŵr / fy ngwraig a dechrau perthynas newydd.' Ond mae Duw wedi gwneud ei ewyllys yn glir. Mae wedi dweud, 'Na odineba' (Exodus 20:14).

Ambell dro mae pobl yn teimlo eu bod yn cael eu harwain i arbed arian drwy beidio â thalu treth incwm. Ond mae Duw wedi'i gwneud yn ddigon clir ein bod i dalu unrhyw drethi sy'n ddyledus (Rhufeiniaid 13:7). Fe ddes i ar draws llythyr a anfonwyd i Swyddfa'r Dreth Incwm gan ddyn a oedd newydd ddod yn Gristion. Dywedodd: 'Annwyl Syr, Rydw i newydd ddod yn Gristion, a dydw i ddim yn medru cysgu. Felly dyma'r can punt sydd arna' i i chi. O.N. Os bydda' i'n dal yn methu cysgu, mi anfona' i'r gweddill.'

Mae Duw yn ein galw i fod yn bobl onest ac i ddweud y gwir (Exodus 20:16). Rwy'n cofio cwrdd â hen ddyn – Gibbo oedd ei lysenw. Flynyddoedd ynghynt, roedd wedi gweithio fel clerc yn Selfridges, Llundain. Gordon Selfridge ei hun, perchennog y siop, oedd ei bennaeth. Un diwrnod fe ganodd y ffôn. Atebodd Gibbo y ffôn, a gofynnodd rhywun am gael siarad gyda Gordon Selfridge. Roedd Selfridge yn yr ystafell, ond pan geisiodd Gibbo wneud arwydd fod rhywun am siarad ag ef, dywedodd, 'Dwed wrtho fy mod i allan.' Rhoddodd Gibbo y ffôn i'w bennaeth gan ddweud, 'Dywedwch chi wrtho eich bod chi allan!' Wedi iddo roi'r ffôn yn ôl i lawr, roedd Selfridge yn gynddeiriog. Ond llwyddodd Gibbo i sefyll ei dir a dweud wrtho, 'Os ydw i'n gallu dweud celwydd drosoch chi, rydw i hefyd yn gallu dweud celwydd i'ch wyneb, a dydw i byth am wneud hynny.' Fe newidiodd hyn yrfa Gibbo yn Selfridges. O'r adeg honno ymlaen, pan oedd angen rhywun ar ei gydweithwyr y gallen nhw ddibynnu arno, fe fydden nhw'n troi at Gibbo. Roedd yntau wedi dangos ei fod yn ddyn onest.

Yn y materion hyn, yn ogystal â sawl mater arall, mae Duw wedi datguddio ei ewyllys cyffredinol i ni. Nid oes angen gofyn am ei arweiniad am ei fod wedi gwneud hynny'n barod. Os nad ydym yn siŵr am rywbeth neu'i gilydd, efallai y bydd angen i ni holi rhywun sydd yn gwybod mwy na ni am y Beibl i weld a oes rhywbeth ynddo sy'n ymdrin â'r mater hwnnw'n benodol. Pan fyddwn wedi darganfod beth sydd gan y Beibl i'w ddweud, nid oes angen i ni chwilio ymhellach.

Er bod ewyllys cyffredinol Duw wedi'i datguddio yn y Beibl, nid yw'n bosibl bob amser i ni ddod o hyd i'w ewyllys penodol ar gyfer ein bywydau yno. Nid yw'r Beibl yn dweud wrthym pa swydd y dylem ei chael, faint o arian y dylem ei roi i elusen, na phwy y dylem ei briodi.

Fel y gwelsom yn y bennod ar y Beibl, mae Duw'n dal i siarad trwy'r Ysgrythurau heddiw. Gall siarad â ni wrth i ni ddarllen. Mae'r Salmydd yn dweud, 'Y mae dy farnedigaethau ...yn gynghorwyr i mi' (Salm 119:24). Nid yw hynny'n golygu ein bod i ddarganfod ewyllys Duw wrth agor y Beibl ar hap a gweld beth sydd i'w weld yno. Yn hytrach, wrth i ni ddechrau darllen y Beibl yn rheolaidd, byddwn yn dechrau gweld pa mor berthnasol yw pob darlleniad dyddiol i'n sefyllfa arbennig ni.

Ambell waith mae adnod fel petai'n neidio o'r dudalen atom ni ac yr ydym yn ymwybodol bod Duw yn siarad trwy'r adnod honno. Dyma oedd fy mhrofiad i, er enghraifft, pan deimlwn fod Duw yn fy ngalw i newid swydd. Y penderfyniad a oedd yn fy wynebu: naill ai parhau ym maes y gyfraith, neu ddod yn ficer. Bob tro yr oeddwn yn teimlo Duw yn siarad â mi wrth i mi ddarllen y Beibl, fe fyddwn yn gwneud nodyn o hynny. Er enghraifft, ar un achlysur ar ôl i mi weddïo ar i Dduw fy arwain, darllenais yr adnod, 'Sut y maent i gredu yn rhywun nad ydynt wedi ei glywed? Sut y maent i glywed, heb fod rhywun yn pregethu? (Rhufeiniad 10:14). Digwyddodd hyn ddydd Iau. Yna gyrrais i Durham am y penwythnos i weld ffrindiau ac i weddïo am y penderfyniad hwn. Yn hollol annisgwyl, darllenodd fy ffrind yr un adnod yn union. Doeddwn i ddim yn gallu credu'r peth! Erbyn y nos Sul, roeddwn yn fy eglwys yn Llundain. Ar ddechrau'r gwasanaeth cyhoeddodd y ficer ei fod am bregethu ar yr un adnod, a'i fod yn teimlo Duw'n galw rhywun i'r weinidogaeth yn yr Eglwys Anglicanaidd. Nodais o leiaf bymtheg achlysur gwahanol pan oeddwn wedi teimlo fod Duw yn siarad â mi trwy'r Beibl am ei alwad arnaf i ddod yn ficer.

Yr Ysbryd sy'n rheoli

Mae arweiniad yn beth cwbl bersonol. Pan fyddwn yn dod yn Gristnogion mae Ysbryd Duw yn dod i fyw ynom ni, ac mae'n dechrau cyfathrebu â ni. Mae angen i ni ddysgu clywed ei lais. Dywedodd Iesu y byddai ei ddefaid (ei ddilynwyr) yn adnabod ei lais (Ioan 10:4–5). Ar y ffôn rydym yn adnabod llais ffrind da ar unwaith. Os nad ydym yn adnabod yr un sy'n ffonio yn dda iawn, mae'n fwy anodd ac yn cymryd mwy o amser i ni ei adnabod. Wrth ddod i adnabod Iesu'n well, mae'n dod yn haws adnabod ei lais.

Mae Paul yn dweud, 'Ac yn awr, dyma fi, dan orfodaeth yr Ysbryd, ar fy ffordd i Jerwsalem.' Roedd Paul yn disgwyl i bob Cristion gael ei arwain gan yr Ysbryd (Galatiaid 5:18). Ar achlysur gwahanol mae Paul a'i gymdeithion yn ceisio mynd i Bithynia, 'ond ni chaniataodd ysbryd Iesu iddynt' (Actau 16:7). Felly aethon nhw ar hyd ffordd arall. Nid ydym yn gwybod sut yn union y siaradodd yr Ysbryd â nhw, ond fe allai fod mewn un o nifer o wahanol ffyrdd.

Dyma dair esiampl i ni o'r ffordd mae Duw yn siarad trwy ei Ysbryd.

1. Mae Duw yn aml yn siarad â ni wrth i ni weddïo

Yn Actau 13, rydym yn darllen 'tra oeddent hwy'n offrymu addoliad i'r Arglwydd', llefarodd yr Ysbryd Glân wrthyn nhw. Mae gweddi'n sgwrs ddwy ffordd. Petawn i'n mynd at y doctor a dweud, 'Doctor, mae gen i nifer o broblemau: mae ffwng yn tyfu dan ewinedd bysedd fy nhraed, mae fy llygaid yn cosi, mae angen pigiad ffliw arna' i, rwy'n dioddef o boenau cefn difrifol ac mae fy mhenelin yn boenus.' Yna, wedi rhestru popeth sy'n bod, rwy'n edrych ar fy oriawr a dweud 'Diar mi, mae'r amser yn hedfan. Wel, rhaid i mi fynd. Diolch yn fawr i chi am wrando.' Mae'n ddigon posibl y byddai'r doctor eisiau dweud, 'Arhoswch eiliad. Pam na wnewch chi wrando ar beth sydd gen i i'w ddweud?' Pan fyddwn yn gweddïo, os treuliwn yr holl amser yn siarad â Duw heb gymryd peth amser i wrando, rydym yn gwneud yr un camgymeriad. Dyna'r rheswm rwy'n cadw llyfr nodiadau wrth fy ymyl pan fydda' i'n gweddïo. Rwy'n ei chael yn gymorth i nodi pethau sy'n dod i'r meddwl, er enghraifft, 'efallai y dylwn i ffonio hwn neu ysgrifennu at hon.'

Yn y Beibl fe welwn Dduw yn siarad gyda'i bobl. Er enghraifft, ar un achlysur wrth i'r Cristnogion addoli'r Arglwydd ac ymprydio, dywedodd yr Ysbryd Glân wrthyn nhw, '"Neilltuwch yn awr i mi Barnabas a Saul, i'r gwaith yr wyf wedi eu galw iddo." Yna, wedi ymprydio a gweddïo a rhoi dwylo arnynt, gollyngasant hwy' (Actau 13:2–3).

Eto, nid ydym yn gwybod sut yn union y llefarodd yr Ysbryd Glân wrthyn nhw. Mae'n bosibl, wrth iddyn nhw weddïo, i'r peth ddod i'w meddwl. Dyna ffordd gyffredin i Dduw lefaru. Weithiau mae pobl yn disgrifio hyn fel 'argraff' neu 'deimlad cryf'. Mae'n bosib i'r Ysbryd Glân siarad ym mhob un o'r ffyrdd hyn.

Wrth reswm, rhaid profi unrhyw argraff neu deimlad o'r fath (1 Ioan 4:1). A yw'n gyson â'r Beibl? A yw'n hyrwyddo cariad? Os nad yw, yna ni all ddod oddi wrth Dduw sy'n gariad (1 Ioan 4:16). A yw'n adeiladu, calonogi ac yn cysuro (1 Corinthiaid 14:3)? Wedi i ni wneud ein penderfyniad, a oes gennym ni dangnefedd Duw (Colosiaid 3:15)?

2. Weithiau mae Duw'n siarad â ni drwy roi awydd cryf i ni wneud rhywbeth arbennig

'Duw yw'r un sydd yn gweithio ynoch i beri i chwi *ewyllysio* a gweithredu i'w amcanion daionus ef' (Philipiaid 2:13, fy mhwyslais i). Wrth i ni ildio ein hewyllys i Dduw, mae'n gweithio ynom ac yn aml mae'n newid ein dymuniadau.

Roedd meddyg ifanc o Brydain, Paul Brand, ar ymweliad â sanatoriwm i'r gwahanglwyfus ger Chennai (Madras gynt), yn India. Wrth i Dr Cochrane ei dywys o amgylch yr ysbyty, fe welodd gleifion oedd ar eu cwrcwd neu'n symud o le i le a'u traed wedi'u rhwymo. Roedden nhw'n llygadu'r ddau feddyg gydag wynebau afluniaidd, ond prin oedden nhw'n gallu eu gweld. Disgrifiodd Dr Paul Brand ei ymweliad:

> Gwelais ddwylo'n cael eu codi a'u chwifio i'n croesawu ni ... stympiau oedd y dwylo hyn, wedi'u troelli, eu ceincio a'u briwio. Roedd rhai'n galed iawn fel crafangau o fetel. Doedd dim bysedd ar rai ohonynt, ac roedd rhai dwylo ar goll yn gyfan gwbl. O'r diwedd roedd yn rhaid i mi ofyn, 'Sut daethon nhw i fod fel hyn? Beth sy'n cael ei wneud iddyn nhw?' ...[Atebodd Dr Cochrane,] 'Nid wyf yn gwybod ...meddyg croen ydw i – rwy'n gallu trin y rhan hwnnw o'r gwahanglwyf. Ond chi yw'r meddyg sy'n delio ag esgyrn, y llawfeddyg orthopaedig!'... Aeth ymlaen i ddweud wrthyf nad oedd yr un llawfeddyg orthopaedig wedi astudio anffurfiadau'r pymtheg miliwn o bobl oedd yn dioddef o'r gwahanglwyf drwy'r byd i gyd.

Wrth i'r meddygon basio, rhoddodd un o'r cleifion ifanc ei law allan, a dywedodd Paul Brand wrtho am wasgu ei law mor galed â phosib. Dyma a ddywedodd ynglŷn â'r digwyddiad:

> Er mawr syndod i mi, yn hytrach na'r cyffyrddiad ysgafn roeddwn wedi'i ddisgwyl, dechreuais deimlo poen ofnadwy yn codi yng nghledr fy llaw.

Roedd ei afael fel feis yn gwasgu, a'i fysedd fel crafangau dur am fy nghnawd. Nid oedd unrhyw arwydd o'r parlys arno – roeddwn i'n gweiddi am iddo ollwng ei afael. Edrychais arno'n flin, ond cefais syndod o'i weld yn gwenu'n addfwyn yn ôl. Nid oedd yn gwybod ei fod yn rhoi dolur i mi. Dyna oedd fy ateb: rhywle o fewn y llaw afluniaidd honno roedd cyhyrau nerthol, da. Teimlwn fel petai'r bydysawd i gyd yn troi o'm cwmpas i. Gwyddwn fy mod wedi cyrraedd fy lle. Newidiodd yr un digwyddiad hwnnw yn 1947 fy mywyd. Hon oedd fy awr. Roeddwn wedi profi galwad Ysbryd Duw. Dyna pam roeddwn i wedi cael fy nghreu, ar gyfer yr awr honno, a gwyddwn y byddwn yn gorfod newid cyfeiriad gweddill fy mywyd. Ers hynny, wnes i erioed amau'r peth.[1]

Darganfu Dr Brand fod y gwahanglwyf yn dinistrio'r gallu i deimlo poen mewn rhannau o'r corff wedi'u heffeithio gan yr afiechyd, a bod cleifion yn anafu eu hunain yn ddrwg oherwydd hynny. Haint sy'n achosi'r drwg, ac felly mae'n bosib ei atal. Arweiniodd hyn at waith ymchwil arloesol i achosion yr afiechyd, a daeth Dr Brand yn llawfeddyg gwahanglwyf enwog ar draws y byd. Derbyniodd CBE a gwobr Albert Lasker.

3. Weithiau mae'n ein harwain mewn ffyrdd mwy anarferol

Mae nifer o esiamplau yn y Beibl o Dduw'n arwain pobl mewn ffyrdd dramatig. Pan oedd Samuel yn fach, siaradodd Duw gydag ef mewn ffordd y gallai glywed geiriau Duw gyda'i glustiau (1 Samuel 3:4-14). Arweiniodd Abraham (Genesis 18), Joseff (Mathew 2:19) a Pedr (Actau 12:7) trwy ei angylion. Yn yr Hen Destament a'r Testament Newydd llefarodd Duw yn aml trwy ei broffwydi (er enghraifft Agabus - Actau 11:27-28; 21:10-11). Arweiniodd trwy weledigaethau (yn aml heddiw byddem yn eu galw'n 'ddarluniau'). Er enghraifft, un noson llefarodd Duw wrth Paul mewn gweledigaeth. Gwelodd ddyn ym Macedonia yn sefyll ac yn ymbil arno, 'Tyrd drosodd i Facedonia, a chymorth ni.' Nid yw'n syndod fod Paul a'i gyfeillion wedi gweld, drwy hyn, fod Duw yn eu harwain a'u galw i bregethu'r efengyl ym Macedonia (Actau 16:10).

Fe welwn hefyd esiamplau o Dduw'n arwain drwy freuddwydion (er enghraifft Mathew 1:20; 2:12-13, 22). Roeddwn i'n gweddïo dros gwpl a oedd yn ffrindiau da i ni. Roedd y gŵr wedi dod i ffydd yng Nghrist yn ddiweddar. Roedd y wraig yn ddeallus iawn ond roedd yn wrthwynebus iawn i'r hyn oedd wedi digwydd i'w gŵr. Daeth ychydig yn amheus ohonom ni. Un noson cefais freuddwyd lle gwelais hi â'i hwyneb wedi newid yn llwyr; roedd ei llygaid yn llawn o lawenydd yr Arglwydd. Fe wnaeth hyn fy nghalonogi i ddal ati i weddïo a chadw'n agos atyn nhw. Ychydig fisoedd yn ddiweddarach daeth hithau i gredu yng Nghrist hefyd. Rwy'n cofio edrych arni a gweld yr wyneb yr oeddwn wedi'i weld yn fy mreuddwyd rai misoedd ynghynt.

Dyna'r ffyrdd y mae Duw wedi arwain pobl yn y gorffennol, ac y mae'n dal i'w ddefnyddio i arwain heddiw.

Synnwyr cyffredin

Pan ydym yn dod yn Gristnogion, nid oes disgwyl i ni ollwng gafael ar synnwyr cyffredin. Mae awduron y Testament Newydd yn aml iawn yn ein hannog i feddwl, ac nid ydynt byth yn ein hannog rhag defnyddio ein meddyliau (er enghraifft 2 Timotheus 2:7).

Os ydym yn ymwrthod â synnwyr cyffredin, yna mae'n bosibl i ni gael ein hunain mewn sefyllfaoedd twp iawn. Yn ei lyfr *Knowing God*, mae J I Packer yn disgrifio gwraig oedd bob bore, ar ôl cysegru'r dydd i'r Arglwydd wedi iddi ddeffro, yn 'gofyn iddo a ddylai godi ai peidio', ac ni fyddai'n symud nes i'r 'llais' ddweud wrthi am wisgo.

> Wrth iddi hi wisgo byddai'n gofyn i'r Arglwydd ynglŷn â phob dilledyn, a oedd i'w wisgo ai peidio, ac yn aml iawn fe fyddai'r Arglwydd yn dweud wrthi am wisgo'r esgid dde ond am beidio â gwisgo'r llall; weithiau yr oedd i wisgo ei sanau ond nid ei hesgidiau; weithiau ei hesgidiau a dim sanau. Ac felly yr oedd gyda phob dilledyn ...[2]

Mae'n wir dweud nad yw addewidion Duw am arweiniad wedi'u rhoi er mwyn i ni osgoi'r straen o feddwl. Dywedodd John Wesley, tad Methodistiaeth yn Lloegr, fod Duw yn ei arwain fel arfer wrth roi rhesymau yn ei feddwl dros weithredu mewn ffordd arbennig. Mae hyn yn bwysig ym mhob maes, yn y penderfyniadau bob dydd ond hefyd ym maes priodas a swyddi. Mae synnwyr cyffredin yn ffactor bwysig wrth ddewis partner priodas ar gyfer bywyd. Mae'n synnwyr cyffredin i edrych ar o leiaf dri pheth pwysig iawn.

Yn gyntaf, *a ydym yn siwtio ein gilydd yn ysbrydol?* Mae Paul yn rhybuddio am beryglon priodi rhywun nad yw'n Gristion (2 Corinthiaid 6:14). Yn ymarferol, os nad yw un o'r partneriaid yn Gristion, mae hyn bron bob amser yn arwain at densiwn mewn priodas. Mae hyn yn digwydd oherwydd bod y ddau'n mynd i gyfeiriadau gwahanol. Mae'r Cristion yn cael ei dynnu i wneud y gorau i'w briod a gwneud y gorau i'r Arglwydd. Ond mae siwtio ei gilydd yn ysbrydol yn golygu mwy na dim ond bod y ddau yn Gristnogion. Mae'n golygu bod y ddau i barchu ffydd y llall, yn hytrach na dim ond dweud, 'O leiaf mae'n ticio'r bocs o fod yn Gristion, ac mae hynny'n ddigon.'

Yn ail, *a ydym yn siwtio ein gilydd o ran personoliaeth?* Mae'n amlwg y dylai ein partner priodasol fod yn ffrind da iawn ac yn rhywun sydd â llawer yn gyffredin â ni. Un o nifer fawr o fanteision dros beidio â chysgu gyda'ch gilydd cyn priodi yw ei bod yn haws meddwl a ydych chi'n siwtio eich gilydd o ran personoliaeth. Yn aml gall rhyw gymryd ein holl sylw ar ddechrau perthynas. Ond os nad yw'r berthynas wedi'i seilio a'i hadeiladu ar gyfeillgarwch dwfn yna wedi'r cyffro rhywiol dechreuol ddiflannu gall y berthynas gael ei hun ar sylfaen digon ansicr.

Yn drydydd, *a ydym yn siwtio ein gilydd yn gorfforol?* Wrth hyn rwy'n golygu a ydym yn cael ein denu at ein gilydd. Nid yw'n ddigon i siwtio ein gilydd yn ysbrydol ac yn emosiynol. Yn aml yn y byd seciwlar, mae siwtio'n gilydd yn gorfforol yn dod yn gyntaf, ond rydym yn ei roi'n olaf o ran blaenoriaeth. A oes angen cysgu gyda'ch gilydd i wybod a ydych yn siwtio'ch gilydd yn rhywiol? Nac oes – mae hyn yn anghywir. Petai'n rhaid cysgu gyda'ch partner i wybod a yw'r ddau ohonoch yn siwtio'ch gilydd, yna byddai'n rhaid gofyn y cwestiwn, sawl perthynas rywiol sydd ei angen arnom i wneud penderfyniad gwybodus a rhesymol ynglŷn â phartner priodasol?

"Roedd yn rhaid i mi gysgu gyda chant a deuddeg o ferched i ddod o hyd i ti."

Unwaith eto, mae synnwyr cyffredin yn bwysig wrth ystyried arweiniad Duw mewn swyddi a gyrfaoedd. Weithiau fe glywn bobl yn dweud, 'Rydw i wedi dod yn Gristion. Ddylwn i adael fy ngwaith?' Mae'r ateb yn dod yng ngeiriau Paul: '... dalied pob un i fyw yn ôl y gyfran a gafodd gan yr Arglwydd, pob un yn ôl yr alwad a gafodd gan Dduw' (1 Corinthiaid 7:17). Oni bai bod ein gwaith yn gwbl anghydnaws â'r ffydd Gristnogol, mae Paul yn dweud wrthym am fyw'r bywyd Cristnogol yn yr amgylchiad lle cawsom ein galw i ffydd.

Y canllaw cyffredinol yw aros yn y swydd rydym yn ei gwneud yn barod (os oes swydd gennym) hyd nes bod Duw yn ein galw i wneud rhywbeth arall. Nid yw Duw'n tueddu i'n galw *allan* o rywbeth, yn hytrach mae'n ein galw *i* rywbeth. I wybod beth y mae Duw efallai yn ein galw i'w wneud, dylem ofyn ambell gwestiwn, er enghraifft 'Beth yw fy nghymeriad a'm personoliaeth? Beth ydw i'n gallu ei wneud yn dda? Beth ydw i'n hoffi ei wneud? Beth yw fy noniau?' Synnwyr cyffredin yw cymryd golwg tymor hir. Mae'n ddoeth edrych ymlaen deg, pymtheg, ugain mlynedd a holi: 'I ble mae fy swydd bresennol yn mynd â fi? Ai dyna lle rydw i am fod yn y tymor hir? Neu a oes gen i weledigaeth hirdymor ar gyfer rhywbeth cwbl wahanol? Os felly, lle dylwn i fod yn awr er mwyn cyrraedd hynny?'

Cyngor y Saint

Mae'r gair 'saint' yn cael ei ddefnyddio yn y Testament Newydd i olygu 'pob Cristion' - mewn geiriau eraill, yr eglwys (er enghraifft Philipiaid 1:1). Mae'n beth rhyfeddol bod yn rhan o gymuned o Gristnogion lle gallwn helpu ein gilydd wrth wneud ein penderfyniadau. Rhaid bod yn ddigon gwylaidd i gydnabod nad wrthym ni'n unig y mae Duw yn llefaru; mae hefyd yn llefaru wrth bobl eraill, ac wedi gwneud hyn ym mhob oes.

Mae Llyfr y Diarhebion yn llawn cyfarwyddyd ynglŷn â cheisio cyngor doeth. Mae'r awdur yn dweud bod y rhai doeth yn gwrando ar gyngor (Diarhebion 12:15). Mae'n rhybuddio hefyd, 'drysir cynlluniau pan nad oes ymgynghori', ond ar y llaw arall, 'daw llwyddiant pan geir llawer o gynghorwyr' (Diarhebion 15:22). Felly, mae'n annog ei ddarllenwyr wrth ddweud, 'sicrheir cynlluniau trwy gyngor' (Diarhebion 20:18).

Tra bod ceisio cyngor yn bwysig iawn, rhaid i ni gofio yn y pen draw mai rhywbeth rhyngom ni a Duw yw ein penderfyniadau. Ein cyfrifoldeb ni ydynt. Ni allwn roi'r cyfrifoldeb ar unrhyw un arall na cheisio beio eraill os yw pethau'n mynd o chwith. Mae 'cyngor y saint' yn rhan o arweiniad – ond nid dyna'r unig ran. Weithiau mae'n iawn mynd yn ein blaen er gwaethaf cyngor eraill.

Os ydym yn wynebu penderfyniad lle mae angen cyngor arnom, at bwy y dylem droi? I awdur llyfr y Diarhebion, 'Ofn yr Arglwydd yw dechrau doethineb ...' (Diarhebion 9:10). Felly, mae'n siŵr ei fod yn sôn am gyngor oddi wrth y rhai sy'n ofni a pharchu'r Arglwydd. Ein cynghorwyr gorau fel arfer yw'r bobl yr ydym yn eu parchu; Cristnogion duwiol sydd â doethineb a phrofiad. Y mae'n ddoeth hefyd geisio cyngor ein rhieni, hyd yn oed os nad ydym yn byw gartref mwyach. Maent hwy yn ein hadnabod yn well na neb arall, ac wrth ofyn eu cyngor rydym yn eu hanrhydeddu (Exodus 20:12).

Rydw i wedi cael budd mawr trwy fy mywyd Cristnogol gan fy mod wedi gallu troi at Gristion aeddfed am gyngor, a hynny ar bob math o bynciau. Ar adegau gwahanol rwyf wedi troi at bobl wahanol. Rwy'n ddiolchgar iawn i Dduw am eu doethineb a'u cymorth mewn cynifer o feysydd. Yn aml mae'r arweiniad wedi dod oddi wrth Dduw wrth i ni drafod materion gyda'n gilydd.

Gyda phenderfyniadau mawr iawn, rydw i wedi cael budd mawr drwy geisio cyngor gan sawl un. Wrth feddwl am gael fy ordeinio, fe gefais gyngor gan ddau Gristion aeddfed, dau o'm ffrindiau agosaf, fy ficer a rhai oedd yn rhan o'r broses swyddogol o ddethol.

Ni ddylai'r bobl yr ydym yn troi atynt am gyngor gael eu dewis am eu bod yn siŵr o gytuno gyda'r hyn yr ydym wedi penderfynu ei wneud yn barod! Weithiau fe welwch chi rai sy'n ymgynghori â phawb yn y gobaith o ddod o hyd i rywun sy'n cytuno â nhw a'u cynlluniau. Nid oes llawer o bwys i'w roi ar gyngor felly, gan nad yw ond yn galluogi rhywun i ddweud, 'Fe holais X ac fe gytunodd â mi'. Dylem ymgynghori â phobl ar sail eu hawdurdod ysbrydol neu eu perthynas gyda ni, dim ots beth y byddwn yn meddwl fydd eu cyngor ar ryw fater.

Arwyddion yn deillio o amgylchiadau

Duw sy'n rheoli. Mae awdur Diarhebion yn nodi hyn: 'Y mae meddwl rhywun yn cynllunio'i ffordd, ond yr Arglwydd sy'n trefnu ei gamre' (Diarhebion 16:9). Weithiau mae Duw'n agor drysau (1 Corinthiaid 16:9), ac weithiau'n eu cau (Actau 16:7). Ar ddau achlysur yn fy mywyd mae Duw wedi cau drws ar bethau roeddwn i am eu gwneud yn fawr iawn, er gwaetha'r ffaith fy mod i'n credu ar y pryd eu bod yn rhan o ewyllys Duw ar fy nghyfer. Fe geisiais orfodi'r drysau i agor. Gweddïais, gwthiais y drysau a brwydrais. Ar y ddau achlysur, cefais fy siomi'n fawr iawn. Ond yn awr, flynyddoedd yn ddiweddarach, rwy'n deall pam y bu iddo gau'r drysau. Mewn gwirionedd rwy'n ddiolchgar iddo am wneud hynny! Er hynny, efallai na chawn byth wybod yr ochr yma i'r nefoedd pam fod Duw yn cau rhai drysau yn ein bywydau.

Weithiau mae Duw'n agor drysau mewn ffordd ryfeddol iawn hefyd. Mae ôl llaw Duw yn amlwg ar y sefyllfa a'r amseru (er enghraifft, Genesis 24). Mae Michael Bourdeaux yn bennaeth Keston College, sefydliad ymchwil sy'n cynnig cymorth i Gristnogion yn y gwledydd oedd yn arfer bod yn rhai Comiwnyddol. Mae llywodraethau drwy'r byd yn parchu ei waith a'i ymchwil. Astudiodd Rwseg yn Rhydychen ac anfonodd ei athro Rwseg, Dr Zernov, lythyr ato gan y credai y byddai o ddiddordeb iddo. Roedd y llythyr yn adrodd hanes y KGB yn cam-drin mynachod, yn eu gorfodi i dderbyn archwiliadau meddygol dychrynllyd cyn cael eu cludo mewn lorïau a'u gadael gannoedd o filltiroedd o'u cartrefi. Ysgrifennwyd y llythyr yn syml, heb unrhyw addurn, ac wrth iddo ddarllen teimlai Michael Bourdeaux ei fod yn clywed gwir lais eglwys oedd yn cael ei herlid. Llofnodwyd y llythyr gan Varavva a Pronina.

Ym mis Awst 1964, aeth ar ymweliad â Moscow, ac ar ei noson gyntaf fe gwrddodd â hen gyfeillion a ddywedodd wrtho fod yr erlid yn gwaethygu. Roedd un hen eglwys arbennig, Sant Pedr a Sant Paul wedi cael ei dymchwel yn llwyr. Fe awgrymodd ei gyfeillion y dylai fynd a gweld y difrod drosto'i hun.

Felly dyma gymryd tacsi a chyrraedd wrth iddi nosi. Pan ddaeth i'r sgwâr lle'r oedd yn cofio'r eglwys brydferth, ni welodd ddim ond ffens deuddeg troedfedd yn cuddio'r adfeilion lle'r oedd yr eglwys wedi sefyll. Ar ochr arall y sgwâr roedd dwy wraig yn dringo'r ffens i weld beth oedd yno. Gwyliodd y ddwy am ychydig, ac yna'u dilyn wrth iddynt fynd o'r sgwâr. O'r diwedd fe wnaeth gyrraedd lle'r oedden nhw. 'Pwy ydych chi?' holodd y ddwy. Atebodd yntau, 'Rwy'n dod o dramor, ac rydw i wedi dod i weld beth sy'n digwydd yma yn yr Undeb Sofietaidd.'

Aethant ag ef yn ôl i dŷ gwraig arall, ac fe holodd hi hefyd pam yr oedd wedi dod i'r wlad. Felly dyma ddweud ei fod wedi derbyn llythyr o'r Wcráin trwy Baris. Pan ofynnodd hi pwy oedd wedi anfon y llythyr, atebodd, 'Varavva a Pronina.' Roedd yna dawelwch llethol. Meddyliodd ei fod wedi dweud rhywbeth ofnadwy. Yna dechreuodd y wraig wylo'n afreolus. A dyma'r wraig yn dweud wrtho, 'Dyma Varavva, a dyma Pronina.'

Mae dros 140 miliwn o bobl yn byw yn Rwsia. Roedd y llythyr wedi'i ysgrifennu yn yr Wcráin, sydd 1,300 kilometr o Foscow. Roedd Michael Bourdeaux wedi hedfan o Loegr chwe mis wedi i'r llythyr gael ei ysgrifennu. Ni fyddai'r tri wedi cyfarfod â'i gilydd o gwbl petai unrhyw un ohonynt wedi cyrraedd hen safle'r eglwys awr yn gynt neu awr yn ddiweddarach. Dyna un o'r ffyrdd y galwodd Duw Michael Bourdeaux i sefydlu gwaith ei fywyd, sef Keston College.[3]

Weithiau mae'n ymddangos fod arweiniad Duw yn dod yn syth ar ôl gofyn amdano (er enghraifft, Genesis 24), ond yn aml mae'n cymryd llawer iawn mwy o amser; misoedd neu flynyddoedd. Efallai ein bod yn ymwybodol fod Duw yn mynd i wneud rhywbeth yn ein bywydau, ond ein bod yn gorfod aros am amser hir cyn iddo ddigwydd. Ar yr adegau hyn mae angen i ni feithrin amynedd tebyg i Abraham; 'wedi disgwyl yn amyneddgar, fe gafodd yr hyn a addawyd' (Hebreaid 6:15). Treuliodd y rhan fwyaf o'i fywyd yn aros i Dduw gyflawni addewid yr oedd wedi ei wneud pan oedd yn ddyn ifanc, ond na chafodd ei gyflawni hyd nes ei fod yn hen. Wrth aros, cafodd ei demtio ar un adeg i geisio cyflawni addewidion Duw trwy ei nerth ei hun - roedd y canlyniadau'n drychinebus (Genesis 16 a 21).

Ambell dro, rydym yn clywed Duw yn iawn, ond yn cael yr amseru'r anghywir. Llefarodd Duw wrth Joseff mewn breuddwyd am beth fyddai'n digwydd iddo a'i deulu. Roedd ef yn disgwyl cyflawniad ar unwaith, ond roedd yn rhaid iddo aros am flynyddoedd. Mewn gwirionedd, pan oedd yn y carchar, mae'n rhaid ei bod yn anodd iddo gredu y byddai ei freuddwydion yn cael eu gwireddu. Ond dair blynedd ar ddeg wedi'r freuddwyd honno, fe welodd Duw yn cyflawni'r hyn a welodd. Roedd yr aros wedi bod yn rhan o'r paratoad (Genesis 37-50).

Wrth geisio arweiniad, rydym i gyd yn gwneud camgymeriadau. Weithiau, fel Abraham, rydym yn ceisio cyflawni pwrpasau Duw trwy ein dulliau anghywir ni. Fel Joseff, rydym yn cael yr amseru'n anghywir. Weithiau, gallwn deimlo ein bod wedi gwneud gormod o lanast o'n bywydau cyn dod i gredu yng Nghrist fel na all Duw wneud dim gyda ni.

Ond mae Duw yn fwy na hynny. Dywedodd Oscar Wilde, yr awdur a'r dramodydd, 'Mae gan bob sant orffennol, a phob pechadur ddyfodol.'[4] Mae Duw'n gallu ein had-dalu 'am y blynyddoedd a ddifaodd y locust' (Joel 2:25). Mae ef yn medru gwneud rhywbeth da allan o'r hyn sy'n weddill o'n bywydau – boed hynny'n amser byr neu'n amser hir - os offrymwn iddo'r hyn sydd gennym ac ildio i'w Ysbryd.

Roedd yr Arglwydd Radstock yn aros mewn gwesty yn Norwy yng nghanol y bedwaredd ganrif ar bymtheg. Clywodd ferch fach yn canu'r piano. Roedd yn gwneud sŵn ofnadwy: 'Plinc ... plonc ... plinc ... 'Roedd y sŵn yn ei yrru'n wallgof! Daeth dyn ac eistedd wrth ei hochr a dechrau canu'r piano gyda hi, gan lenwi i mewn rhwng ei nodau hi. Y canlyniad oedd cerddoriaeth brydferth iawn. Yn ddiweddarach fe ddaeth i wybod mai'r dyn oedd yn canu'r piano gyda'r ferch oedd ei thad, Alexander Borodin, cyfansoddwr yr opera *Prince Igor*.

Mae Paul yn dweud 'fod Duw, ym mhob peth, yn gweithio er daioni i'r rhai sy'n ei garu, y rhai sydd wedi'u galw yn ôl ei fwriad' (Rhufeiniaid 8:28). Wrth i ni wneud ein rhan yn betrusgar – i geisio ei ewyllys ar gyfer ein bywyd drwy ddarllen (Yr Ysgrythur sy'n gorchymyn), gwrando (Ysbryd sy'n rheoli), meddwl (synnwyr cyffredin), trafod (cyngor y saint), gwylio (arwyddion yn deillio o amgylchiadau) ac aros – mae Duw yn dod i eistedd wrth ein hochr a bydd 'ym mhob peth yn cydweithio er daioni.' Mae'n cymryd ein 'plinc ... plonc ... plonc ... ' ac yn gwneud rhywbeth prydferth o'n bywydau.

PWY YW'R YSBRYD GLÂN?

Roedd pump o fy ffrindiau yn y brifysgol â'r un enw â mi, Nicky! Byddem yn cyfarfod am ginio bron bob dydd. Daeth y rhan fwyaf ohonom i gredu yn Iesu Grist ym mis Chwefror 1974. Roeddem i gyd yn frwdfrydig iawn am ein ffydd newydd. Ond roedd un o'r criw ychydig yn araf i fod yn frwdfrydig am hyn i gyd. Nid oedd yn ymddangos yn frwdfrydig iawn am ei berthynas â Duw, am ddarllen y Beibl, nac am weddïo.

Un dydd, fe weddïodd rhywun ar iddo gael ei lenwi â'r Ysbryd Glân, a newidiodd y profiad hwnnw ei fywyd yn llwyr. Ymddangosodd gwên fawr ar ei wyneb. Daeth yn adnabyddus am ei lawenydd – ac felly y mae o hyd, flynyddoedd yn ddiweddarach. Wedi hyn, os oedd yna astudiaeth Feibl, neu gyfarfod gweddi neu eglwys o fewn cyrraedd, roedd ef yno. Roedd wrth ei fodd yng nghwmni Cristnogion eraill. Daeth yn bersonoliaeth atyniadol. Roedd pobl yn cael eu tynnu ato, a thrwyddo ef daeth llawer o bobl eraill i gredu, ac i gael eu llenwi â'r Ysbryd yn yr un ffordd ag yntau.

Beth oedd wedi gwneud y gwahaniaeth ym mywyd Nicky? Rwy'n credu y byddai'n ateb trwy ddweud mai ei brofiad o'r Ysbryd Glân oedd wedi dod â'r newid. Mae llawer o bobl yn gwybod ychydig am Dduw y Tad ac am Iesu y Mab. Ond mae anwybodaeth ynglŷn â'r Ysbryd Glân. Felly, mae tair pennod o'r llyfr hwn yn sôn am drydydd person y Drindod.

Person yw'r Ysbryd Glân. Mae ganddo holl nodweddion person dynol. Mae'n meddwl (Actau 15:28), yn siarad (Actau 1:16), yn arwain (Rhufeiniaid 8:14) ac mae'n gallu cael ei dristáu (Effesiaid 4:30). Weithiau mae'n cael ei ddisgrifio fel Ysbryd Crist (Rhufeiniaid 8:9) neu Ysbryd Iesu (Actau 16:7). Trwyddo ef mae Iesu yn bresennol gyda'i bobl.

Sut un yw'r Ysbryd Glân? Weithiau yng Ngroeg gwreiddiol y Testament Newydd mae'n cael ei ddisgrifio fel y *parakletos* (Ioan 14:16), sy'n air anodd ei gyfieithu. Mae'n golygu 'un sydd wedi'i alw at ochr' rywun - cysurwr, cyfnerthwr, a diddanydd. Dywedodd Iesu y byddai'r Tad yn rhoi diddanydd 'arall' i chi. Mae'r gair 'arall' yn cyfleu 'o'r un math'. Mewn geiriau eraill, mae'r Ysbryd Glân yn union fel Iesu.

Yn y bennod hon, rydw i am edrych ar berson yr Ysbryd Glân: pwy ydyw, a beth allwn ei ddysgu amdano wrth olrhain ei weithgarwch trwy'r Beibl, o Genesis 1 hyd at ddydd y Pentecost (y Sulgwyn). Gan mai ar ddechrau'r ugeinfed ganrif y dechreuodd y mudiad Pentecostalaidd, byddai'n bosibl i ni feddwl fod yr Ysbryd Glân yn rhywbeth newydd, modern. Mae hynny, wrth gwrs yn bell iawn oddi wrth y gwirionedd.

Roedd yr Ysbryd yn rhan o'r creu

Rydym yn gweld tystiolaeth am weithgarwch yr Ysbryd Glân yn adnodau agoriadol y Beibl: 'Yn y dechreuad creodd Duw y nefoedd a'r ddaear. Yr oedd y ddaear yn afluniaidd a gwag, ac yr oedd tywyllwch ar wyneb y dyfnder, ac ysbryd Duw yn ymsymud ar wyneb y dyfroedd' (Genesis 1:1-2). Fel aderyn yn ymsymud uwch ben ei nyth, yn aros, roedd yr Ysbryd Glân ar fin dod â rhywbeth newydd i fod. Roedd pob person o'r Drindod yn rhan o'r gwaith creu (Ioan 1:3).

Yn y cofnod hwn o'r creu rydym yn gweld sut yr achosodd Ysbryd Duw i bethau newydd ddod i fodolaeth a dod â threfn lle'r oedd anhrefn. Yr un yw'r Ysbryd heddiw. Mae'n dod â phethau newydd i mewn i fywydau unigolion ac i mewn i eglwysi hefyd. Mae'n dod â threfn a heddwch i fywydau sydd mewn anhrefn llwyr, gan ryddhau pobl o arferion a chaethiwed i bethau niweidiol, ac oddi wrth lanast perthynas wedi'i chwalu.

Wrth iddo greu dynoliaeth, 'lluniodd yr Arglwydd Dduw ddyn o lwch y tir, ac anadlodd yn eu ffroenau anadl einioes; a daeth y dyn yn greadur byw' (Genesis 2:7). Y gair Hebraeg am anadl yma yw *ruach*, a dyna'r gair Hebraeg am 'Ysbryd' hefyd. Mae *ruach* Duw yn dod â bywyd corfforol i ddyn a luniwyd o'r llwch. Yn yr un modd, daw â bywyd ysbrydol i bobl, ac i eglwysi, oherwydd mae'n bosibl iddyn nhw hefyd fod yr un mor ddifywyd â llwch!

Rhai blynyddoedd yn ôl roeddwn yn siarad â chlerigwr oedd yn dweud fod pethau wedi bod fel hyn yn ei fywyd ac yn ei eglwys - ychydig yn llychlyd. Un diwrnod, cafodd ef a'i wraig eu llenwi ag Ysbryd Duw. Daethant o hyd i frwdfrydedd newydd am y Beibl, a dyma'u bywydau yn cael eu trawsnewid. Daeth ei eglwys yn ganolfan fyw. Profodd y clwb ieuenctid dwf aruthrol, gan ddod yn un o'r rhai mwyaf yn yr ardal. Roedd y clwb dan arweiniad ei fab, a oedd hefyd wedi cael ei lenwi â'r Ysbryd.

Mae llawer o bobl yn hiraethu am fywyd, ac y maen yn cael eu denu at bobl ac eglwysi lle y maent yn gweld bywyd Ysbryd Duw.

Daeth ar bobl arbennig ar adegau arbennig ar gyfer rhyw waith arbennig

Pan ddaw Ysbryd Duw ar bobl mae rhywbeth yn digwydd. Nid dod â rhyw deimlad cynnes braf yn unig y mae'n ei wneud. Mae'n dod i bwrpas arbennig, ac fe gawn esiamplau o hyn yn yr Hen Destament.

Roedd yn llenwi pobl ar gyfer gwaith artistig. Llanwodd Ysbryd Duw Besalel 'â doethineb a deall, â gwybodaeth a phob rhyw ddawn, er mwyn iddo ddyfeisio patrymau cywrain i'w gweithio mewn aur, arian a phres, a thorri meini i'w gosod a cherfio pren, a gwneud pob cywreinwaith' (Exodus 31:3–5).

Mae'n bosibl bod yn gerddor, awdur neu artist talentog heb gael eich llenwi â'r Ysbryd. Ond wrth i Ysbryd Duw lenwi pobl ar gyfer y tasgau hyn, yn aml iawn, mae eu gwaith yn wahanol i'r arfer. Mae'n cael effaith wahanol ar eraill. Mae'n cael effaith ysbrydol llawer dyfnach. Gall hyn fod yn wir pan nad yw gallu naturiol cerddor neu artist yn arbennig o drawiadol. Gall calonnau gael eu cyffwrdd a bywydau eu newid ganddynt. Heb amheuaeth, rhywbeth tebyg i hyn ddigwyddodd yn achos Besalel.

Mae Ysbryd Duw hefyd wedi llenwi unigolion ar gyfer y dasg o arwain. Yn ystod cyfnod y Barnwyr, roedd nifer o genhedloedd estron yn ymosod ar Israel. Un o'r cenhedloedd hyn oedd Midian. Galwodd Duw Gideon i arwain Israel ar yr adeg hon. Roedd Gideon yn ymwybodol iawn o'i wendid ei hun a gofynnodd, 'Sut y gwaredaf fi Israel? Edrych, fy nhylwyth i yw'r gwannaf yn Manasse, a minnau yw'r distatlaf o'm teulu' (Barnwyr 6:15). Eto, pan ddisgynnodd Ysbryd Duw ar Gideon (adnod 34), daeth yn un o arweinwyr mwyaf nodedig yr Hen Destament.

Ar gyfer arwain, mae Duw yn aml yn defnyddio pobl sy'n eu hystyried eu hunain yn wan, annigonol, ac anaddas i'r gwaith. Pan fydd yn llenwi'r rhain â'r Ysbryd Glân, maent yn dod yn arweinwyr blaenllaw ar yr eglwys.

Ym mis Ionawr 1955, cafodd Dr Martin Luther King ei arestio am y tro cyntaf. Cafodd ei gyhuddo o yrru 30 milltir yr awr mewn ardal 25 milltir yr awr yn ei dref ei hun, Montgomery, Alabama. Daeth yr arestiad hwn ar ddiwedd cyfnod o aflonyddu cyson ar bobl dduon gan heddlu hiliol. Roedd yr awdurdodau yn Montgomery am wneud popeth o fewn eu gallu i ddiffodd y tân a gyneuwyd gan y boicot bysiau, sbardun i'r mudiad hawliau sifil. Trefnwyd y boicot gan y *Montgomery Improvement Association (MIA)*, i ddod â'r gwahaniad ar fysiau'r ddinas i ben. Martin Luther King (a oedd yn glerigwr adnabyddus ym Montgomery ar y pryd) oedd llywydd y mudiad. Cafodd ei ryddhau ar yr un noson â'i arestiad. Cyrhaeddodd adref yn hollol flinedig, ond fe ganodd y ffôn yn syth. Bygythiad arall i'w fywyd: 'Gwranda, nigyr, rydym wedi cymryd popeth rydym ei eisiau gennyt: cyn wythnos nesaf, byddi di'n difaru dod i Montgomery.'

Gan nad oedd yn gallu cysgu, aeth i wneud paned ac eisteddodd wrth fwrdd y gegin. 'Roeddwn i wedi cael digon,' meddai. Roedd ar fin rhoi'r gorau i fod yn llywydd mudiad y MIA, ac wrth edrych yn ôl meddai, 'Roeddwn yn mynd yn fwy ac yn fwy ofnus.' Ond tra'r oedd yn eistedd yno, â'i ben yn ei ddwylo, cafodd deimlad fod yn rhaid iddo weddïo. 'Dywedodd rhywbeth wrthyf, "Rhaid i ti alw ar y peth yr oedd dy dad yn arfer sôn wrthyt amdano, y nerth hwnnw sy'n medru gweld ffordd allan pan nad oes ffordd i'w chael."' Gweddïodd King, 'Arglwydd, rydw i yma ac am wneud yr hyn sy'n iawn. Ond rydw i'n cyffesu fy mod i'n wan, yn ansicr iawn, ac rydw i'n ofnus.' Clywodd lais Duw yn ei annog i ddal i frwydro. 'Addawodd Duw na fyddai'n fy ngadael byth.' Roedd King eisoes yn glerigwr a phregethwr, yn ogystal â myfyriwr diwinyddiaeth. Ond dim ond yn y fan honno, yn ei gegin, yn 1955 y 'profodd y presenoldeb Dwyfol mewn ffordd nad oedd erioed wedi'i brofi o'r blaen.' Dywedodd King 'Diflannodd fy ansicrwydd, ac roeddwn yn fodlon wynebu unrhyw beth.'

Yr Ysbryd Glân oedd y person yr oedd King wedi cael profiad ohono yn y gegin y noson honno: 'y nerth hwnnw sy'n medru gweld ffordd allan pan nad oes ffordd i'w chael.'[2]

Mewn rhannau eraill, fe welwn yr Ysbryd Glân yn llenwi pobl â nerth a gallu. Mae hanes Samson yn un adnabyddus. Ar un achlysur, clymodd y Philistiaid ef â rhaffau. Yna, 'disgynnodd ysbryd yr Arglwydd arno, aeth y rhaffau oedd am ei freichiau fel llinyn wedi ei ddeifio gan dân, a syrthiodd ei rwymau oddi am ei ddwylo' (Barnwyr 15:14).

Mae'r hyn sy'n wir yn yr Hen Destament yn gorfforol yn aml iawn yn wir yn ysbrydol yn y Testament Newydd, ac yn ein bywydau ninnau heddiw. Nid rhaffau sy'n ein clymu, ond ofnau, arferion drwg neu gaethiwed i bethau sy'n rheoli ein bywydau ni. Rydym yn cael ein rheoli gan dymer ddrwg neu ffordd o feddwl - er enghraifft, cenfigen neu chwantau afreolus. Gwyddom ein bod wedi cael ein caethiwo gan y pethau yma pan nad ydym yn gallu ymatal rhag eu gwneud, hyd yn oed pan fyddwn eisiau gwneud hynny. Pan ddisgynnodd Ysbryd Duw ar Samson, aeth y rhaffau oedd amdano fel llinyn wedi ei ddeifio gan dân, ac roedd yn rhydd. Heddiw, mae Ysbryd Duw yn gallu rhyddhau pobl o unrhyw beth sy'n eu caethiwo.

Rydym yn profi'r Ysbryd Glân nid yn unig er mwyn i ni gael teimlad cynnes braf yn ein calonnau, ond er mwyn i ni fynd allan i'n byd a gwneud gwahaniaeth ynddo. Yn ddiweddarach, fe welwn sut daeth Ysbryd Duw ar y proffwyd Eseia i'w alluogi i 'gyhoeddi newyddion da i'r tlodion, a chysuro'r toredig o galon; i gyhoeddi rhyddid i'r caethion, a rhoi gollyngdod i'r carcharorion', ac 'i ddiddanu pawb sy'n galaru' (Eseia 61:1-2).

Wrth i ni wynebu problemau'r byd, rydym weithiau'n teimlo'n gwbl ddiymadferth. Roeddwn i'n teimlo felly'n aml iawn cyn dod yn Gristion. Gwyddwn nad oedd gen i ond ychydig iawn neu ddim o gwbl i'w gynnig i'r rhai oedd â'u bywydau ar chwâl. Rydw i'n dal i deimlo felly ambell waith. Ond rwy'n gwybod, trwy help Ysbryd Duw, fod gennym rywbeth i'w rannu a'i roi. Mae Ysbryd Duw yn ein galluogi i ddod â newyddion da Iesu Grist i gysuro'r rhai â chalonnau toredig; i gyhoeddi rhyddid i'r rhai sy'n gaeth i bethau yn eu bywyd y maent yn eu casáu; i roi gollyngdod i'r rhai sy'n gaeth i'w gweithredoedd drwg eu hunain; ac i ddod â diddanwch a chysur yr Ysbryd Glân (wedi'r cyfan, ef yw'r Diddanydd) i bob un sy'n drist neu'n galaru. Os ydym yn mynd i roi help sy'n mynd i barhau hyd dragwyddoldeb i'r bobl hyn, ni allwn wneud hynny heb Ysbryd Duw.

Wedi ei addo gan y Tad

Rydym wedi gweld esiamplau o waith yr Ysbryd Glân yn yr Hen

Destament. Ond roedd ei weithgarwch wedi'i gyfyngu i bobl arbennig ar adegau arbennig ar gyfer tasgau arbennig. Wrth i ni ddarllen drwy'r Hen Destament rydym yn gweld fod Duw'n addo ei fod am wneud rhywbeth newydd. Mae'r Testament Newydd yn galw hyn yn 'addewid y Tad'. Cynyddai'r disgwyl am gyflawni'r addewid. *Beth oedd yn mynd i ddigwydd?*

Yn yr Hen Destament fe wnaeth Duw gyfamod â'i bobl. Dywedodd y byddai'n Dduw iddynt ac y byddent hwythau yn bobl iddo ef. Gofynnodd iddynt gadw ei gyfreithiau. Roeddent yn sylweddoli bod y cyfreithiau'n rhai da. Yn anffodus, gwelai'r bobl ei bod yn amhosibl iddynt gadw ei orchmynion. Torrwyd yr Hen Gyfamod dro ar ôl tro.

Addawodd Duw y byddai un dydd yn gwneud cyfamod newydd â'i bobl. Byddai'r cyfamod hwn yn wahanol i'r cyfamod cyntaf: 'Rhof fy nghyfraith o'u mewn, ysgrifennaf hi ar eu calon' (Jeremeia 31:33). Mewn geiriau eraill, o dan y Cyfamod Newydd byddai'r gyfraith o'u mewn, yn hytrach nag yn un allanol. Wrth fynd ar daith gerdded hir, byddwch yn cychwyn trwy gario eich holl fwyd ar eich cefn. Mae'r bwyd yn pwyso'n drwm ac yn eich arafu ar eich taith. Ond wedi bwyta'r bwyd, nid yn unig y mae'r pwysau'n llai, ond hefyd mae gennych nerth ychwanegol o'ch mewn. Yr hyn wnaeth Duw ei addo trwy Jeremeia oedd amser pan na fyddai'r gyfraith bellach yn faich ar y tu allan ond yn gyfrwng nerth o'r tu fewn. *Ond sut roedd hyn i gyd yn mynd i ddigwydd?*

Mae'r proffwyd Eseciel yn rhoi'r ateb i ni. Llefarodd Duw trwyddo, gan fanylu ar ei addewid gynharach: 'Rhof i chwi galon newydd, a bydd ysbryd newydd ynoch,' meddai. 'Tynnaf allan ohonoch y galon garreg, a rhof i chwi galon gig. Rhof fy ysbryd ynoch, a gwneud i chwi ddilyn fy neddfau a gofalu cadw fy ngorchmynion' (Eseciel 36:26–27).

Roedd Duw'n dweud trwy'r proffwyd Eseciel mai dyna fyddai'n digwydd wrth i Dduw roi ei Ysbryd o'n mewn. Dyna sut y bydd yn newid ein calonnau, gan eu gwneud yn rhai meddal ('calon gig') yn lle rhai caled ('calon garreg'). Bydd Ysbryd Duw yn ein hysgogi i ddilyn ei gyfreithiau ac i gadw ei ddeddfau.

Treuliodd Jackie Pullinger dros dri deg o flynyddoedd yn gweithio yn ninas gaerog Kowloon, Hong Kong, lle nad oedd na deddf na chyfraith. Fe roddodd ei bywyd yn llwyr i weithio yno ymhlith puteiniaid, rhai a oedd yn gaeth i heroin a rhai a oedd yn aelodau o gangiau. Geiriau agoriadol araith gofiadwy ganddi oedd: 'Mae Duw am i ni fod â chalonnau meddal a thraed caled. Problem llawer ohonom yw fod gennym galonnau caled a thraed meddal.' Dylai Cristnogion fod â thraed caled gan fod yn gryf yn foesol, yn hytrach nag yn llipa a gwan. Mae Jackie yn esiampl loyw o hyn yn sgîl ei pharodrwydd i fynd heb gwsg, bwyd ac esmwythyd er mwyn gwasanaethu eraill. Ac eto mae ganddi galon dyner, feddal: calon sy'n llawn tosturi. Ei thraed sy'n galed, nid ei chalon.

Rydym wedi gweld beth yw ystyr 'addewid y Tad' a sut y bydd yn cael ei gyflawni. Mae'r proffwyd Joel yn dweud wrthym *i bwy y bydd yn digwydd*. Dywedodd Duw trwy Joel:

> Ar ôl hyn tywalltaf fy ysbryd ar bawb;
> bydd eich meibion a'ch merched yn proffwydo,
> bydd eich hynafgwyr yn gweld breuddwydion,
> a'ch gwŷr ifanc yn cael gweledigaethau.
> Hyd yn oed ar y gweision a'r morynion
> fe dywalltaf fy ysbryd yn y dyddiau hynny.
>
> Joel 2:28–29

Mae Joel yn proffwydo na fydd yr addewid hwn yn cael ei gyfyngu bellach i bobl arbennig ar adegau arbennig ar gyfer tasgau arbennig, ond y bydd i bawb. Bydd Duw yn tywallt ei Ysbryd waeth be fo'r rhyw ('meibion a merched...gweision a morynion'); oedran ('hynafgwyr... gwŷr ifanc'); cefndir, hil, lliw neu safle mewn cymdeithas ('hyd yn oed ar y gweision'). Bydd gallu newydd i glywed yr hyn sydd gan Dduw i'w ddweud ('proffwydo... gweld breuddwydion...cael gweledigaethau'). Proffwydodd Joel y byddai'r Ysbryd yn cael ei dywallt yn hael iawn ar holl bobl Dduw.

Eto i gyd ni chafodd yr addewidion hyn eu cyflawni am o leiaf 300 o flynyddoedd. Arhosodd y bobl yn hir i 'addewid y Tad' gael ei gyflawni hyd nes y bu adfywiad mawr yng ngweithgarwch yr Ysbryd Glân ar ddyfodiad Iesu i'r byd.

Ar enedigaeth Iesu, seiniodd yr utgorn. Llanwyd bron bob un a oedd yn gysylltiedig â genedigaeth Iesu ag Ysbryd Duw. Cafodd Ioan Fedyddiwr, a oedd i baratoi'r ffordd, ei lenwi â'r Ysbryd Glân cyn iddo gael ei eni (Luc 1:15). Cafodd Mair, mam Iesu, yr addewid: 'Daw'r Ysbryd Glân arnat, a bydd nerth y Goruchaf yn dy gysgodi' (Luc 1:35). Pan ddaeth

Elisabeth, cyfnither Mair, i bresenoldeb Iesu (a oedd yn dal i fod yng nghroth ei fam), cafodd hithau hefyd ei 'llenwi â'r Ysbryd Glân' (adnod 41) a llanwyd hyd yn oed Sachareias, tad Ioan Fedyddiwr, â'r Ysbryd Glân (adnod 67). Ym mhob achos, bron, ceir mawl neu broffwydoliaeth.

Mae Ioan Fedyddiwr yn ei gysylltu â Iesu

Pan ofynnwyd i Ioan ai ef oedd y Crist, atebodd: 'Yr wyf fi yn eich bedyddio â dŵr; ond y mae un cryfach na mi yn dod. Nid wyf fi'n deilwng i ddatod carrai ei sandalau ef. Bydd ef yn eich bedyddio â'r Ysbryd Glân ac â thân' (Luc 3:16). Mae bedydd â dŵr yn bwysig, ond nid yw'n ddigon. Y mae Iesu yn bedyddio â'r Ysbryd. Mae'r gair Groeg am 'fedydd' yn golygu 'ysgubo dros, trochi, boddi, suddo, gwlychu'n wlyb domen'. Dyna'r gair i ddisgrifio llong wedi iddi fynd o dan y dŵr yn gyfan gwbl. Dyna beth ddylai ddigwydd i ni pan gawn ein llenwi â'r Ysbryd Glân. Dylai'r Ysbryd ysgubo trosom, dylem gael ein trochi'n llwyr ynddo; cael ein boddi yn Ysbryd Duw.

Weithiau mae'r profiad hwn yn debyg i ollwng sbwng caled a sych mewn dŵr. Gall caledwch fod yn ein bywydau sy'n ein hatal rhag amsugno Ysbryd Duw. Weithiau mae'n cymryd ychydig o amser i'r caledwch hwnnw ddechrau meddalu ac i'r sbwng gael ei lenwi. Felly un peth yw hi i'r sbwng fod yn y dŵr ('bedyddio') ond peth arall yw i'r dŵr fod yn y sbwng ('llenwi'). Pan fydd y sbwng wedi'i lenwi â dŵr, mae'r dŵr yn llifo allan ohono yn llythrennol.

Roedd Iesu'n ddyn a oedd wedi'i lenwi'n llwyr ag Ysbryd Duw. Disgynnodd yr Ysbryd Glân arno mewn ffurf gorfforol ar adeg ei fedydd (Luc 3:22). Dychwelodd o'r Iorddonen 'yn llawn o'r Ysbryd Glân' ac 'arweiniwyd ef gan yr Ysbryd yn yr anialwch' (Luc 4:1). Dychwelodd i Galilea 'yn nerth yr Ysbryd' (adnod 14). Yn y synagog yn Nasareth darllenodd y llith o Eseia 61:1, 'Y mae Ysbryd yr Arglwydd arnaf...' gan ddweud, 'Heddiw yn eich clyw chwi y mae'r Ysgrythur hon wedi ei chyflawni' (adnod 21).

Mae Iesu yn rhagfynegi ei bresenoldeb

Ar un achlysur aeth Iesu i Ŵyl Iddewig o'r enw Gŵyl y Pebyll. Byddai miloedd o Iddewon yn tyrru i Jerwsalem i ddathlu'r ŵyl, a chofio'r adeg pan ddaeth Moses â dŵr o'r graig yn yr anialwch. Fe fydden nhw'n diolch i Dduw am ddarparu dŵr yn ystod y flwyddyn a aeth heibio ac yn gweddïo ar i Dduw barhau i wneud hynny yn y flwyddyn a oedd i ddod. Roedden nhw'n edrych ymlaen at adeg pan fyddai dŵr yn llifo allan o'r deml (fel y proffwydodd Eseciel), gan redeg yn ddyfnach ac yn ddyfnach, a dwyn bywyd, ffrwythlondeb ac iachâd lle bynnag y llifai (Eseciel 47).

Byddai'r darn hwn o'r Ysgrythur yn cael ei ddarllen a'i gyflwyno'n weledol er mwyn ei wneud yn fyw i'r gwylwyr. Byddai'r Archoffeiriad yn mynd i lawr i bwll Siloam ac yn llenwi pitsiwr aur â dŵr. Yna byddai'n arwain y bobl i'r deml lle byddai'n arllwys y dŵr trwy hollt yn ochr orllewinol yr allor, er mwyn iddo lifo i fewn i'r ddaear, a hynny fel arwydd o'r afon fawr yr oeddent yn disgwyl iddi lifo o'r deml. Yn ôl y traddodiad Rabinaidd, Jerwsalem oedd bogail neu ganol y ddaear, a'r deml ar Fynydd Seion oedd canol y bogail.

Ar ddydd olaf yr ŵyl, safodd Iesu ar ei draed a chyhoeddi, 'Pwy bynnag sy'n sychedig, deued ataf fi ac yfed. Allan o'r sawl [*yn llythrennol*, allan o'i fol neu'n ddwfn o'i fewn] sy'n credu ynof fi, fel y dywedodd yr Ysgrythur, y bydd ffrydiau o ddŵr bywiol yn llifo' (Ioan 7:37-38). Roedd yn dweud na fyddai addewidion Eseciel yn cael eu cyflawni mewn lle penodol, ond mewn person penodol. Allan o Iesu, yn ddwfn o'i fewn, y bydd afon bywyd yn llifo. O ganlyniad, ac yn deillio'n uniongyrchol o hynny, byddai ffrydiau o ddŵr bywiol yn llifo o bob Cristion ('y sawl sy'n credu ynof fi', adnod 38). Allan ohonom ni, mae Iesu'n dweud, y bydd yr afon hon yn llifo, gan ddwyn bywyd, ffrwythlondeb ac iachâd i eraill, fel yr addawodd Duw trwy Eseciel.

Aeth Ioan ymlaen i egluro bod Iesu'n sôn am yr Ysbryd Glân 'yr oedd y rhai a gredodd ynddo ef yn mynd i'w dderbyn' (adnod 39). Ychwanegodd, 'oherwydd nid oedd yr Ysbryd ganddynt eto' (adnod 39). Nid oedd addewid y Tad wedi'i gyflawni eto. Hyd yn oed ar ôl croeshoeliad ac atgyfodiad Iesu, nid oedd yr Ysbryd wedi'i dywallt. Yn ddiweddarach, dywedodd Iesu wrth ei ddisgyblion, 'Ac yn awr yr wyf fi'n anfon arnoch yr hyn a addawodd fy Nhad; chwithau, arhoswch yn y ddinas nes eich gwisgo oddi uchod â nerth' (Luc 24:49).

Yn union cyn i Iesu esgyn i'r nefoedd, addawodd unwaith eto, 'Fe dderbyniwch nerth wedi i'r Ysbryd Glân ddod arnoch' (Actau 1:8). Ond eto roedd yn rhaid iddyn nhw aros a gweddïo am ddeg diwrnod arall. Yna ar ddydd y Pentecost: 'Yn sydyn fe ddaeth o'r nef sŵn fel gwynt grymus yn rhuthro, ac fe lanwodd yr holl dŷ lle'r oeddent yn eistedd.

Ymddangosodd iddynt dafodau fel o dân yn ymrannu ac yn eistedd un ar bob un ohonynt; a llanwyd hwy oll â'r Ysbryd Glân, a dechreusant lefaru â thafodau dieithr, fel yr oedd yr Ysbryd yn rhoi lleferydd iddynt' (Actau 2:2–4).

Yr oedd wedi digwydd. Roedd addewid y Tad wedi'i gyflawni. Roedd y dyrfa wedi'i rhyfeddu ac wedi'i syfrdanu.

Safodd Pedr ac esboniodd beth oedd wedi digwydd. Edrychodd yn ôl ar addewidion Duw yn yr Hen Destament a dweud sut yr oedd eu holl obeithion a'u dyheadau wedi cael eu cyflawni yn awr o flaen eu llygaid. Esboniodd fod Iesu wedi 'derbyn gan y Tad ei addewid am yr Ysbryd Glân' a'i fod wedi tywallt 'y peth hwn yr ydych chwi yn ei weld a'i glywed' (Actau 2:33).

Pan ofynnodd y dyrfa iddo beth oedd angen iddynt ei wneud, dywedodd Pedr wrthyn nhw am edifarhau a chael eu bedyddio yn enw Iesu, er mwyn iddynt gael maddeuant. Yna fe addawodd y bydden nhw'n derbyn yr Ysbryd Glân yn rhodd. Oherwydd, fel y dywedodd, 'i chwi y mae'r addewid, ac i'ch plant, ac i *bawb* sydd ymhell, pob un y bydd yr Arglwydd ein Duw ni yn ei alw ato' (adnod 39, fy mhwyslais i).

Rydym yn awr yn byw ar ôl Pentecost – mae'r Ysbryd wedi cael ei dywallt. Cyflawnwyd addewid y Tad. Mae pob un Cristion yn derbyn addewid y Tad. Nid yw bellach ar gyfer pobl arbennig ar adegau arbennig ar gyfer tasgau arbennig. Mae'r addewid i *bob* Cristion, gan gynnwys chi a mi.

BETH MAE'R YSBRYD GLÂN YN EI WNEUD?

> Atebodd Iesu: 'Yn wir, yn wir, rwy'n dweud wrthyt, oni chaiff rhywun ei eni o ddŵr a'r Ysbryd ni all fynd i mewn i deyrnas Dduw. Yr hyn sydd wedi ei eni o'r cnawd, cnawd yw, a'r hyn sydd wedi ei eni o'r Ysbryd, ysbryd yw. Paid â rhyfeddu imi ddweud wrthyt, 'Y mae'n rhaid eich geni chwi o'r newydd.' Y mae'r gwynt yn chwythu lle y myn, ac yr wyt yn clywed ei sŵn, ond ni wyddost o ble y mae'n dod nac i ble y mae'n mynd. Felly y mae gyda phob un sydd wedi ei eni o'r Ysbryd.' (Ioan 3:5-8).

Ychydig flynyddoedd yn ôl, roeddwn mewn eglwys yn Brighton. Roedd un o athrawon yr Ysgol Sul yn dweud wrthym am ei dosbarth Ysgol Sul yr wythnos flaenorol. Roedd hi wedi bod yn dweud wrth y plant am ddysgeidiaeth Iesu ar gael eich geni o'r newydd yn Ioan 3:5-8. Roedd hi'n ceisio egluro wrth y plant beth oedd y gwahaniaeth rhwng geni corfforol a geni ysbrydol. Wrth geisio ennyn eu hymateb, gofynnodd, 'Ydych chi'n cael eich geni'n Gristion?' Atebodd un bachgen bach, 'Na, Miss. Rydych chi'n cael eich geni'n normal!'

Mae'r ymadrodd 'born again' wedi dod yn rhywfaint o ystrydeb yn y Saesneg. Cafodd ei boblogeiddio yn Unol Daleithiau America, ac mae hyd yn oed wedi cael ei ddefnyddio i hysbysebu ceir. Ond, Iesu oedd y cyntaf i gyfeirio at bobl wedi eu 'geni o'r Ysbryd' (Ioan 3:8).

Mae baban newydd yn cael ei eni o ganlyniad i ddyn a dynes uno mewn cyfathrach rywiol. Yn y byd ysbrydol, pan fydd Ysbryd Duw ac ysbryd dyn neu ddynes yn dod ynghyd, bydd bod ysbrydol newydd yn cael ei greu. Bydd genedigaeth newydd yn digwydd, yn ysbrydol. Dyna'r oedd Iesu'n sôn amdano pan ddywedodd 'Y mae'n rhaid eich geni chwi o'r newydd.'

Roedd Iesu'n dweud nad oedd genedigaeth gorfforol yn ddigon. Mae angen i ni gael ein geni eto drwy'r Ysbryd. Dyma sy'n digwydd pan fyddwn yn dod yn Gristnogion. Mae pob un Cristion yn cael ei eni eto. Efallai na fyddwn yn gallu rhoi ein bys ar yr union adeg y digwyddodd hynny, ond yn union fel yr ydym yn gwybod pa un ai a ydym yn fyw'n gorfforol ai peidio, felly hefyd y dylem wybod ein bod yn fyw yn ysbrydol.

Pan fyddwn yn cael ein geni'n gorfforol, byddwn yn cael ein geni i deulu. Pan fyddwn yn cael ein geni eto'n ysbrydol, byddwn yn cael ein geni i deulu Cristnogol. Mae modd defnyddio patrwm y teulu i ddisgrifio llawer o waith yr Ysbryd. Mae'n ein sicrhau o'n perthynas â'n Tad, ac yn ein helpu i ddatblygu'r berthynas honno. Mae'n ein llunio yn debyg i'r teulu. Mae'n ein huno gyda'n brodyr a'n chwiorydd, gan roi doniau a galluoedd gwahanol i bob aelod o'r teulu. Ac mae'n galluogi'r teulu i dyfu mewn maint.

Yn y bennod hon, byddwn yn edrych ar bob un o'r agweddau hyn ar ei waith ynom fel Cristnogion. Nes i ni ddod yn Gristnogion, prif waith yr Ysbryd yw ein hargyhoeddi o'n pechod a'n hangen am Iesu Grist, ein hargyhoeddi am y gwirionedd a'n galluogi i roi ein ffydd ynddo ef (Ioan 16:7–15). Ond mae gennym fath gwahanol o berthynas gyda'r Ysbryd Glân pan ddaw i fyw ynom. Pan ddes i'n Gristion, meddyliais 'Dyma ni! Rydw i wedi cyrraedd!' Roeddwn wedi bod yn cael anawsterau gyda sawl mater, ac yna penderfynais ddilyn Crist. Roedd yn rhaid i ffrind egluro wrthyf mai dim ond y dechrau oedd hynny.

Meibion a merched Duw

Y foment y byddwn yn dod at Grist, fe gawn faddeuant llwyr. Mae'r rhwystr rhyngom a Duw wedi cael ei ddiddymu. Mae Paul yn dweud, 'Yn awr, felly, nid yw'r rhai sydd yng Nghrist Iesu dan gollfarn o unrhyw fath' (Rhufeiniaid 8:1). Cymerodd Iesu ein holl bechodau – rhai'r gorffennol, rhai'r presennol a rhai'r dyfodol. Mae Duw yn cymryd ein holl bechodau ac yn eu claddu yn nyfnder y môr (Micah 7:19), ac fel roedd yr awdur o'r Iseldiroedd, Corrie Ten Boom, yn arfer ei ddweud, 'Mae'n codi arwydd â'r geiriau "Dim pysgota" arno.'[1]

Nid yn unig y mae'n rhoi llechen lân i ni, ond mae hefyd yn dod â ni i berthynas gyda Duw fel meibion a merched iddo. Nid yw pob dyn a dynes yn blant i Dduw yn yr ystyr hwn, er bod pawb ohonom wedi cael ein creu gan Dduw. Dim ond i'r rhai sy'n derbyn Iesu, y rhai sy'n credu yn ei enw, y mae'n rhoi'r 'hawl i ddod yn blant Duw' (Ioan 1:12). Nid yw mabolaeth yn y Testament Newydd (sy'n cael ei ddefnyddio yn ei synnwyr generig i gynnwys meibion a merched) yn statws naturiol, ond mae'n un ysbrydol. Nid trwy gael ein geni y down yn feibion a merched i Dduw, ond drwy gael ein geni eto gan yr Ysbryd.

Mae'r Epistol at y Rhufeiniaid wedi cael ei ddisgrifio fel Himalayas y Testament Newydd. Os ydym yn derbyn y darlun hwnnw, yna Pennod 8 yw mynydd Everest, a gellid yn hawdd ystyried adnodau 14 i 17 fel ei begwn.

> Y mae pawb sy'n cael eu harwain gan Ysbryd Duw yn blant Duw. Oherwydd nid ysbryd caethiwed sydd unwaith eto'n peri ofn yr ydych wedi ei dderbyn, ond Ysbryd mabwysiad, yr ydym trwyddo yn llefain, "Abba! Dad!" Y mae'r Ysbryd ei hun yn cyd-dystiolaethu â'n hysbryd ni, ein bod yn blant i Dduw. Ac os plant, etifeddion hefyd, etifeddion Duw a chyd-etifeddion â Christ, os yn wir yr ydym yn cyfranogi o'i ddioddefaint ef er mwyn cyfranogi o'i ogoniant hefyd (Rhufeiniaid 8:14-17).

Yn gyntaf oll, nid oes braint mwy na bod yn blentyn i Dduw. Dan Gyfraith y Rhufeiniaid – sef yr hyn a oedd gan Paul dan sylw yn y fan hon, mae'n debyg – ni allech gael statws uwch na chael eich mabwysiadu gan deulu Rhufeinig. Pe bai oedolyn eisiau etifedd, gallai naill ai ddewis un o'i feibion ei hun, neu gallai fabwysiadu mab. Dim ond un mab sydd gan Dduw – Iesu Grist – ond mae ganddo nifer o blant sydd wedi'u mabwysiadu. Mae stori tylwyth teg i'w chael lle mae'r brenin yn mabwysiadu plant digartref ac yn eu gwneud yn dywysogion. Yng Nghrist, mae'r myth wedi dod yn ffaith. Rydym wedi cael ein mabwysiadu i deulu Duw. Nid oes modd cael anrhydedd fwy na hon.

Roedd Billy Bray yn fwynwr o Gernyw, a aned yn 1794. Roedd yn alcoholig a bob amser yn cwffio ac yn ffraeo gartref. Pan oedd yn ddau ddeg naw oed, daeth yn Gristion. Aeth adref a dweud wrth ei wraig, 'Ni weli di mohono i'n feddw byth eto, drwy gymorth yr Arglwydd.' Ac ni wnaeth, chwaith. Roedd gan ei eiriau, goslef ei lais, a'i ymarweddiad ryw rym magnetig. Roedd wedi cael ei wefru â thrydan dwyfol. Byddai tyrfaoedd o fwyngloddwyr yn dod i wrando arno'n pregethu. Cafodd nifer ohonyn nhw dröedigaeth, a chafodd rhai eu hiacháu mewn ffyrdd trawiadol. Roedd bob amser yn moli Duw ac yn dweud bod ganddo ddigon o reswm i orfoleddu. Disgrifiodd ei hun fel 'tywysog ifanc'. Roedd yn fab mabwysiedig i Dduw, Brenin y Brenhinoedd, ac oherwydd hynny roedd yn dywysog, ac roedd eisoes yn meddu ar hawliau a breintiau brenhinol. Ei hoff ymadrodd oedd, 'Rydw i'n fab i Frenin.' [2]

Fe wnes i gyfarfod dynes o Hwngari o'r enw Ildiko Papp un tro. Ddeunaw mis ynghynt, roedd hi'n ddigartref ac yn alcoholig, yn byw ar y stryd mewn tref ger Budapest, pan wahoddodd rhywun hi i un o gyfarfodydd y cwrs Alpha. Ar y cwrs hwnnw, rhoddodd ei bywyd i Grist, cafodd brofiad o gariad Iesu, a chafodd ei rhyddhau o'i chaethiwed i alcohol. Pan ofynnais iddi pa wahaniaeth oedd Iesu wedi ei wneud i'w bywyd, atebodd, 'Mae ef wedi fy nhroi o fod yn gardotyn i fod yn dywysoges'.

Unwaith yr ydym yn deall yn llawn beth yw ein statws fel meibion a merched mabwysiedig Duw, rydym yn sylweddoli nad oes statws arall yn y byd sydd hyd yn oed yn cymharu â'r fraint o fod yn blentyn i Greawdwr y bydysawd.

Yn ail, fel plentyn, mae gennym y berthynas agosaf â Duw. Mae Paul yn dweud ein bod yn gweiddi drwy'r Ysbryd, '*Abba*, Dad!' Nid yw'r gair Aramaeg hwn, *Abba* (y buom yn ei ystyried yn y bennod 'Pam a sut ydw i'n gweddïo?'), i'w gael yn yr Hen Destament. Roedd defnyddio'r gair hwn i gyfarch Duw yn rhywbeth nodedig gan Iesu. Mae'n amhosibl ei gyfieithu, ond y geiriau tebycaf sydd gennym yn y Gymraeg yw 'Tada', 'Dadi' neu 'Dad'. Mae'r gair yn cydnabod awdurdod y Tad, yn ogystal â'i natur hygyrch. Mae Iesu'n ein galluogi i rannu'r berthynas agos honno â Duw pan fyddwn yn derbyn ei Ysbryd. 'Oherwydd nid ysbryd caethiwed sydd unwaith eto'n peri ofn yr ydych wedi ei dderbyn, ond Ysbryd mabwysiad' (adnod 15). Fel y dywedodd y Pab Ioan Paul II mewn anerchiad i dros hanner miliwn o bobl ifanc yng Ngwlad Pŵyl ychydig ar ôl cwymp Comiwnyddiaeth yno: 'Sut allwn ni beidio â rhyfeddu ar ba mor uchel yw'r lefel y cawn ein galw i fod arni? Mae'r bod dynol, a gafodd ei greu ac sy'n gyfyngedig ei natur – hyd yn oed pechadur, yn cael ei alw i fod yn blentyn i Dduw!'[3]

Mae gan y Tywysog Charles sawl teitl. Ef yw Etifedd Eglur y Goron, Ei Uchelder Brenhinol, Tywysog Cymru, Dug Cernyw, Marchog Urdd y Gardas, Prif Gyrnol Catrawd Brenhinol Cymru, Dug Rothesay, Marchog yr Ysgall, Ôl-lyngesydd, Uchel Feistr Urdd Caerfaddon, Iarll Caer, Iarll Carrick, Barwn Renfrew, Arglwydd yr Ynysoedd a Phen Stiward yr Alban. Byddem yn ei gyfarch fel 'Eich Uchelder Brenhinol', ond rwy'n siŵr mai 'Dad' y mae William a Harry yn ei alw. Pan ddown yn blant i Dduw, byddwn mewn perthynas agos â'n tad nefol. Dywedodd John Wesley, sefydlydd Methodistiaeth, ynghylch ei dröedigaeth ei hun, 'Fe wnes i gyfnewid ffydd gwas am ffydd mab.'

Yn drydydd, mae'r Ysbryd yn rhoi'r profiad dyfnaf posibl i ni o Dduw. 'Y mae'r Ysbryd ei hun yn cyd-dystiolaethu â'n hysbryd ni, ein bod yn blant i Dduw' (adnod 16). Mae ef eisiau i ni wybod, yn ddwfn o'n mewn, ein bod yn blant i Dduw. Yn yr un modd ag yr ydw i eisiau i'm plant wybod am fy nghariad tuag atyn nhw, a phrofi'r cariad hwnnw yn y berthynas rhyngom, mae Duw hefyd eisiau i'w blant fod yn sicr o'r cariad hwnnw a'r berthynas honno.

Un dyn na chafodd brofiad o hyn tan yn gymharol hwyr yn ei fywyd yw'r Esgob o Dde Affrica, Bill Burnett, sef Esgob Capetown ar un adeg. Clywais ef yn dweud, 'Pan ddes i'n esgob, roeddwn yn credu yn y ddiwinyddiaeth [y gwirionedd am Dduw], ond nid yn Nuw. Roeddwn i'n anffyddiwr, mewn ffordd. Fe wnes i geisio cael cyfiawnder drwy wneud daioni.' Un diwrnod, ar ôl iddo fod yn esgob am bymtheg mlynedd, aeth i siarad mewn gwasanaeth conffyrmasiwn ar destun o'r Epistol at y Rhufeiniaid, 'Mae cariad Duw [hynny yw, tuag atom ni] wedi ei dywallt yn ein calonnau trwy'r Ysbryd Glân y mae ef wedi ei roi i ni' (Rhufeiniaid 5:5). Ar ôl iddo bregethu, aeth adref, tywalltodd ddiod gadarn iddo'i hun, ac roedd yn darllen papur newydd pan deimlodd yr Arglwydd yn dweud wrtho, 'Cer i weddïo.' Aeth i'w gapel, penlinio'n dawel a synhwyro bod yr Arglwydd yn dweud wrtho, 'Rydw i eisiau dy gorff.' Ni allai ddeall yn union pam (mae'n dal ac yn denau, a dywed amdano'i hun 'go brin fy mod i'n Mr Universe'). Er hynny, rhoddodd bob rhan ohono'i hun i'r Arglwydd. 'Yna,' meddai, 'fe ddigwyddodd yr hyn roeddwn i wedi sôn amdano yn fy mhregeth. Cefais siociau trydanol o gariad.' Disgynnodd ar lawr, a chlywodd yr Arglwydd yn dweud, 'Rwyt ti'n fab i mi.' Pan gododd, roedd yn gwybod o ddifrif fod rhywbeth wedi digwydd. Daeth hyn yn drobwynt yn ei fywyd a'i weinidogaeth. Ers hynny, drwy ei weinidogaeth, mae nifer o bobl eraill wedi cael profiad o ddod yn fab drwy dystiolaeth yr Ysbryd.

Yn bedwerydd, mae Paul yn dweud wrthym mai dod yn fab neu'n ferch i Dduw ydi'r diogelwch mwyaf. Oherwydd os ydym yn blant i Dduw, rydym hefyd yn 'etifeddion Duw a chyd-etifeddion â Christ' (Rhufeiniaid 8:17). Dan gyfraith y Rhufeiniaid, byddai mab mabwysiedig yn cymryd enw ei dad ac yn etifeddu ei ystâd. Fel plant i Dduw, rydym yn etifeddion. Yr unig wahaniaeth yw na fyddwn yn cael ein hetifeddiaeth derfynol pan fydd ein tad yn marw, ond pan fyddwn ni ein hunain yn marw. Dyna pam yr oedd Billy Bray wrth ei fodd yn meddwl bod 'ei Dad nefol wedi neilltuo gogoniant bythol a bendith' ar ei gyfer. Fe wnawn fwynhau cariad tragwyddol gydag Iesu.

Mae Paul yn ychwanegu, 'os yn wir yr ydym yn cyfranogi o'i ddioddefaint ef er mwyn cyfranogi o'i ogoniant hefyd' (adnod 17). Nid cyflwr yw hyn, ond sylw. Mae Cristnogion yn uniaethu ag Iesu Grist. Gallai hyn olygu rhywfaint o siom a gwrthwynebiad o bryd i'w gilydd, ond nid yw hynny'n cymharu â'n hetifeddiaeth fel plant i Dduw.

Datblygu'r berthynas

Nid dim ond diwedd cyfnod beichiogi yw genedigaeth; mae'n ddechrau ar fywyd newydd a sawl perthynas newydd. Mae ein perthynas gyda'n rhieni yn cael ei meithrin a'i dyfnhau dros gyfnod hir o amser. Mae hyn yn digwydd wrth i ni dreulio amser gyda nhw; nid yw'n digwydd dros nos.

Mae ein perthynas gyda Duw, fel rydym wedi ei weld yn y penodau cyntaf, yn tyfu ac yn dyfnhau wrth i ni dreulio amser gydag ef. Mae Ysbryd Duw yn ein helpu i ddatblygu ein perthynas gyda Duw. Mae'n dod â ni i bresenoldeb y Tad. 'Oherwydd trwyddo ef [Iesu] y mae gennym ni ein dau [Iddewon a Chenedl Ddynion] ffordd i ddod, mewn un Ysbryd, at y Tad' (Effesiaid 2:18). Dyma beth mae'n ei olygu i Gristion brofi Duw fel Trindod. Drwy Iesu, drwy'r Ysbryd, mae gennym ffordd o gyrraedd presenoldeb Duw. Fe wnaeth Iesu, drwy ei farwolaeth ar y groes, gael gwared ar y rhwystr oedd rhyngom a Duw. Dyna pam ein bod yn gallu dod i bresenoldeb Duw. Yn aml, nid ydym yn gwerthfawrogi hynny pan fyddwn yn gweddïo. Gallem deimlo fod rhwystr yno, ond mewn gwirionedd nid oes un yno o gwbl.

Pan oeddwn yn y brifysgol, roedd gen i ystafell uwch ben banc Barclays ar y Stryd Fawr. Roeddwn yn aml yn gwahodd ffrindiau draw i gael cinio yn yr ystafell hon, ac un diwrnod roeddem yn trafod a oedd y sŵn roeddem yn ei wneud yn cael ei glywed yn y banc oddi tanom. Er mwyn gweld beth oedd y gwir, fe benderfynom gynnal arbrawf. Aeth merch o'r enw Kay i lawr i'r banc. Gan ei bod yn amser cinio, roedd yn llawn o gwsmeriaid. Y trefniant oedd y byddem yn cynyddu'r sŵn yn raddol. Yn gyntaf, byddai un yn neidio ar y llawr, yna dau, tri, pedwar, ac yn y pen draw, pump. Yna, byddem yn neidio oddi ar gadeiriau, ac yna oddi ar y bwrdd. Roeddem eisiau gweld pa bryd y byddem yn cael ein clywed oddi tanom yn y banc.

Fel mae'n digwydd, roedd y nenfwd yn deneuach nag oeddem wedi ei feddwl. Roedd modd clywed y naid gyntaf yn sicr. Roedd sŵn mawr yr ail dro. Ar ôl y pumed, a oedd yn swnio fel pe bai hi'n taranu y tu allan, roedd tawelwch llethol yn y banc. Roedd pawb wedi rhoi'r gorau i dalu sieciau i mewn, gan droi i edrych ar y nenfwd a phendroni beth oedd yn digwydd. Roedd Kay yng nghanol y banc, a meddyliodd, 'Beth wnaf i? Os byddaf yn mynd allan, bydd yn ymddangos yn rhyfedd iawn, ond os byddaf yn aros, mae pethau'n mynd i waethygu!' Arhosodd yno. Cynyddodd y sŵn yn uwch byth. Yn y pen draw, dechreuodd darnau o bolystyren ddisgyn o'r nenfwd. Bryd hynny, gan ofni y byddai'r nenfwd yn rhoi oddi tanom, rhuthrodd i fyny'r grisiau atom i ddweud wrthym ein bod ni i'n clywed yn glir iawn yn y banc!

Dychmygwch fy syndod pan gefais lythyr sawl blwyddyn yn ddiweddarach gan ddyn a glywodd fi'n adrodd y stori hon ar fideo.

Dywedodd fod ganddo ddiddordeb yn fy nghyfeiriad at S1 a S2 Hewell's Court gan mai ef oedd goruchwyliwr gwaith y Coleg ar y pryd. 'Cefais wybod am broblem sŵn yn cario rhwng S1 a S2 a banc Barclays, ond tan rŵan nid oeddwn yn gwybod pwy oedd wedi achosi hyn. Nid teils polystyren a ddisgynnodd o nenfwd y banc, ond rhan o'r nenfwd crog. Peidiwch â phoeni – ni fydd unrhyw wrthgyhuddiadau.'

Roedd y rhwystr yn llawer llai nag oeddem wedi ei ddychmygu! Felly, gan fod y rhwystr wedi cael ei symud gan Iesu, mae Duw yn ein clywed pan fyddwn yn gweddïo. Mae gennym fynediad yn syth at ei bresenoldeb, drwy'r Ysbryd. Nid oes angen i ni neidio a gwneud sŵn i dynnu ei sylw.

Mae'r Ysbryd nid yn unig yn dod â ni i bresenoldeb Duw, ond mae hefyd yn ein helpu i weddïo. Ysgrifennodd Sant Paul, 'mae'r Ysbryd yn ein cynorthwyo yn ein gwendid'. (Rhufeiniaid 8:26). Weithiau, nid ydym yn gwybod sut i weddïo. Ond mae'r Ysbryd ei hunan yn eiriol drosom. Nid lle'r ydym yn gweddïo sy'n bwysig, na sut y byddwn yn gosod ein hunain, na chwaith a fyddwn yn defnyddio ffurfiau penodol o weddïau; yr hyn sy'n bwysig yw pa un ai a ydym yn gweddïo yn yr Ysbryd. Dylai'r Ysbryd arwain pob gweddi. Heb ei help, gall gweddi ddod yn ddifywyd a diflas yn rhwydd.

Agwedd arall ar ddatblygu ein perthynas â Duw yw deall beth mae'n ei ddweud wrthym. Unwaith eto, mae Ysbryd Duw yn ein galluogi i wneud hyn. Dywedodd Paul, 'A'm gweddi yw, ar i Dduw ein Harglwydd Iesu Grist, Tad y gogoniant, roi i chwi, yn eich adnabyddiaeth ohono ef, yr Ysbryd sy'n rhoi doethineb a datguddiad. Bydded iddo oleuo llygaid eich deall...' (Effesiaid 1:17-18). Mae Ysbryd Duw yn Ysbryd doethineb a datguddiad. Mae'n agor ein llygaid fel ein bod ni, er enghraifft, yn gallu deall beth mae Duw yn ei ddweud trwy'r Beibl.

Cyn i mi ddod yn Gristion, roeddwn yn darllen ac yn clywed y Beibl byth a hefyd, mewn gwasanaethau yn yr ysgol, mewn priodasau ac angladdau, ond nid oeddwn yn ei ddeall. Nid oedd yn golygu dim i mi. Y rheswm pam nad oedd yn gwneud synnwyr i mi oedd nad oedd gen i Ysbryd Duw i'w ddehongli. Ysbryd Duw yw'r dehonglwr gorau o'r hyn y mae Duw wedi ei ddweud.

Yn y pen draw, ni wnawn fyth ddeall Cristnogaeth heb i'r Ysbryd Glân agor ein llygaid. Gallwn weld digon i gymryd cam o ffydd nad yw'n naid o ffydd ddall; ond yn aml, dim ond ar ôl ffydd y daw dealltwriaeth o ddifrif. Dywedodd Anselm o Gaergaint, 'Rwy'n credu er mwyn i mi allu ceisio deall.'[4] Dim ond pan fyddwn yn credu ac yn derbyn yr Ysbryd Glân y byddwn yn deall datguddiad Duw o ddifrif.

Mae Ysbryd Duw yn ein helpu i ddatblygu ein perthynas gyda Duw, ac mae ef yn ein galluogi i gynnal y berthynas honno. Yn aml, mae pobl yn poeni na fyddant yn gallu parhau â'r bywyd Cristnogol. Ni wnaeth Duw erioed fwriadu i ni ddal ati ar ein pennau ein hunain. Trwy ei Ysbryd, mae Duw yn ein cadw i fynd. Yr Ysbryd sy'n dod â ni i berthynas gyda Duw, a'r Ysbryd sy'n cynnal y berthynas honno. Rydym yn gwbl ddibynnol arno.

Tebygrwydd teuluol

Rydw i bob amser yn rhyfeddu wrth weld sut mae plant yn gallu edrych yn debyg i'r naill riant a'r llall ar yr un pryd, ac eto bod pryd a gwedd y rhieni yn wahanol iawn i'w gilydd. Mae hyd yn oed gwŷr a gwragedd yn gallu mynd yn debycach i'w gilydd wrth iddynt dreulio amser gyda'i gilydd dros y blynyddoedd!

Wrth i ni dreulio amser ym mhresenoldeb Duw, mae Ysbryd Duw yn ein trawsffurfio ni. Fel yr ysgrifennodd Paul, 'Ac yr ydym ni i gyd, heb orchudd ar ein hwyneb, yn edrych, fel mewn drych, ar ogoniant yr Arglwydd ac yn cael ein trawsffurfio o ogoniant i ogoniant, yn wir lun ohono ef. A gwaith yr Arglwydd, yr Ysbryd, yw hyn' (2 Corinthiaid 3:18). Rydym yn cael ein trawsffurfio i fod yn debyg i Iesu Grist yn foesol. Mae ffrwyth yr Ysbryd yn cael ei ddatblygu yn ein bywydau. Mae Paul yn dweud wrthym mai 'ffrwyth yr Ysbryd yw cariad, llawenydd, tangnefedd, goddefgarwch, caredigrwydd, daioni, ffyddlondeb, addfwynder, hunanddisgyblaeth' (Galatiaid 5:22). Dyma'r nodweddion y mae Ysbryd Duw yn eu datblygu yn ein bywydau. Nid ydym yn dod yn berffaith ar unwaith, ond dylai newid ddigwydd dros gyfnod o amser.

Ffrwyth cyntaf a phwysicaf yr Ysbryd yw cariad. Mae cariad yn rhan ganolog o'r ffydd Gristnogol. Stori cariad Duw tuag atom yw'r Beibl. Ei ddymuniad ef yw i ni ymateb drwy ei garu ef a charu ein cymydog. Tystiolaeth gwaith yr Ysbryd yn ein bywydau fydd cariad cynyddol tuag at Dduw a chariad cynyddol tuag at eraill. Heb y cariad hwn, mae popeth arall yn ddibwys.

Yr ail ffrwyth ar restr Paul yw llawenydd. Ysgrifennodd y newyddiadurwr

Malcolm Muggeridge: 'Amlygiadau mwyaf nodweddiadol a dyrchafol tröedigaeth yw gorawen – llawenydd na ellir ei fynegi, sy'n ymledu o'n corun i'n sawdl, gan beri i'n hofnau ddiflannu, a'n disgwyliadau symud tua'r nef.'[5] Nid yw'r llawenydd hwn bob amser yn cael ei adlewyrchu gan ein hamgylchiadau allanol. Mae'n dod o'r Ysbryd o'n mewn. Ysgrifennodd Richard Wurmbrand, a gafodd ei garcharu am nifer o flynyddoedd a'i boenydio'n aml oherwydd ei ffydd, am y llawenydd hwn: 'Ar fy mhen fy hun yn fy nghell, yn oer, yn newynog ac mewn dillad carpiog, roeddwn yn dawnsio'n llawen bob nos ... weithiau roeddwn yn teimlo mor llawn o lawenydd fel y byddwn yn teimlo y byddwn yn ffrwydro oni bai fy mod yn ei fynegi.'[6]

Y trydydd ffrwyth ar y rhestr yw tangnefedd. Heb Grist, mae heddwch mewnol yn fath o falws melys ysbrydol, yn llawn esmwythdra a melyster, ond heb lawer o sylwedd. Mae tangnefedd yn wahanol. Y gair Hebraeg am y gair Groeg sy'n cael ei ddefnyddio yma yw *shalom*, sy'n golygu 'cyfanrwydd', 'iachusrwydd', 'lles', 'wedi gwreiddio yn y gymuned' ac 'yn ymwneud â Duw'. Mae pob calon ddynol yn ysu am heddwch tebyg i hwn. Dywedodd Epictetus, y meddyliwr paganaidd o'r ganrif gyntaf, 'Tra bo'r Ymerawdwr yn gallu rhoi heddwch rhag rhyfel ar dir a môr, nid yw'n gallu rhoi heddwch i ni rhag angerdd, gofid ac eiddigedd. Ni all roi heddwch yn ein calonnau, sef yr hyn y mae dyn yn dyheu amdano yn fwy nag y bydd byth am yr heddwch allanol ...'[7]

Mae'n rhyfeddol gweld unigolion y mae eu cymeriadau wedi'u trawsffurfio i fod yn debyg i Iesu Grist, gan fod y rhain a ffrwythau eraill yr Ysbryd – goddefgarwch, caredigrwydd, daioni, ac yn y blaen – wedi tyfu yn eu bywydau. Fe wnaeth dynes yn ei hwythdegau yn ein cynulleidfa ddweud fel hyn wrth gyfeirio at gyn-ficer, 'Mae'n mynd yn debycach i'n Harglwydd bob dydd.' Ni allaf feddwl am ganmoliaeth uwch na hynny. Gwaith Ysbryd Duw yw ein gwneud yn debycach i Iesu, fel ein bod yn rhoi gwybod amdano pa le bynnag y byddwn yn mynd (2 Corinthiaid 2:14).

Undod yn y teulu

Pan ddown at Grist, a dod yn feibion ac yn ferched i Dduw, rydym yn dod yn rhan o deulu enfawr. Dymuniad Duw, fel pob rhiant arall, yw cael undod yn ei deulu. Gweddïodd Iesu am undod ymhlith ei ddilynwyr

(Ioan 17). Plediodd Paul ar Gristnogion Effesus i 'gadw, â rhwymyn tangnefedd, yr *undod y mae'r Ysbryd yn ei roi*' (Effesiaid 4:3, fy mhwyslais i). Mae'r Ysbryd am i ni fod yn unedig, ac am ein helpu i dyfu mewn undod. Rydym i fod i ddangos esiampl mewn byd sy'n llawn helbul ac ymraniadau.

Mae'r un Ysbryd Glân yn byw ym mhob Cristion pa le bynnag y maent ac waeth beth yw eu henwad, eu cefndir, eu lliw neu eu hil. Mae'r un Ysbryd ym mhob un o blant Duw, a'i ddymuniad yw i ni fod yn unedig. Yn wir, dyna sy'n gwneud ymraniadau'r eglwys yn gymaint o drasiedi, am mai '*Un* corff sydd, ac *un* Ysbryd ... *un* gobaith ... *un* Arglwydd, *un* ffydd, *un* bedydd; *un* Duw a Thad i *bawb*, yr hwn sydd goruwch *pawb*, a thrwy *bawb*, ac ym *mhawb*' (Effesiaid 4:4-6, fy mhwyslais i).

Mae'r un Ysbryd yn preswylio mewn Cristnogion yn Rwsia, China, Affrica, America, y Deyrnas Unedig a phob man arall. Pa un ai Cristnogion Catholig Rufeinig, Uniongred, Lwtheraidd, Methodistaidd, Bedyddwyr, Pentecostaliaid, Anglicaniaid, neu eglwysi newydd ydynt. Mewn un ystyr, waeth pa mor bwysig yw ein henwad i ni, yr hyn sy'n bwysicach na'n henwad yw pa un a oes gennym Ysbryd Duw ai peidio. Mae'r un Ysbryd yn preswylio mewn Cristnogion o bob enwad. Os oes gan bobl Ysbryd Duw o'u mewn, maent yn Gristnogion, ac yn frodyr a chwiorydd i ni. Fel y dywedodd y Tad Raniero Cantalamessa, 'Mae'r hyn sy'n ein huno yn anfeidrol fwy na'r hyn sy'n ein gwahanu'. Mae bod yn rhan o'r teulu enfawr hwn yn fraint anferthol; un o nodweddion mwyaf llawen o ddod at Grist yw profi'r undod hwn. Mae agosrwydd a dyfnder ym mherthynas yr eglwys Gristnogol nad ydw i erioed wedi ei brofi y tu allan iddi. Mae'n rhaid i ni wneud pob ymdrech i gadw undod yr Ysbryd ar bob lefel: yn ein grwpiau bychan, yn ein cynulleidfaoedd, yn ein heglwysi lleol, ac yn yr eglwys fyd-eang.

Rhoddion i'r holl blant

Er bod tebygrwydd cyffredin mewn teulu yn aml (ac undod o fewn y teulu hwnnw, gobeithio), mae amrywiaeth eang i'w chael hefyd. Nid oes dau blentyn yr un fath – ddim hyd yn oed efeilliaid 'unfath'. Mae'r un yn wir am gorff Crist. Mae pob Cristion yn wahanol; mae gan bob un gyfraniad gwahanol i'w wneud ac mae gan bob un ddawn wahanol. Yn y Testament Newydd, ceir rhestrau o rai o ddoniau'r Ysbryd. Yn 1

Corinthiaid, mae Paul yn rhestru naw dawn:

> Rhoddir amlygiad o'r Ysbryd i bob un, er lles pawb. Oherwydd fe roddir i un, trwy'r Ysbryd, lefaru doethineb; i un arall, lefaru gwybodaeth, yn ôl yr un Ysbryd; i un arall rhoddir ffydd, trwy'r un Ysbryd; i un arall ddoniau iacháu, trwy'r un Ysbryd; i un arall gyflawni gwyrthiau, i un arall broffwydo, i un arall wahaniaethu rhwng ysbrydoedd, i un arall lefaru â thafodau, i un arall ddehongli tafodau. A'r holl bethau hyn, yr un a'r unrhyw Ysbryd sydd yn eu gweithredu, gan rannu, yn ôl ei ewyllys, i bob un ar wahân.
>
> 1 Corinthiaid 12:7–11

Mewn mannau eraill, mae'n crybwyll doniau eraill: y rhai sy'n cael eu rhoi i apostolion, athrawon, helpwyr, gweinyddwyr (1 Corinthiaid 12:28–30), efengylwyr a bugeiliaid (Effesiaid 4), doniau gwasanaethu, annog, rhoi, arwain, dangos trugaredd (Rhufeiniaid 12:7), lletygarwch a siarad (1 Pedr 4). Mae'n siŵr nad oedd bwriad i'r rhestrau hyn fod yn hollgynhwysol.

Mae pob dawn dda yn dod gan Dduw, hyd yn oed os yw rhai, fel gwyrthiau, yn dangos gweithredoedd anarferol Duw yn amlycach yn ei fyd. Mae doniau ysbrydol yn cynnwys doniau naturiol sydd wedi'u trawsffurfio gan yr Ysbryd Glân. Fel y nododd y diwinydd o'r Almaen, Jürgen Moltmann, 'Mewn egwyddor, gall pob potensial a gallu dynol ddod yn garismataidd [h.y. yn un o ddoniau'r Ysbryd] drwy alwad unigolyn, dim ond os ydyn nhw'n cael eu defnyddio yng Nghrist.'[8]

Mae'r doniau hyn yn cael eu rhoi i bob Cristion. Mae'r ymadrodd 'i bob un' i'w weld yn aml yn 1 Corinthiaid 12. Mae pob Cristion yn rhan o gorff Crist. Mae sawl rhan gwahanol, ond un corff sydd (adnod 12). Cawn ein bedyddio gan (neu mewn) un Ysbryd (adnod 13). Mae pob un ohonom yn cael yr un Ysbryd i'w yfed (adnod 13). Nid oes Cristnogion dosbarth cyntaf ac ail ddosbarth. Mae pob Cristion yn derbyn yr Ysbryd. Mae gan bob Cristion ddoniau ysbrydol.

Mae hollbwysig bod y doniau hyn yn cael eu defnyddio. Un o brif broblemau'r eglwys yn gyffredinol yw bod cyn lleied yn defnyddio eu doniau. O ganlyniad, ceir ychydig o bobl sy'n gwneud popeth, ac maent wedi blino'n lân, ac mae'r gweddill yn peidio â gwneud digon. Mae'r eglwys wedi cael ei chymharu â gêm bêl-droed, lle mae miloedd o bobl y mae wir angen ymarfer corff arnynt yn gwylio dau ddeg dau o bobl y mae wir angen seibiant arnynt!

Ni fydd yr eglwys yn gweithredu i'r eithaf heb i bawb ddefnyddio eu doniau. Mae Ysbryd Duw yn rhoi doniau i bob un ohonom. Nid yw Duw yn gofyn i ni feddu ar lawer o ddoniau, ond mae'n gofyn i ni ddefnyddio'r hyn sydd gennym a dyheu am ragor (1 Corinthiaid 12:31; 14:1).

Y teulu sy'n tyfu

Mae'n naturiol i deuluoedd dyfu. Dywedodd Duw wrth Adda ac Efa, 'Byddwch ffrwythlon ac amlhewch.' Dylai fod yn naturiol i deulu Duw dyfu. Unwaith eto, gwaith yr Ysbryd yw hyn. Dywedodd Iesu, 'fe dderbyniwch nerth wedi i'r Ysbryd Glân ddod arnoch, a byddwch yn dystion i mi yn Jerwsalem, ac yn holl Jwdea a Samaria, a hyd eithaf y ddaear' (Actau 1:8).

Mae Ysbryd Duw yn rhoi awydd a gallu i ni ddweud wrth eraill. Fe wnaeth y dramodydd Murray Watts adrodd hanes dyn ifanc a oedd wedi ei argyhoeddi am wirionedd Cristnogaeth, ond a oedd yn teimlo ofn mawr wrth feddwl am gyfaddef ei fod yn 'Gristion'. Roedd meddwl am ddweud wrth bawb am y ffydd a oedd newydd ei darganfod, ynghyd â'r posibilrwydd iddo gael ei labelu'n wallgofddyn crefyddol, yn troi arno.

Am nifer o wythnosau, ceisiodd gael gwared ar y syniad o grefydd o'i feddwl, ond ni weithiodd hynny. Roedd fel petai'n clywed ei gydwybod yn sibrwd, yn ailadrodd dro ar ôl tro, 'Canlyn fi.' O'r diwedd, ni allai ddioddef hyn rhagor, ac aeth at ddyn hen iawn, a oedd wedi bod yn Gristion am yn agos at ganrif. Dywedodd wrtho am ei hunllef, y baich trwm hwn o 'dystiolaethu i'r goleuni', a sut yr oedd yn ei atal rhag dod yn Gristion. Ochneidiodd y dyn gan ysgwyd ei ben. 'Mae hwn yn fater rhyngot ti a Christ,' dywedodd. 'Pam cynnwys yr holl bobl eraill yn y mater?' Nodiodd y dyn ifanc ei ben yn araf.

'Cer adref,' meddai'r hen ddyn. 'Cer i dy ystafell wely ar dy ben dy hun. Anghofia'r byd. Anghofia dy deulu. Gwna'r mater yn gyfrinach rhyngot ti a Duw.'

Teimlodd y dyn ifanc y baich yn codi oddi ar ei ysgwyddau wrth i'r hen ddyn siarad. 'Felly, rydych chi'n dweud nad oes yn rhaid i mi ddweud wrth unrhyw un?'

'Nac oes,' meddai'r hen ddyn.

'Neb o gwbl?'

'Ddim os nad wyt ti'n dymuno gwneud hynny.'

'Ydych chi'n *siŵr*?' holodd y dyn ifanc, gan ddechrau crynu'n ddisgwylgar. 'Ydi hynny'n iawn?'

'Dyna sy'n iawn i ti,' dywedodd yr hen ddyn.

Felly, aeth y dyn ifanc adref, aeth ar ei liniau i weddïo, a chafodd dröedigaeth at Grist. Ar unwaith, brysiodd i lawr y grisiau ac aeth i'r gegin lle'r oedd ei wraig, ei dad a thri o'i ffrindiau yn eistedd. 'Ydych chi'n sylweddoli,' meddai, wedi colli ei wynt gan ei fod wedi cyffroi gymaint, 'ei bod yn bosibl bod yn Gristion heb ddweud wrth unrhyw un?'[9]

Pan gawn brofiad o Ysbryd Duw, rydym eisiau dweud wrth eraill amdano. Wrth i ni wneud hynny, mae'r teulu'n tyfu. Ni ddylai'r teulu Cristnogol fyth fod yn llonydd. Dylai fod yn tyfu'n barhaus ac yn denu pobl newydd sydd, yn eu tro, yn derbyn nerth yr Ysbryd Glân ac yn mynd at eraill i ddweud wrthynt am Iesu.

Trwy gydol y bennod hon, rwyf wedi pwysleisio fod yr Ysbryd Glân yn byw ym mhob Cristion. Dywedodd Paul, 'Pwy bynnag sydd heb Ysbryd Crist, nid eiddo Crist ydyw' (Rhufeiniaid 8:9). Ac eto, nid yw pob Cristion yn cael ei lenwi â'r Ysbryd. Mae Paul yn ysgrifennu at y Cristnogion yn Effesus, ac yn dweud 'llanwer chwi â'r Ysbryd' (Effesiaid 5:18). Yn y bennod nesaf, fe wnawn ni edrych ar sut y mae modd cael ein llenwi â'r Ysbryd.

Fe wnaethom ddechrau'r bennod flaenorol gyda Genesis 1:1–2 (adnodau cyntaf y Beibl) ac rydw i eisiau gorffen y bennod hon drwy edrych ar Datguddiad 22:17 (un o adnodau olaf y Beibl). Mae Ysbryd Duw yn weithgar drwy'r Beibl, o Genesis hyd Datguddiad.

'Y mae'r Ysbryd a'r briodferch yn dweud, "Tyrd"; a'r sawl sy'n clywed, dyweded yntau, "Tyrd." A'r sawl sy'n sychedig, deued ymlaen, a'r sawl sydd yn ei ddymuno, derbynied ddŵr y bywyd yn rhodd' (Datguddiad 22:17).

Mae Duw eisiau llenwi pob un ohonom gyda'i Ysbryd. Mae rhai pobl yn dyheu am hyn. Nid yw eraill mor siŵr eu bod ei eisiau – ac os mai felly y mae, nid oes ganddynt syched o ddifrif. Os nad ydych yn sychedu am ragor o gyflawnder yr Ysbryd, beth am i chi weddïo am syched o'r fath? Mae Duw yn ein derbyn fel yr ydym. Pan fyddwn yn sychedu, os gofynnwn i Dduw, bydd ef yn rhoi i ni 'ddŵr y bywyd yn rhodd'.

SUT Y GALLAF GAEL FY LLENWI Â'R YSBRYD GLÂN?

Unwaith, fe wnaeth yr efengylydd J. John annerch cynulleidfa ar bregethu. Un o'r pwyntiau a wnaeth oedd bod pregethwyr yn aml yn annog eu gwrandawyr i wneud rhywbeth, ond nad oedden nhw byth yn dweud wrthyn nhw sut i wneud hynny. Maen nhw'n dweud, 'Darllenwch eich Beibl.' Daw'r ateb, 'Iawn, ond sut?' Maen nhw'n dweud, 'Gweddïwch yn amlach.' Daw'r ateb, 'Iawn, ond sut?' Maen nhw'n dweud, 'Dywedwch wrth bobl am Iesu.' Daw'r ateb, 'Iawn, ond sut?' Yn y bennod hon, rwyf am ystyried y cwestiwn sut y gallwn gael ein llenwi â'r Ysbryd.[1]

Mae gennym hen foeler nwy yn ein tŷ ni. Mae'r fflam beilot ynghyn drwy'r amser, ond nid yw'r boeler am roi gwres a phŵer bob amser. Dim ond fflam beilot yr Ysbryd Glân sydd gan rai pobl ynghyn yn eu bywydau, ond bydd pobl sy'n cael eu llenwi â'r Ysbryd Glân yn dechrau tanio'n llawn. A phan fyddwch yn edrych arnyn nhw, gallwch chi bron gweld a theimlo'r gwahaniaeth.

Mae Actau'r Apostolion wedi cael ei ddisgrifio fel cyfrol gyntaf hanes yr eglwys. Yn y llyfr hwn, gwelwn sawl enghraifft o bobl yn cael profiad o'r Ysbryd Glân. Mewn byd delfrydol, byddai pob Cristion yn cael ei lenwi â'r Ysbryd Glân yn syth ar ôl eu tröedigaeth. Weithiau, bydd hynny'n digwydd (yn y Testament Newydd a heddiw), ond nid bob amser – hyd yn oed yn y Testament Newydd. Rydym eisoes wedi edrych ar achlysur tywalltiad cyntaf yr Ysbryd Glân (ar y Pentecost) yn ail bennod Actau'r Apostolion. Wrth i ni fynd drwy'r llyfr hwnnw, gwelwn enghreifftiau eraill.

Pan weddïodd Pedr ac Ioan dros y Samariaid a oedd yn credu yn Iesu, daeth yr Ysbryd Glân arnyn nhw, a gwnaeth hynny gymaint o argraff ar Seimon y Consuriwr fel ei fod wedi cynnig arian er mwyn gallu gwneud yr un peth (Actau 8:14-18). Rhybuddiodd Pedr ef fod ceisio prynu doniau Duw gydag arian yn beth ofnadwy i'w wneud. Ond dengys yr hanes bod rhywbeth gwirioneddol ryfeddol wedi digwydd, mae'n rhaid.

Yn y bennod nesaf (Actau 9) gwelwn un o'r tröedigaethau mwyaf nodedig erioed. Pan gafodd Steffan, y merthyr Cristnogol cyntaf, ei labyddio, fe wnaeth Saul gymeradwyo ei farwolaeth (Actau 8:1) ac yn dilyn hynny, dechreuodd ddinistrio'r eglwys. Wrth fynd o dŷ i dŷ, llusgodd ddynion a merched i'r carchar (adnod 3). Ar ddechrau pennod 9, gwelwn ef 'yn dal i chwythu bygythion angheuol yn erbyn disgyblion yr Arglwydd'.

O fewn ychydig ddyddiau, roedd Saul yn pregethu mewn synagogau mai Iesu yw 'Mab Duw' (adnod 20). Parodd syndod llwyr, gyda phobl yn holi ei gilydd, 'Onid dyma'r dyn ... a wnaeth ddifrod yn Jerwsalem ar y rhai sy'n galw ar yr enw hwn [Iesu]?'

Beth oedd wedi digwydd yn ystod y dyddiau hynny i newid cymaint ar ei agwedd? Yn gyntaf, roedd wedi cyfarfod ag Iesu ar y ffordd i Damascus. Yn ail, roedd wedi cael ei lenwi â'r Ysbryd (adnod 17). Yr eiliad honno, 'syrthiodd rhywbeth fel cen oddi ar ei lygaid, a chafodd ei olwg yn ôl' (adnod 18). Weithiau, bydd pobl nad ydynt yn Gristnogion, neu a oedd hyd yn oed yn gryf yn erbyn Cristnogaeth, yn cael tröedigaeth fawr yn eu bywydau pan fyddant yn dod at Grist, ac yn cael eu llenwi â'r Ysbryd. Mae nhw'n gallu dod yn eiriolwyr grymus dros y ffydd Gristnogol.

Yn Effesus, daeth Paul i gysylltiad â grŵp oedd yn 'credu', ond nad oedd wedi clywed am yr Ysbryd Glân, hyd yn oed. Rhoddodd ei ddwylo arnynt, daeth yr Ysbryd Glân arnynt, ac fe ddechreuasant siarad mewn tafodau a phroffwydo (Actau 19:1-7). Mae pobl mewn sefyllfa debyg heddiw. Efallai eu bod wedi 'credu' ers peth amser, neu drwy gydol eu bywydau, hyd yn oed. Efallai eu bod wedi cael eu bedyddio, eu conffyrmio ac wedi mynychu'r eglwys o bryd i'w gilydd, neu'n rheolaidd, hyd yn oed. Ac eto, mae'n bosibl nad ydyn nhw'n gwybod rhyw lawer am yr Ysbryd Glân, neu dim o gwbl amdano, hyd yn oed.

Mae digwyddiad arall yn cael ei gofnodi yn gynnar yn Actau'r Apostolion, ac rwyf am edrych ychydig yn fanylach arno. Dyma'r tro cyntaf i'r Cenedl-ddynion gael eu llenwi â'r Ysbryd. Fe wnaeth Duw rywbeth eithriadol, a ddechreuodd gyda gweledigaeth a gafodd dyn o'r enw Cornelius. Yn ogystal, fe wnaeth Duw siarad gyda Pedr drwy weledigaeth, a dywedodd wrtho ei fod am iddo fynd i siarad gyda'r Cenedl-ddynion yn nhŷ'r dyn hwn. Hanner ffordd drwy anerchiad Pedr, digwyddodd rhywbeth nodedig: 'syrthiodd yr Ysbryd Glân ar bawb oedd yn gwrando'r gair. Synnodd y credinwyr Iddewig, cynifer ag oedd wedi dod gyda Pedr, am fod rhodd yr Ysbryd Glân wedi ei thywallt hyd yn oed ar y Cenhedloedd; oherwydd yr oeddent yn eu clywed yn llefaru â thafodau ac yn mawrygu Duw.' (Actau 10:44-46). Yng ngweddill y bennod, rydw i am ystyried tair agwedd ar yr hyn a ddigwyddodd.

Fe gawson nhw brofiad o nerth yr Ysbryd Glân

Bu'n rhaid i Pedr stopio ei sgwrs gan ei bod yn amlwg fod rhywbeth yn digwydd. Weithiau, ar adegau anghyffredin, bydd cael eich llenwi â'r Ysbryd Glân yn digwydd yn raddol iawn, er bod y profiad yn wahanol i bawb.

Yn y disgrifiad o'r Pentecost (Actau 2), mae Luc yn defnyddio geiriau a fyddai'n addas i ddisgrifio storm law drofannol gref. Mae'n ddarlun o nerth yr Ysbryd yn gorlifo. Roedd y rhain yn amlygiadau corfforol. Fe glywsant wynt grymus yn rhuthro (adnod 2) nad oedd yn wynt go iawn, ond a oedd yn debyg i hynny. Nerth anweledig a grymus 'ruach' Duw oedd hyn; yr un gair a welwn yn cael ei ddefnyddio ar gyfer gwynt, anadl ac ysbryd yn yr Hen Destament. Weithiau, pan fydd pobl yn cael eu llenwi, mae nhw'n crynu fel dail yn y gwynt. Mae eraill yn anadlu'n ddwfn, bron fel pe baent yn anadlu'r Ysbryd i mewn yn gorfforol.

Yn ogystal, gwelon nhw bethau a oedd yn ymddangos fel tafodau o dân yn ymrannu ac yn eistedd un ar bob un ohonynt (adnod 3); yn y Beibl, mae tân yn arwydd o rywbeth pwerus sy'n puro. Wrth gwrs, mae hefyd yn cynnau pethau. Mae gwres corfforol weithiau'n dod gyda phrofiad o gael eich llenwi â'r ysbryd, ac mae pobl yn ei deimlo yn eu dwylo neu mewn rhannau eraill o'u cyrff. Disgrifiodd un y profiad fel bod yn gynnes drwyddo. Dywedodd un arall ei bod hi wedi profi 'gwres hylifol'. Profiad un arall oedd 'fy mreichiau'n llosgi er nad oeddwn i'n boeth'. Efallai bod tân yn symbol o'r nerth, yr angerdd a'r purdeb y mae Ysbryd Duw yn ei roi i'n bywydau.

I lawer, gallai profiad o'r Ysbryd fod yn brofiad ysgubol o gariad Duw. Mae Paul yn gweddïo dros Gristnogion Effesus fel hyn: 'Boed i chwi, sydd â chariad yn wreiddyn a sylfaen eich bywyd, gael eich galluogi i amgyffred ynghyd â'r holl saint beth yw lled a hyd ac uchder a dyfnder cariad Crist' (Effesiaid 3:18). Mae cariad Crist yn ddigon eang i gyrraedd pawb yn y byd. Mae'n ymestyn dros bob cyfandir at bobl o bob hil, lliw, llwyth a chefndir. Mae'n ddigon hir i barhau gydol oes a hyd dragwyddoldeb. Mae'n ddigon dwfn i'n cyrraedd ni waeth pa mor bell yr ydym wedi disgyn. Mae'n ddigon uchel i'n codi ni i'r lleoedd nefolaidd. Rydym yn gweld y cariad goruchaf hwn yng nghroes Crist. Rydym yn gwybod am gariad Crist tuag atom gan iddo fod yn barod i farw trosom. Gweddïodd Paul y byddem yn 'amgyffred' hyd a lled ei gariad.

Ac eto, nid yw'n gorffen gyda hynny. Mae'n mynd yn ei flaen i weddïo y byddem yn dod i 'wybod am y cariad hwnnw ... [sydd] *uwchlaw gwybodaeth*' fel y 'dygir chwi i gyflawnder, hyd at holl gyflawnder Duw.' (Effesiaid 3:19, fy mhwyslais i). Nid yw'n ddigon deall ei gariad; mae angen i ni brofi ei gariad sydd 'uwchlaw gwybodaeth'. Yn aml, pan fydd pobl yn cael eu llenwi â'r Ysbryd – yn cael eu llenwi 'hyd at holl gyflawnder Duw' (adnod 19) - y maent yn profi cariad trawsnewidiol Crist yn eu calonnau.

Ceisiodd Thomas Goodwin, un o'r Piwritaniaid a oedd yn byw 300 mlynedd yn ôl, ddarlunio'r profiad hwn. Disgrifiodd ddyn yn cerdded ar hyd y ffordd, law yn llaw gyda'i fab. Mae'r bachgen bach yn gwybod mai'r dyn hwn yw ei dad, a bod ei dad yn ei garu. Ond yn sydyn, mae'r tad yn stopio, yn codi'r bachgen, yn ei gario yn ei freichiau, yn ei gofleidio, yn ei gusanu ac yn rhoi mwythau iddo. Yna, mae'n ei roi i lawr eto, ac mae nhw'n dal ati i gerdded. Mae'n brofiad rhyfeddol cerdded law yn llaw â'ch tad; ond mae'n beth llawer mwy cael ei freichiau'n dynn amdanoch.

'Mae wedi ein cofleidio ni,' meddai Spurgeon, ac mae'n tywallt ei gariad arnom, ac yn ein 'cofleidio'. Mae Martyn Lloyd-Jones yn dyfynnu'r enghreifftiau hyn o blith nifer o rai eraill yn ei lyfr ar yr Epistol at y Rhufeiniaid, ac yn cyfeirio at brofiad o'r Ysbryd:

> Gadewch i ni felly sylweddoli beth yw nodweddion difrifol y profiad. Nid yw hyn yn ysgafn ac arwynebol a chyffredin; nid yw'n rhywbeth lle gallwch ddweud, 'Peidiwch â phoeni am eich teimladau.' Poeni am eich teimladau? Fe fydd gennych chi'r fath ddyfnder o deimlad fel y gallech ddychmygu am ennyd nad ydych erioed wedi 'teimlo' unrhyw beth yn eich

bywyd cyn hynny. Dyma'r teimlad mwyaf dwys y gall bod dynol ei gael.[2]

Fe gawson nhw eu rhyddhau mewn moliant

Pan gafodd y Cenedl-ddynion hyn eu llenwi â'r Ysbryd, fe ddechreuon nhw 'foli Duw'. Mawl digymell yw iaith pobl sydd wedi'u cyffroi gyda'u profiad o Dduw.

Mae pobl weithiau'n gofyn i mi, 'A yw hi'n iawn i mi fynegi fy emosiynau yn yr eglwys? Onid oes perygl bod yn rhy emosiynol?' Y perygl i'r rhan fwyaf ohonom yn ein perthynas â Duw yw nad oes digon o emosiwn. Gall ein perthynas â Duw fod yn eithaf oer. Mae pob perthynas lle ceir cariad yn cynnwys ein hemosiynau. Wrth gwrs, mae'n rhaid cael mwy na dim ond emosiynau. Mae'n rhaid cael cyfeillgarwch, cyfathrebu, dealltwriaeth a gwasanaeth. Ond petawn i byth yn dangos unrhyw emosiwn tuag at fy ngwraig, byddai rhywbeth ar goll yn fy nghariad tuag ati. Os nad ydym yn profi unrhyw emosiwn yn ein perthynas gyda Duw, nid yw ein holl bersonoliaeth yn rhan o'r berthynas honno.

Fel hyn y dywedodd Awstin Sant am Dduw: 'Mae meddwl amdanat yn cyffroi rhywun mor ddwfn fel na allwn fod yn fodlon oni bai fy mod yn dy foli, gan dy fod wedi ein gwneud ar dy gyfer di dy hun, ac mae ein calonnau yn aflonydd nes y byddant yn gorffwys ynot ti'.[3] Moliant yw'r diben y cawsom ein creu ar ei gyfer. Fel mae Catecism Westminster yn ei nodi, 'Prif ddiben dyn yw gogoneddu Duw a'i fwynhau am byth'. Dylai gynnwys ein holl bersonoliaeth, gan gynnwys ein hemosiynau. Rydym yn cael ein galw i garu, moli ac addoli Duw gyda'n *holl* allu.

Gellid dadlau bod emosiynau yn iawn yn breifat, ond beth am ddangos

"Wel, doedd dim pêl-droed yng nghyfnod Awstin Sant, yn amlwg."

emosiwn yn gyhoeddus? Yn dilyn cynhadledd yr oedd George Carey yn bresennol ynddi tra'r oedd yn Archesgob Caergaint, cafwyd gohebiaeth yn *The Times* am le emosiynau yn yr eglwys. Ysgrifennodd un dyn:

> Os yw comedi mewn sinema yn peri i bobl chwerthin, mae'r ffilm yn cael ei chyfrif fel llwyddiant; os yw drama drasiedi mewn theatr yn dod â deigryn i lygaid y gynulleidfa, mae'r cynhyrchiad yn cael ei gyfrif yn un teimladwy; os bydd gêm bêl-droed yn cynhyrfu'r gwylwyr, mae'r gêm yn cael ei chyfrif yn un gyffrous; ond os yw cynulleidfa'n cael eu cyffwrdd gan ogoniant Duw wrth addoli, pam eu bod nhw'n cael eu cyhuddo o fod yn emosiynol?

Wrth gwrs, mae yna'r fath beth â bod yn rhy emosiynol, lle mae'r emosiynau yn dod yn bwysicach na sylfaen gadarn dysgeidiaeth y Beibl. Ond fel y dywedodd cyn-Esgob Coventry, Cuthbert Bardsley, 'Nid emosiynoldeb gorffwyll yw perygl mwyaf yr eglwys Anglicanaidd'. Ein haddoliad yw ein mynegiant o'n cariad at Dduw, a dylai gynnwys popeth sydd gennym: ein meddyliau, ein calonnau, ein hewyllysiau a'n hemosiynau.

Fe gawson nhw iaith newydd

Yn yr un modd â'r Pentecost a Christnogion Effesus (Actau 19), pan gafodd y Cenedl-ddynion eu llenwi â'r Ysbryd, fe gawson nhw ddawn llefaru â thafodau. Mae'r gair am 'dafodau' yr un gair â'r un am 'ieithoedd', a'i ystyr yw gallu siarad mewn iaith nad ydych erioed wedi ei dysgu. Gallai fod yn iaith angylaidd (1 Corinthiaid 13:1), nad yw'n adnabyddus, mae'n debyg, neu gall fod yn iaith ddynol y mae modd ei hadnabod (fel y digwyddodd adeg y Pentecost). Roedd merch ifanc o'r enw Penny yn ein cynulleidfa yn gweddïo gyda merch arall. Aeth yn brin o eiriau Saesneg a dechreuodd weddïo mewn tafodau. Gwenodd y ferch honno ac yna agorodd ei llygaid a dechrau chwerthin. Dywedodd, 'Rwyt ti newydd fod yn siarad Rwseg gyda fi.' Er mai Saesnes oedd y ferch, roedd hi'n siarad Rwseg yn rhugl, ac roedd hi'n hoff iawn o'r iaith. Gofynnodd Penny iddi, 'Beth ydw i wedi bod yn ei ddweud?' Dywedodd y ferch wrthi ei bod hi wedi bod yn dweud 'Fy mhlentyn annwyl' drosodd a throsodd. Nid yw Penny'n siarad gair o Rwseg. I'r ferch honno, roedd y tri gair hwnnw'n bwysig iawn. Cafodd gadarnhâd ei bod yn bwysig yng ngolwg Duw.

Mae doniau llefaru â thafodau wedi dod â bendith fawr i nifer o bobl. Fel y gwelsom, mae'n un o ddoniau'r Ysbryd. Nid dyma'r unig ddawn, na chwaith y ddawn bwysicaf. Nid yw pob Cristion yn llefaru â thafodau, ac nid yw'n arwydd angenrheidiol eich bod wedi cael eich llenwi â'r Ysbryd. Mae'n bosibl cael eich llenwi â'r ysbryd a pheidio â llefaru â thafodau. Er hynny, i nifer, yn y Testament Newydd ac yn y bywyd Cristnogol yn gyffredinol, mae'n mynd law yn llaw â phrofiad o'r Ysbryd Glân, a gall fod yn brofiad cyntaf o weithgarwch goruwchnaturiol amlwg yr Ysbryd. Mae'r ddawn yn peri penbleth i lawer. Dyna pam fy mod i wedi rhoi tipyn o sylw i'r pwnc yn y bennod hon. Yn 1 Corinthiaid 14, mae Paul yn ymdrin â nifer o gwestiynau cyffredin.

Beth yn union yw llefaru â thafodau?

Yn ôl Paul, mae'n fath o weddi (un o sawl ffurf wahanol a geir yn y Testament Newydd), 'Oherwydd y mae'r sawl sydd yn llefaru â thafodau yn llefaru, nid wrth bobl, ond *wrth Dduw*' (1 Corinthiaid 14:2, fy mhwyslais i). Mae'n fath o weddi sy'n adeiladu'r Cristion unigol (adnod 4). Yn amlwg, mae'r doniau sy'n adeiladu'r eglwys yn uniongyrchol hyd yn oed yn fwy pwysig, ond nid yw hynny'n golygu nad yw llefaru â thafodau'n bwysig. Mantais llefaru â thafodau yw ei fod yn ffurf ar weddi sy'n mynd y tu hwnt i gyfyngiadau ieithoedd dynol. Mae'n ymddangos mai hyn oedd gan Paul dan sylw pan ddywedodd 'Oherwydd os byddaf yn gweddïo â thafodau, y mae fy ysbryd yn gweddïo, ond y mae fy meddwl yn ddiffrwyth' (1 Corinthiaid 14:14).

Mae pawb, i raddau amrywiol, yn cael eu cyfyngu gan iaith. Clywais unwaith fod gan siaradwr Saesneg iaith gyntaf eirfa sy'n cynnwys rhwng 10,000 a 20,000 o eiriau. Er hynny, roedd gan Winston Churchill eirfa o tua 50,000 gair. Ond roedd yntau, hyd yn oed, wedi'i gyfyngu i hynny. Yn aml, mae pobl yn mynd yn rhwystredig pan na fyddant yn gallu mynegi'r hyn y maent yn ei deimlo o ddifrif, hyd yn oed mewn perthynas ddynol. Maent yn teimlo pethau yn eu hysbryd, ond nid ydynt yn gwybod sut i gyfleu hynny mewn geiriau. Mae hyn yn aml yn wir am ein perthynas â Duw hefyd.

Dyma lle y gall llefaru â thafodau fod yn help mawr. Mae'n ein galluogi i fynegi wrth Dduw yr hyn yr ydym yn ei deimlo o ddifrif yn ein hysbryd heb orfod dilyn y broses o'i gyfieithu i'n hiaith ein hunain. (Fel y dywed

Paul, 'mae fy meddwl yn ddiffrwyth'.) Nid yw'n ddifeddwl; mae gan y siaradwr reolaeth lawn, a gall ddechrau neu orffen pa bryd bynnag y mae'n dymuno gwneud hynny. Er hynny, mae'n 'ddiffrwyth', gan nad yw'n mynd drwy'r broses o gyfieithu i iaith y gellir ei deall.

Ym mha feysydd y mae hyn yn helpu?

Mae tri maes lle y mae nifer o bobl wedi gweld y ddawn hon yn eithriadol o ddefnyddiol.

Yn gyntaf, ym maes *moli ac addoli*. Mae ein hiaith yn gyfyngedig iawn. Pan fydd plant (neu hyd yn oed oedolion) yn ysgrifennu llythyrau diolch, maent yn mynd yn brin o eiriau yn fuan iawn, a gwelwn fod geiriau fel 'hyfryd', 'rhyfeddol' neu 'gwych' yn cael eu hailadrodd dro ar ôl tro. Wrth foli ac addoli Duw, gall ein hiaith ein cyfyngu yn aml.

Rydym yn dyheu am gael mynegi ein cariad, ein moliant a'n canmoliaeth wrth Dduw, yn enwedig pan gawn ein llenwi â'r Ysbryd. Mae dawn llefaru â thafodau yn ein galluogi i wneud hyn heb gyfyngiadau ieithoedd dynol.

Yn ail, gall fod o gymorth mawr wrth *weddïo dan bwysau*. Mae adegau yn ein bywydau pan y bydd yn anodd gwybod yn union sut i weddïo. Gall hynny ddigwydd pan fydd pwysau, gor-bryder neu alar yn faich trwm arnom. Gweddïais dros ŵr gweddw 26 oed yr oedd ei wraig wedi marw o ganser flwyddyn ar ôl iddynt briodi. Gofynnodd am ddoniau llefaru â thafodau tra'r oeddem yn gweddïo, ac fe'u cafodd ar unwaith. Roedd fel pe bai yr holl alar, tristwch ac emosiwn a oedd yn pwyso arno yn llifo allan wrth iddo weddïo. Dywedodd wrthyf wedyn ei bod hi'n rhyddhad ei fod wedi gallu ysgafnhau'r holl feichiau hynny.

Rydw innau hefyd wedi profi hyn fy hun. Ym 1987, yn ystod cyfarfod staff yn ein heglwys, cefais neges yn dweud bod fy mam wedi cael trawiad ar y galon a'i bod yn yr ysbyty. Wrth i mi redeg ar hyd ffordd fawr i gael tacsi i'r ysbyty, ni bum i erioed mor falch o gael doniau llefaru â thafodau. Roeddwn am weddïo yn fwy nag unrhyw beth arall, ond roeddwn mewn gormod o sioc i yngan brawddegau Saesneg. Gwnaeth dawn llefaru â thafodau fy ngalluogi i weddïo'r holl ffordd i'r ysbyty a chyflwyno'r sefyllfa i Dduw.

Yn drydydd, mae nifer o bobl wedi gweld bod y ddawn yn help wrth *weddïo dros bobl eraill*. Mae'n anodd gweddïo dros eraill – yn enwedig os nad ydych wedi eu gweld na clywed ganddynt ers peth amser. Efallai mai ein gweddi mwyaf manwl fyddai 'Arglwydd, rho dy fendith arnyn nhw'. Gall fod o fudd mawr dechrau gweddïo drostynt drwy lefaru â thafodau. Yn aml, wrth i ni wneud hynny, mae Duw yn rhoi'r geiriau i ni weddïo yn ein hiaith ein hun.

Nid yw'n hunanol os ydym am weddïo drwy lefaru â thafodau. Er bod y 'sawl sy'n llefaru â thafodau yn ei adeiladu ei hun' (1 Corinthiaid 14:4), gall yr effeithiau anuniongyrchol fod yn fawr iawn. Mae Jackie Pullinger yn disgrifio'r trawsnewid a fu yn ei gweinidogaeth pan ddechreuodd ddefnyddio'r ddawn:

> Roeddwn yn ddeddfol yn gweddïo am 15 munud bob dydd yn iaith yr ysbryd, a doeddwn i'n dal ddim yn teimlo unrhyw beth wrth i mi ofyn i'r Ysbryd fy helpu i eiriol dros y rhai yr oedd ef eisiau eu cyrraedd. Ar ôl chwe wythnos, dechreuais arwain pobl at Iesu heb drïo. Roedd gangsters yn syrthio ar eu gliniau yn y strydoedd, merched yn cael eu hiacháu, rhai a oedd yn gaeth i heroin yn cael eu rhyddhau'n wyrthiol. Ac roeddwn yn gwybod nad fi oedd yn gwneud hyn.

Roedd hefyd yn borth iddi dderbyn doniau eraill yr Ysbryd:

> Gyda fy ffrindiau, dechreuais ddysgu am ddoniau eraill yr Ysbryd, a chawsom flwyddyn neu ddwy o weinidogaeth gofiadwy. Cafodd degau o gangsters a phobl gefnog, myfyrwyr ac eglwyswyr, dröedigaeth at y ffydd, ac fe gafodd pob un ohonynt iaith newydd i'w defnyddio i weddïo'n breifat, a doniau eraill i'w defnyddio wrth gyfarfod gyda'i gilydd. Gwnaethom agor sawl cartref i rai a oedd yn gaeth i heroin, a chafodd pob un eu rhyddhau o gaethiwed i gyffuriau yn ddi–boen oherwydd grym yr Ysbryd Glân.[4]

A yw Paul yn cymeradwyo llefaru â thafodau?

Cyd-destun 1 Corinthiaid 14 yw gor-ddefnyddio llefaru â thafodau yn gyhoeddus yn yr eglwys. Mae Paul yn dweud, *'yn yr eglwys,* y mae'n well gennyf lefaru pum gair â'm deall, er mwyn hyfforddi eraill, na deng mil o eiriau â thafodau' (adnod 19, fy mhwyslais i). Ni fyddai llawer o bwynt i Paul gyrraedd Corinth a phregethu drwy lefaru â thafodau. Ni fyddent yn gallu deall oni bai bod rhywun yno i gyfieithu'r hyn a oedd yn ei ddweud. Felly, mae'n rhoi canllawiau ar gyfer llefaru â thafodau yn gyhoeddus (adnod 27).

Er hynny, mae Paul yn nodi'n glir na ddylid gwahardd llefaru â thafodau (adnod 39). O ran defnyddio'r ddawn hon yn breifat (ar ein pennau ein hunain gyda Duw), mae'n annog hynny'n gryf. Mae'n dweud, 'Mi hoffwn ichwi i gyd lefaru â thafodau' (adnod 5) a, 'Diolch i Dduw, yr wyf fi'n llefaru â thafodau yn fwy na chwi i gyd' (adnod 18). Nid yw hyn yn golygu bod yn rhaid i bob Cristion lefaru â thafodau, nac ein bod yn Gristnogion eilradd os nad ydym yn llefaru â thafodau. Nid oes y fath beth â Christnogion dosbarth cyntaf – na Christnogion ail ddosbarth. Nid yw'n golygu, chwaith, nad yw Duw yn ein caru ni gymaint ag eraill os nad ydym eto'n llefaru â thafodau. Er hynny, mae llefaru â thafodau yn fendith gan Dduw.

Sut ydym yn cael y ddawn o lefaru â thafodau?

Mae rhai'n dweud, 'nid ydw i eisiau gallu llefaru â thafodau.' Ni fydd Duw byth yn eich gorfodi i dderbyn dawn. Mae llefaru â thafodau yn un o nifer o ddoniau rhyfeddol yr Ysbryd, ac nid yr unig ddawn o bell ffordd, fel y gwelsom yn y bennod flaenorol. Fel pob dawn, mae'n rhaid ei derbyn drwy ffydd.

Nid yw pob Cristion yn llefaru â thafodau, ond nid oes rheswm pam na ddylai unrhyw un sydd eisiau'r ddawn hon ei derbyn. Nid yw Paul yn dweud mai llefaru â thafodau yw popeth yn y bywyd Cristnogol; mae'n dweud ei bod yn ddawn ddefnyddiol dros ben. Os ydych yn dymuno ei derbyn, nid oes rheswm pam na ddylech ei chael.

Fel holl ddoniau Duw, mae'n rhaid i ni gydweithredu â'i Ysbryd. Nid yw Duw yn gorfodi ei ddoniau arnom. Pan ddechreuais weddïo am y ddawn, cedwais fy ngheg wedi ei chau'n dynn! Yna, eglurodd rhywun wrthyf fod yn rhaid i mi gydweithredu ag Ysbryd Duw os oeddwn eisiau'r ddawn o lefaru â thafodau, gan agor fy ngheg a dechrau siarad â Duw mewn iaith ac eithrio'r rhai a oedd yn hysbys i mi. Wrth i mi wneud hynny, dechreuodd y geiriau lifo, a chefais hefyd ddoniau llefaru â thafodau.

Beth yw'r pethau cyffredin sy'n rhwystro pobl rhag cael eu llenwi â'r Ysbryd?

Ar un achlysur, roedd Iesu'n siarad gyda'i ddisgyblion am weddi a'r Ysbryd Glân (Luc 11:9–13). Yn y darn hwnnw, mae'n ymdrin â rhai o'r prif anawsterau y gallem eu cael wrth dderbyn gan Dduw.

Amheuaeth

Mae gan bobl nifer o amheuon yn ymwneud â'r maes hwn yn gyffredinol, a'r brif amheuaeth yw, 'os gofynnaf, a fyddaf yn ei gael?' Dywedodd Iesu yn syml: 'yr wyf fi'n dweud wrthych: gofynnwch, ac fe roddir i chwi' (Luc 11). Mae'n rhaid bod Iesu wedi gweld eu bod ychydig yn amheugar gan ei fod yn ailadrodd hynny mewn ffordd wahanol: 'ceisiwch, ac fe gewch.'

Ac unwaith eto, mae'n dweud am y trydydd tro: 'curwch, ac fe agorir i chwi.'

Mae'n gwybod am y natur ddynol, felly mae'n mynd ymlaen at y pedwerydd ymadrodd: 'Oherwydd y mae pawb sy'n gofyn yn derbyn.'

Nid ydynt wedi eu hargyhoeddi, felly mae'n dweud am y pumed tro: 'a'r sawl sy'n ceisio yn cael.'

Unwaith eto, am y chweched tro: 'ac i'r un sy'n curo agorir y drws.'

Pam ei fod yn dweud yr un peth chwe gwaith? Am ei fod yn gwybod sut rai ydym ni. Rydym yn cael anhawster mawr credu y byddai Duw yn rhoi unrhyw beth i ni – heb sôn am rywbeth mor anarferol a rhyfeddol â'i Ysbryd Glân a'r doniau sy'n dod gyda'r Ysbryd.

Ofn

Hyd yn oed os byddwn wedi goresgyn y glwyd gyntaf, sef amheuaeth, mae rhai ohonom yn baglu ar y glwyd nesaf, sef ofn. Ofn beth fyddwn yn ei gael. A fydd yn rhywbeth da?

Mae Iesu'n defnyddio cyfatebiaeth y tad dynol. Pe bai plentyn yn gofyn am bysgodyn, ni fyddai'r un tad yn rhoi neidr iddo. Pe bai plentyn yn gofyn am wy, ni fyddai'r un tad yn rhoi sgorpion iddo (Luc 11:11-12). Mae'n anghredadwy y byddem yn trin ein plant felly. Mae Iesu'n mynd yn ei flaen i ddweud ein bod yn ddrwg mewn cymhariaeth â Duw! Os na fyddem yn trin ein plant felly, mae y tu hwnt i'n hamgyffred y byddai Duw yn ein trin ni felly. Nid yw'n mynd i'n siomi. Os gofynnwn am yr Ysbryd Glân a'r holl ddoniau rhyfeddol a ddaw yn ei sgîl, dyna'n union a gawn (Luc 11:13).

Annigonolrwydd

Wrth gwrs, mae'n bwysig ein bod yn maddau ac nad oes pechod arall yn ein bywydau, ac ein bod wedi troi ein cefn ar bopeth gwyddom ei fod anghywir. Er hynny, hyd yn oed ar ôl i ni wneud hynny, yn aml mae gennym ryw deimlad o fod yn annheilwng ac annigonol. Ni allwn gredu y byddai Duw yn rhoi unrhyw beth i ni. Gallwn gredu y byddai'n rhoi doniau i 'uwch' Gristnogion, ond nid i ni. Ond nid yw Iesu yn dweud, 'gymaint mwy y rhydd y Tad nefol yr Ysbryd Glân i'r 'uwch Gristnogion' sy'n gofyn ganddo.' Mae'n dweud, 'gymaint mwy y rhydd y Tad nefol yr Ysbryd Glân *i'r rhai sy'n gofyn ganddo*' (Luc 11:13, fy mhwyslais i).

Os hoffech gael eich llenwi gyda'r Ysbryd, efallai yr hoffech ddod o hyd i rywun a fyddai'n gweddïo drosoch. Os nad oes gennych unrhyw un a fyddai'n gallu gweddïo drosoch, nid oes unrhyw beth i'ch rhwystro rhag gweddïo ar eich pen eich hun. Mae rhai yn cael eu llenwi gyda'r Ysbryd heb dderbyn doniau llefaru â thafodau. Nid yw'r ddau beth yn dod law yn llaw o angenrheidrwydd. Ac eto, yn y Testament Newydd, ac yn ein profiad ni, maent yn aml yn mynd gyda'i gilydd. Nid oes rheswm pam na ddylem weddïo am y ddau beth.

Os ydych yn gweddïo ar eich pen eich hun:

1. Gofynnwch i Dduw faddau i chi am unrhyw beth a allai fod yn rhwystr i chi dderbyn ganddo.

2. Trowch i ffwrdd oddi wrth unrhyw ran o'ch bywyd yr ydych yn gwybod ei fod yn anghywir.

3. Gofynnwch i Dduw eich llenwi â'i Ysbryd. Parhewch i'w geisio nes dewch o hyd iddo. Parhewch i guro nes agorir i chi. Ceisiwch Dduw gyda'ch holl galon.

4. Os hoffech dderbyn doniau llefaru â thafodau, gofynnwch am hynny. Yna, agorwch eich ceg a dechreuwch foli Duw mewn unrhyw iaith ac eithrio eich mamiaith ac ieithoedd eraill sy'n hysbys i chi.

5. Credwch fod yr hyn y byddwch yn ei gael yn dod gan Dduw. Peidiwch â gadael i unrhyw un ddweud wrthych eich bod chi wedi dyfeisio'r cyfan. (Mae'n fwy na thebyg na fyddwch wedi gwneud hynny.)

6. Daliwch ati. Mae'n cymryd amser i ddatblygu ieithoedd. Mae'r rhan fwyaf ohonom yn dechrau gyda geirfa gyfyngedig iawn. Yn raddol, bydd yn datblygu. Mae llefaru â thafodau yn union felly. Mae'n cymryd amser i ddatblygu'r ddawn. Ond peidiwch â rhoi'r gorau iddi.

7. Os ydych wedi gweddïo am unrhyw ddawn arall, chwiliwch am gyfleoedd i'w defnyddio. Cofiwch fod yn rhaid i bob dawn gael ei datblygu trwy ei defnyddio.

Nid profiad untro yw cael eich llenwi â'r Ysbryd. Cafodd Pedr ei lenwi â'r Ysbryd deirgwaith rhwng penodau 2 a 4 yn Actau'r Apostolion (Actau 2:4; 4:8, 31). Pan mae Paul yn dweud, 'llanwer chwi â'r Ysbryd' (Effesiaid 5:18), mae'n defnyddio'r ferf bresennol barhaus, gan eu hannog hwy a ninnau i fynd yn ein blaen a chael ein llenwi gyda'r Ysbryd.

SUT Y GALLAF WRTHSEFYLL DRYGIONI?

Mae cysylltiad agos rhwng da a Duw, a drwg a'r diafol. Yn wir, yn y Saesneg, un llythyren sy'n wahanol rhwng *good* a *God* ac *evil* a *devil*! Y tu ôl i rym daioni ceir Daioni ei hunan. Y tu ôl i'n dymuniadau drwg ein hunain a themtasiynau'r byd, boed yn uniongyrchol neu'n anuniongyrchol, y mae'r ymgorfforiad o ddrygioni – y diafol.

Gan fod cymaint o ddrygioni yn y byd, mae rhai yn ei chael yn haws credu yn y diafol nag yn Nuw. 'Cyn belled â bod Duw yn y cwestiwn, nid ydw i'n credu ynddo ... ond o ran y diafol – wel, mae hynny'n fater gwahanol ... mae'r diafol yn dal i hysbysebu ... mae'r diafol yn gwneud llawer o hysbysebion,' meddai William Peter Blatty, a ysgrifennodd ac a gynhyrchodd *The Exorcist*.[1]

Ar y llaw arall, mae nifer o bobl yn y byd Gorllewinol yn ei chael yn anoddach credu yn y diafol na chredu yn Nuw. Efallai bod hyn wedi ei seilio'n rhannol ar ddelwedd ffug o sut un yw'r diafol. Os yw'r ddelwedd o Dduw fel hen ŵr barfog yn eistedd ar gwmwl yn absŵrd ac anhygoel, felly'n union y mae'r ddelwedd o ddiafol â chyrn, carnau hollt a chynffon fforchog.

Unwaith y byddwn yn credu mewn Duw trosgynnol, mewn rhai ffyrdd mae'n rhesymol credu mewn diafol.

Nid yw credu mewn grym drygionus trosgynnol yn ychwanegu at yr anawsterau a geir mewn credu mewn grym daionus trosgynnol. Yn wir, mae'n eu lliniaru rhywfaint. Oherwydd pe na bai Satan yn bod, byddai'n anodd peidio â dod i'r casgliad fod Duw yn gythraul, yn un peth oherwydd yr hyn mae'n ei wneud, ym myd natur, a'r hyn mae'n ei ganiatáu yn nrygioni y ddynolryw.[2]

Yn ôl safbwynt y Beibl ar y byd, mae'r diafol yn llechu y tu ôl i ddrygioni'r byd. Mae'r gair Groeg am y diafol, *diabolos*, yn gyfieithiad o'r gair Hebraeg *satan*. Nid ydym yn cael gwybod rhyw lawer am darddiad Satan yn y Beibl. Mae awgrym y gallai fod wedi bod yn angel syrthiedig (Eseia 14:12–23). Mae'n ymddangos ar brydiau yn llyfrau'r Hen Destament (Job 1; 1 Cronicl 21:1). Nid grym yn unig ydyw, mae'n berson.

Cawn ddarlun cliriach o'i weithgarwch yn y Testament Newydd. Yno, gwelwn fod y diafol yn fod personol ac ysbrydol sy'n gwrthryfela'n egnïol yn erbyn Duw, ac sy'n arwain nifer o gythreuliaid fel ei hun. Mae Paul yn dweud wrthym am 'sefyll yn gadarn yn erbyn cynllwynion y diafol. Nid â meidrolion yr ydym yn yr afael, ond â thywysogaethau ac awdurdodau, ... â phwerau ysbrydol drygionus yn y nefolion leoedd' (Effesiaid 6:11–12).

Dylid cydnabod gallu'r diafol a'i angylion, yn ôl Paul. Mae nhw'n gyfrwys ('cynllwynion y diafol' adnod 11). Mae nhw'n rymus ('tywysogaethau', 'awdurdodau' a 'llywodraethwyr' adnod 12). Mae nhw'n ddrygionus ('pwerau... drygionus' adnod 12). Gan hynny, ni ddylem synnu pan fyddwn yn wynebu ymosodiad grymus gan y gelyn.

Pam y dylem gredu yn y Diafol?

Yn gyntaf, mae'r dystiolaeth yn y Beibl. Nid yw hynny'r un fath â dweud bod y Beibl yn canolbwyntio ar y diafol. Nid yw Satan yn cael ei grybwyll yn aml iawn yn yr Hen Destament, a dim ond yn y Testament Newydd y mae'r athrawiaeth yn cael ei datblygu'n llawnach. Mae'n amlwg bod Iesu'n credu ym modolaeth Satan, a chafodd ei demtio ganddo. Roedd yn aml yn bwrw allan gythreuliaid, gan ryddhau pobl o afael grymoedd drygionus a phechod eu bywydau, a rhoddodd awdurdod i'w ddisgyblion i wneud yr un fath. Yng Ngweddi'r Arglwydd, dysgodd ni i weddïo, 'gwared ni rhag drwg.' Yn y Testament Newydd, mae nifer o gyfeiriadau at waith y diafol (1 Pedr 5:8-11; Effesiaid 6:1-12).

Yn ail, mae Cristnogion ar hyd y canrifoedd, bron â bod, wedi credu ym modolaeth y diafol. Roedd diwinyddion yr Eglwys Fore, y Diwygwyr, yr efengylwyr mawr fel Wesley a Whitefield, a'r mwyafrif helaeth o ddynion a merched Duw, yn gwybod bod grymoedd ysbrydol drygionus difrifol ar waith. Cyn gynted ag y byddwn yn dechrau gwasanaethu'r Arglwydd, mae'n ennyn diddordeb y diafol. Gall credinwyr newydd gael syndod o ganfod eu bod yn profi rhagor o demtasiynau ar ôl rhoi eu ffydd yng Nghrist.

Yn drydydd, mae'n gwneud synnwyr o'r byd; mae'n rhesymol credu ym modolaeth y diafol. Mae unrhyw safbwynt ar y byd sy'n anwybyddu bodolaeth diafol personol yn gorfod egluro llawer iawn o bethau: cyfundrefnau drygionus, artaith a thrais sefydliadol, llofruddiaethau torfol, trais rhywiol ciaidd, masnachu cyffuriau ar raddfa fawr, erchyllterau terfysgol, cam-drin plant yn rhywiol a chorfforol, gweithgarwch yr ocwlt a defodau satanaidd.

Ar 13 Mawrth 1996, aeth dyn 44 oed o'r enw Thomas Hamilton i gampfa ysgol gynradd yn Dunblane yn yr Alban, a dechrau saethu tuag at ddosbarth o blant pump a chwe mlwydd oedd. Mae hon yn un o sawl cyflafan erchyll a ddigwyddodd mewn ysgolion yn ystod y blynyddoedd diwethaf. Y tro hwn, lladdwyd 16 o blant ysgol ynghyd â'u hathro, a chafodd 17 eu clwyfo. Dywedodd y pennaeth fod: 'Drygioni wedi ymweld â'n hysgol'.

Mae'r ysgrythur, traddodiad a rhesymeg yn ein cyfeirio at fodolaeth y diafol. Er hynny, nid yw'n golygu fod angen i ni fod ag obsesiwn am y pwnc. Fel y pwysleisiodd C. S. Lewis, 'Mae dau gam gwag cydradd a chyferbyniol y mae ein hil yn eu cymryd o ran cythreuliaid. Un yw peidio â chredu eu bod yn bodoli. Y llall yw credu, a dangos diddordeb gormodol ac afiach ynddynt. Mae'r cythreuliaid eu hunain yr un mor fodlon ar y ddau gam gwag, ac yn cyfarch pobl faterol a chonsurwyr â'r un llawenydd.'[3]

Yn ein cymdeithas heddiw, mae diddordeb sylweddol mewn pethau dieflig; pa un ai ysbrydegaeth, dweud ffortiwn, byrddau ouija, cyfathrebu â'r meirw, sêr-ddewiniaeth, horosgopau, dewiniaeth neu bwerau'r ocwlt. Mae ymwneud â'r pethau hyn yn cael ei wahardd yn llwyr yn yr Ysgrythur (Deuteronomium 18:10; Lefiticus 19:20ff; Galatiaid 5:19ff; Datguddiad 21:8; 22:15). Wrth gwrs, mae nifer ohonom wedi ymwneud â'r pethau hyn yn y gorffennol. Cyn i mi ddod yn Gristion, nid oeddwn yn meddwl bod perygl o gwbl mewn arbrofi gyda byrddau ouija; roedd yn ymddangos yn dipyn o hwyl. Hefyd, mae nifer o bobl yn archwilio'r pethau hyn am eu bod yn chwilio am brofiad ysbrydol ond heb wybod ymhle y dylent chwilio. Diolch i'r drefn, nid yw'r rhain yn bechodau na ellir cael maddeuant amdanynt. Os ydym wedi ymhél ag unrhyw rai o'r rhain, mae modd i ni gael maddeuant. Mae angen i ni edifarhau a chael gwared ar unrhyw beth sy'n gysylltiedig â'r gweithgarwch hwnnw, fel llyfrau, swyndlysau, DVDs a chylchgronau (Actau 19:19).

Gall Cristnogion, hefyd, fod â gormod o ddiddordeb yn y pethau hyn. Dangosodd rhywun oedd yn newydd i Gristnogaeth gwpl o lyfrau i mi a oedd yn honni eu bod yn Gristnogol, ond roedd yr holl bwyslais ar waith y diafol – gyda llawer o le wedi ei roi i ddamcaniaethu ynghylch rhif y bwystfil yn Llyfr y Datguddiad, a chysylltu hyn â chardiau credyd! Roedd y bwriad yn un da, rwy'n siŵr, ond nid oedd canolbwyntio'r sylw ar waith y diafol yn iach yn fy marn i. Nid oes y fath sylw â hyn iddo yn y Beibl. Mae'r sylw bob amser yn cael ei roi i Dduw.

Beth yw tactegau'r Diafol?

Prif nod Satan yw dinistrio pob bod dynol. Dywedodd Iesu, 'Ni ddaw'r lleidr ond i ladrata ac i ladd ac i ddinistrio...' (Ioan 10:10). Mae'r diafol am i ni ddilyn llwybr sy'n arwain at ddistryw. I'r perwyl hwn, mae'n ceisio rhwystro unrhyw un rhag dod i ffydd yn Iesu Grist. Mae Paul yn dweud wrthym: 'yr anghredinwyr y dallodd duw'r oes bresennol [y diafol] eu meddyliau, rhag iddynt weld goleuni Efengyl gogoniant Crist, delw Duw' (2 Corinthiaid 4:4).

Cyn belled â'n bod yn dilyn llwybr Satan a bod ein llygaid yn cael eu dallu, byddwn yn debyg o fod yn gwbl anymwybodol o'i dactegau. Unwaith y byddwn yn dechrau cerdded ar hyd y llwybr sy'n arwain at fywyd, ac y bydd ein llygaid yn cael eu hagor i'r gwirionedd, byddwn yn dod yn ymwybodol fod y diafol yn ymosod arnom.

Mae'r ymosodiad cyntaf yn aml yn ymwneud ag amheuaeth. Gwelwn hyn ym mhenodau agoriadol Genesis, lle mae'r gelyn, ar ffurf sarff, yn dweud wrth Efa, 'A wnaeth Duw o *ddifrif* ddweud ...?' Ei symudiad cyntaf yw plannu amheuaeth yn ei meddwl.

Gwelwn yr un dacteg yn nhemtiad Iesu. Daw'r diafol ato a dweud, '*Os* Mab Duw wyt ti...' (Mathew 4:3, fy mhwyslais i). Yn gyntaf, mae'n codi amheuon, yna daw'r temtasiynau. Nid yw ei dactegau wedi newid. Mae'n parhau i blannu amheuon yn ein meddyliau: 'A ddywedodd Duw o *ddifrif* fod gwneud hyn a'r llall yn anghywir?' neu, '*Os* ydych yn Gristion ...' Mae'n ceisio tanseilio ein hyder yn yr hyn y mae Duw wedi ei ddweud ac yn ein perthynas ag ef. Mae angen i ni gydnabod ffynhonnell nifer o'n hamheuon.

Codi amheuon a arweiniodd at y prif ymosodiadau ar Efa yng Ngardd

Eden ac Iesu yn yr anialwch. Weithiau, mae Satan yn cael ei ddisgrifio fel 'y temtiwr' (Mathew 4:2) ac yn Genesis 3, datgelir y ffordd y mae'n gweithio.

Yn Genesis 2:16–17, rhoddodd Duw ganiatâd pellgyrhaeddol i Adda ac Efa ('[Cewch] fwyta'n rhydd o bob coeden yn yr ardd'), un gwaharddiad ('ond ni [chewch] fwyta o bren gwybodaeth da a drwg') ac yna fe'u rhybuddio am y gosb pe byddent yn anufuddhau ('oherwydd y dydd y [bwytewch] ohono ef, [byddwch yn] sicr o farw').

Mae Satan yn anwybyddu cwmpas eang yr hyn a ganiateir ac yn canolbwyntio ar yr un gwaharddiad, ac yna mae'n ei orliwio (Genesis 3:1). Nid yw ei dactegau wedi newid. Mae'n dal i anwybyddu'r hyn a ganiateir. Mae'n anwybyddu'r ffaith fod Duw wedi rhoi popeth i ni eu mwynhau'n helaeth (1 Timotheus 6:17). Mae'n anwybyddu'r fraint anhygoel o berthynas gyda Duw: perthnasau'n cael eu trawsnewid, ein bywyd yn cael ei gyfoethogi a nifer di-ri o bethau eraill y mae Duw yn eu cynnig i'r rhai sy'n ei adnabod a'i garu. Mae hefyd yn anwybyddu'r holl bethau rhyfeddol y mae Duw yn eu rhoi i bawb: perthynas, teulu, y greadigaeth gyfan, harddwch trawiadol ein byd, celfyddyd, cerddoriaeth, llenyddiaeth, chwaraeon, bwyd a diod; yr holl bleserau heb euogrwydd. Nid yw'n dweud wrthym am y pethau hyn. Yn hytrach, mae'n canolbwyntio ar restr fechan, ddiddychymyg o waharddiadau nad yw Cristionogion yn cael eu gwneud, gan ein hatgoffa dro ar ôl tro na allwn gymryd cyffuriau, hawlio arian yn annheg na bod yn llac ein moesau. Dim ond nifer cymharol fychan o bethau y mae Duw yn ein gwahardd rhag eu gwneud, ac mae rhesymau da iawn pam ei fod yn eu gwahardd.

Yn olaf, mae Satan yn gwadu'r gosb. Mae'n dweud 'Na! ni fyddwch farw' (Genesis 3:4). Mewn ffordd, mae'n dweud na ddaw niwed i chi os gwnewch chi anufuddhau i orchymyn Duw. Mae'n awgrymu wrthym mai difetha ein hwyl y mae Duw, nad ydi Duw eisiau'r gorau i ni yn ein bywydau, ac y byddwn ar ein colled os na wnawn anufuddhau. Yn wir, y gwrthwyneb sy'n digwydd, fel y gwelodd Adda ac Efa. Anufudd-dod sy'n peri i ni golli cymaint o'r hyn yr oedd Duw wedi ei fwriadu ar ein cyfer.

Yn yr adnodau sy'n dilyn, gwelwn ganlyniadau anufuddhau i Dduw. Yn gyntaf, daw cywilydd ac annifyrrwch. Teimlodd Adda ac Efa yn noeth, a dechrau cuddio pethau (adnod 7). Byddem ni eisiau gadael yr ystafell yn gyflym iawn pe bai pob cam yr ydym wedi'i gymryd, a rhestr o bopeth yr ydym wedi'i feddwl, yn cael ei ddangos ar sgrîn. Yn y bôn, mae ein pechod yn gwneud i bob un ohonom deimlo cywilydd ac annifyrrwch. Nid ydym eisiau i bobl ddod i wybod am ein camweddau. Fe wnaeth Syr Arthur Conan Doyle, awdur y storïau *Sherlock Holmes*, chwarae tric ar ddeuddeg o ddynion unwaith. Roedden nhw i gyd yn ddynion adnabyddus iawn ac uchel eu parch, yn cael eu cydnabod fel pileri'r sefydliad. Anfonodd delegram at bob un ohonynt, gyda'r un neges i bob un: 'Ffo ar unwaith. Mae popeth yn hysbys.' O fewn pedair awr ar hugain, roedd pob un ohonynt wedi gadael y wlad! Mae gan bron pob un ohonom rywbeth yn ein bywyd sy'n codi cywilydd arnom; rhywbeth na fyddem eisiau i bawb wybod amdano. Rydym yn aml yn codi rhwystrau o'n hamgylch i osgoi'r posibilrwydd y daw rhywun i wybod.

Y cam nesaf oedd bod y cyfeillgarwch rhwng Adda ac Efa a Duw wedi'i dorri. Pan glywson nhw Dduw yn dod, fe wnaethon nhw guddio (adnod 8). Mae nifer o bobl yn cuddio oddi wrth Dduw heddiw. Nid ydynt am wynebu'r posibilrwydd ei fod yn bodoli. Fel Adda, maent yn ofnus (adnod 10). Mae gan rai ofn mawr mynd i'r eglwys neu gymysgu â Christnogion. Dywedodd cwpl yn ein cynulleidfa wrthyf am chwaraewr rygbi 16 stôn o Awstralia yr oeddent wedi'i wahodd i'r eglwys. Gadawodd y tŷ yn iawn, ond yna dechreuodd grynu yn y car. Dywedodd, 'Alla i ddim mynd. Mae gormod o ofn arnaf i fynd i'r eglwys.' Ni allai edrych ar Dduw. Roedd bwlch rhyngddo ef a Duw, yn union fel yr oedd Adda ac Efa wedi eu gwahanu oddi wrth Dduw. Ar unwaith, fe wnaeth Duw geisio eu tynnu yn ôl i berthynas gydag ef. Galwodd ar Adda, 'Ble'r wyt ti?' (adnod 9). Mae'n dal i alw.

Yna, mae bwlch rhwng Adda ac Efa eu hunain. Mae Adda yn rhoi'r bai ar Efa. Mae Efa yn rhoi'r bai ar y diafol. Ond roedden nhw, fel yr ydym ni, yn gyfrifol am eu pechod eu hunain. Ni allwn feio Duw, nac unrhyw un arall, nac hyd yn oed y diafol (Iago 1:13–15). Gwelwn hyn yn ein cymdeithas heddiw. Pan fydd pobl yn troi oddi wrth Dduw, maent yn dechrau brwydro gyda'i gilydd. Rydym yn gweld perthynas ar ôl perthynas yn methu bob man y byddwn yn troi: priodasau'n chwalu, cartrefi'n ymrannu, y berthynas rhwng cydweithwyr yn methu, rhyfeloedd cartref a gwrthdaro byd-eang.

Yn olaf, yn y disgrifiad o'r modd y gwnaeth Duw gosbi Adda ac Efa (adnod 14 ymlaen) gwelwn eu bod wedi cael eu twyllo gan Satan. Fe welwn sut yr oedd y twyll hwn wedi arwain Adda ac Efa oddi wrth Dduw ac at lwybr yr oedd Satan yn gwybod, o'r dechrau, y byddai'n eu harwain i ddistryw.

Fe welwn mai temtiwr yw Satan, un sy'n codi amheuon, un sy'n twyllo ac yn dinistrio. Mae hefyd yn gyhuddwr. Mae'r gair Hebraeg am Satan yn golygu 'cyhuddwr' neu 'athrodwr'. Mae'n cyhuddo Duw gerbron ei bobl. Duw sy'n cael y bai am bopeth. Mae'n dweud na ddylid ymddiried yn Nuw. Yn ail, mae'n cyhuddo Cristnogion gerbron Duw (Datguddiad 12:10). Mae'n gwadu grym marwolaeth Iesu. Mae'n ein condemnio ac yn gwneud i bob un ohonom deimlo'n euog – nid am unrhyw bechod penodol, ond gyda theimlad cyffredinol ac annelwig o bechod. Yn groes i hynny, pan fydd yr Ysbryd Glân yn tynnu sylw at bechod, mae'n gwneud hynny er mwyn i ni allu troi ein cefn ar y pechod hwnnw.

Nid yw temtasiwn yr un peth â phechod. Weithiau mae'r diafol yn plannu hedyn yn eich meddwl, a bydd pawb ohonom yn gwybod fod yr hedyn hwnnw'n anghywir. Bryd hynny, mae gennym ddewis; ei dderbyn neu ei wrthod. Os byddwn yn ei dderbyn, byddwn ar ein ffordd i bechod. Os byddwn yn ei wrthod, fe wnawn yr hyn a wnaeth Iesu. Cafodd ef 'ei demtio ym mhob peth, yn yr un modd â ni, ac eto heb bechod' (Hebreaid 4:15). Pan blannodd Satan hadau drygionus yn ei feddwl, fe wrthododd nhw. Ond yn aml, cyn i ni gael cyfle i benderfynu'r naill ffordd neu'r llall, mae Satan yn ein cyhuddo. Mewn amrantiad, mae'n dweud, 'Edrych arnat ti! Wyt ti'n galw dy hun yn Gristion? Beth oeddet ti'n ei feddwl? Alli di ddim bod yn Gristion. Am beth ofnadwy i'w feddwl!' Mae eisiau i ni gytuno a dweud 'O na! Alla i ddim bod yn Gristion,' neu, 'O na! Rydw i wedi ei gwneud hi rŵan, felly dydi hi ddim ots os gwna i fwy o lanast o bethau!' Byddwn ar lethr am i lawr, a dyma ei nod. Tactegau condemnio a chyhuddo yw'r rhain. Os yw'n gallu ennyn euogrwydd ynom, mae'n gwybod y gallem feddwl: 'Nid yw'n gwneud gwahaniaeth yn awr os byddaf yn ei wneud ai peidio. Rydw i wedi methu'n barod.' Felly, rydym yn ei wneud ac mae temtasiwn yn troi'n bechod.

Mae ef am i fethiant fod yn batrwm yn ein bywydau. Mae'n gwybod po fwyaf y byddwn yn syrthio i bechod, y mwyaf y bydd pechod yn dechrau rheoli ein bywydau. Efallai na fydd y chwistrelliad cyntaf o heroin yn ddigon iddo gael gafael arnoch chi, ond os chwistrellwch ef ddydd ar ôl dydd, fis ar ôl mis, flwyddyn ar ôl blwyddyn, bydd yn gafael ynoch a byddwch yn dod yn gaeth iddo. Bydd wedi gafael ynoch chi o ddifrif. Os byddwn yn disgyn i batrwm o wneud pethau yr ydym yn gwybod eu bod yn anghywir, bydd y pethau hynny'n cael gafael ar ein bywydau. Byddwn yn dod yn gaeth, a byddwn ar y llwybr y mae Satan yn dymuno i ni ei ddilyn – yr un sy'n arwain at ddistryw (Mathew 7:13).

Beth yw ein sefyllfa?

Fel Cristnogion, mae Duw wedi ein hachub 'o afael y tywyllwch, a'n trosglwyddo i deyrnas ei annwyl Fab' (Colosiaid 1:13). Cyn i ni fod yn Gristnogion, roeddem yn nheyrnas y tywyllwch, yn ôl Paul. Roedd Satan yn ein rheoli, ac roeddem yn agored i bechod, caethwasiaeth, marwolaeth a distryw. Dyna sut beth yw teyrnas y tywyllwch.

Yn awr, meddai Paul, rydym wedi cael ein trosglwyddo i deyrnas y goleuni. Y foment y byddwn yn dod at Grist, cawn ein trosglwyddo o dywyllwch i oleuni, ac yn nheyrnas y goleuni, Iesu yw'r Brenin. Mae yno faddeuant, rhyddid, bywyd ac iachawdwriaeth. Unwaith y byddwn wedi cael ein trosglwyddo, byddwn yn perthyn i rywun arall: i Iesu Grist a'i deyrnas.

Yn 2003, talodd y clwb pêl-droed enwog o Sbaen, Real Madrid, £24.5 miliwn am David Beckham, a drosglwyddodd o glwb Manchester United. Dychmygwch fod Beckham, tra'r oedd yn chwarae i Real Madrid, wedi cael galwad ffôn un diwrnod gan Alex Ferguson, ei gyn-reolwr ym Manchester United, yn dweud, 'Pam nad oeddet ti'n ymarfer bore 'ma?' Byddai wedi dweud, 'Nid ydw i'n gweithio i ti erbyn hyn. Rydw i wedi cael fy nhrosglwyddo. Rydw i'n gweithio i glwb arall.'

Mewn ffordd lawer mwy rhyfeddol, rydym wedi cael ein trosglwyddo o deyrnas y tywyllwch, lle mae Satan yn rheoli, i deyrnas Dduw, lle mae Iesu'n rheoli. Pan fydd Satan yn gofyn i ni wneud ei gwaith, ein hateb yw, 'nid ydw i'n perthyn i ti mwyach.'

Mae Satan yn elyn a goncrwyd (Luc 10:17–20). Ar y groes, fe wnaeth Iesu ddiarfogi 'y tywysogaethau a'r awdurdodau, a'u gwneud yn sioe gerbron y byd yng ngorymdaith ei fuddugoliaeth arnynt ar y groes.' (Colosiaid 2:15). Cafodd Satan a'i holl weision bach eu trechu ar y groes, a dyna pam fod gan Satan a'i gythreuliaid cymaint o ofn enw Iesu (Actau 16:18). Mae'n eu hatgoffa o'r ffaith iddynt gael eu trechu.

Roedd y groes yn fuddugoliaeth fawr dros Satan, ac rydym yn awr yn byw yng nghyfnod y clirio ar ôl y digwyddiad. Er nad yw'r gelyn wedi ei ddinistrio eto, a'i fod yn dal yn gallu clwyfo, mae wedi cael ei ddiarfogi, ei drechu, ac mae'r gwynt wedi ei dynnu o'i hwyliau. Daw'r dydd pan fydd Iesu'n dychwelyd, a bydd Satan yn cael ei ddinistrio o'r diwedd.

Mae'r sefyllfa yr ydym ynddi yn debyg i'r cyfnod rhwng *D-Day* a *VE-Day* ar ddiwedd yr Ail Ryfel Byd. *D-Day*, ar 6 Mehefin 1944, oedd y frwydr dyngedfennol a benderfynodd beth fyddai canlyniad y rhyfel. Ar ôl *D-Day*, nid oedd amheuaeth o ddifrif am y fuddugoliaeth oedd i ddod – ac eto, nid oedd popeth drosodd. Parhaodd y camau olaf tan *VE-Day* ar 8 Mai 1945. Mewn ffordd, mae Cristnogion yn byw rhwng *D-Day* (y groes) a *VE-Day* (dychweliad Iesu). Mae Satan yn elyn sydd wedi'i goncro, ond eto y mae yno o hyd.

Mae Iesu wedi ein rhyddhau o euogrwydd, felly nid oes angen i ni gael ein condemnio. Mae wedi ein rhyddhau o gaethiwed. Torrodd Iesu nerth y pethau hyn a'n rhyddhau. Torrodd ofn marwolaeth pan drechodd farwolaeth. Trwy hynny, gwnaeth hi'n bosibl i ni gael ein rhyddhau o bob ofn. Mae'r holl bethau hyn – euogrwydd, caethiwed ac ofn – yn perthyn i deyrnas y tywyllwch. Mae Iesu wedi ein trosglwyddo i deyrnas newydd.

Pan ddeuthum yn Gristion, gwelais fy mod wedi cael fy rhyddhau o rai pethau bron ar unwaith. Er hynny, mae pethau eraill yr ydw i'n parhau i gael anhawster â nhw. Ni fyddaf yn fuddugol yn fy mrwydr nes y bydd Iesu yn dychwelyd.

Dyma, felly, ein sefyllfa, ac mae'n hanfodol ein bod yn sylweddoli beth yw cryfder y sefyllfa honno, o ganlyniad i fuddugoliaeth Iesu ar y groes drosom.

Sut mae amddiffyn ein hunain?

Gan nad yw'r rhyfel drosodd, ac nad yw Satan wedi cael ei ddinistrio eto, mae angen i ni sicrhau bod ein hamddiffynfeydd wedi'u gosod. Mae Paul yn dweud wrthym 'Gwisgwch amdanoch holl arfogaeth Duw, er mwyn ichwi fedru sefyll yn gadarn yn erbyn cynllwynion y diafol' (Effesiaid 6:11). Yna, mae'n crybwyll chwe elfen y byddwn ei hangen. Weithiau, dywedir, 'Y gyfrinach ar gyfer byw bywyd Cristnogol yw ...' Ond nid oes un gyfrinach; mae angen yr *holl* arfogaeth arnom.

Yn gyntaf, rydym angen 'gwirionedd' yn wregys (adnod 14). Mae'n debyg fod hyn yn golygu sylfeini athrawiaeth a gwirionedd Cristnogol. Mae'n golygu cynnwys yr holl wirionedd Cristnogol (neu gymaint â phosibl ohono) yn eich system. Rydym yn gwneud hyn trwy ddarllen y Beibl, gwrando ar bregethau a sgyrsiau, darllen llyfrau Cristnogol a gwrando ar CDs neu gerddoriaeth wedi ei lawrlwytho. Bydd hyn yn ein galluogi i wahaniaethu rhwng yr hyn sy'n wir a chelwyddau Satan, 'oherwydd un celwyddog yw ef, a thad pob celwydd' (Ioan 8:44).

Yn nesaf, mae angen cyfiawnder yn arfwisg ar ein dwyfron (adnod 14). Dyma'r cyfiawnder sy'n dod gan Dduw drwy'r hyn a wnaeth Iesu drosom ar y groes. Mae'n ein galluogi i fod mewn perthynas gyda Duw a byw bywyd cyfiawn. Mae angen i ni wrthsefyll y diafol. Mae'r Apostol Iago yn dweud, 'gwrthsafwch y diafol, ac fe ffy oddi wrthych. Nesewch at Dduw, ac fe nesâ ef atoch chwi' (Iago 4:7-8). Mae pawb ohonom yn cwympo o bryd i'w gilydd. Pan fyddwn yn cwympo, mae angen i ni godi'n sydyn. Rydym yn gwneud hyn drwy ddweud wrth Dduw pa mor wael yr ydym yn teimlo am yr hyn yr ydym wedi ei wneud, gan fod mor benodol â phosibl (1 Ioan 1:9). Yna, mae'n addo adfer ei gyfeillgarwch gyda ni.

Mae hefyd angen esgidiau efengyl tangnefedd (adnod 15) arnom. Fy nealltwriaeth i o hyn yw bod yn barod i siarad am efengyl Iesu Grist. Fel y dywedai John Wimber yn aml, 'Mae'n anodd aros yn llonydd a bod yn dda'. Os yr ydym yn chwilio'n gyson am gyfleoedd i rannu'r newyddion da, mae gennym amddiffyniad effeithiol yn erbyn y gelyn. Unwaith y byddwn yn datgan ein ffydd Gristnogol i'n teuluoedd ac yn y gwaith, byddwn yn cryfhau ein hamddiffyniad. Mae'n anodd, oherwydd ein bod yn gwybod bod pobl yn ein gwylio er mwyn gweld a ydym yn driw i'n ffydd. Ond mae'n ysgogiad gwych i wneud hynny.

Pedwaredd rhan yr arfwisg yw tarian ffydd (adnod 16). Â hon, byddwn 'yn gallu diffodd holl saethau tanllyd yr Un drwg'. Mae ffydd yn groes i sinigiaeth ac amheuaeth, sy'n peri llanast ym mywydau nifer o bobl. Cafodd un agwedd ar ffydd ei diffinio fel 'cymryd addewid gan Dduw a mentro ei gredu'. Bydd Satan yn saethu ei saethau amheuaeth er mwyn ein tanseilio - ond gyda tharian ffydd, byddwn yn ei wrthsefyll.

Yn bumed, mae Paul yn dweud wrthym am gymryd helm iachawdwriaeth (adnod 17).

Fel y nododd yr Esgob Westcott, cyn-Athro Regius Diwinyddiaeth ym Mhrifysgol Caergrawnt, mae gan iachawdwriaeth dri amser. Cawsom ein hachub rhag cosb pechod. Rydym yn cael ein hachub rhag cryfder pechod. Fe gawn ein hachub rhag presenoldeb pechod. Mae angen i ni sicrhau bod y cysyniadau gwych hyn yn glir yn ein meddwl; dod yn gyfarwydd â nhw, fel y gallwn ymateb i amheuon a chyhuddiadau'r gelyn.

Yn olaf, mae gofyn i ni gymryd 'cleddyf yr Ysbryd, sef gair Duw' (adnod 17). Yma, mae Paul yn cyfeirio at yr Ysgrythurau. Defnyddiodd Iesu'r Ysgrythurau pan ymosododd Satan arno. Bob tro, atebodd Iesu gan ddefnyddio rhan o air Duw, ac yn y pen draw, bu'n rhaid i Satan ei adael. Mae'n werth dysgu adnodau o'r Beibl y gallwn eu defnyddio i drechu'r gelyn ac atgoffa ein hunain o addewidion Duw.

Sut rydym yn ymosod?

Fel yr ydym eisoes wedi ei weld, cafodd Satan ei drechu ar y groes, ac rydym yn awr yn rhan o'r gwaith paratoi terfynol cyn y bydd Iesu yn dychwelyd. Fel Cristnogion, nid oes angen i ni ofni Satan, ond mae ganddo ef lawer iawn i'w ofni yn sgîl gweithgarwch Cristnogion.

Rydym yn cael ein galw i weddïo: 'Ymrowch i weddi ac ymbil, gan weddïo bob amser yn yr Ysbryd' (adnod 18). Rydym yn ymwneud â rhyfel ysbrydol, 'canys nid arfau gwan y cnawd yw arfau ein milwriaeth ni, ond rhai nerthol Duw sy'n dymchwel cestyll.' (2 Corinthiaid 10:4). Mae gweddi yn flaenoriaeth bwysig iawn i Iesu, ac fe ddylai fod i ninnau hefyd. Yng ngeiriau'r emyn Saesneg cyfarwydd, 'Satan trembles when he sees the weakest Christian on his knees.'

Rydym hefyd yn cael ein galw i weithredu. Unwaith eto, ym mywyd Iesu, mae gweddi a gweithredu yn mynd law yn llaw. Fe wnaeth Iesu gyhoeddi teyrnas Dduw, iacháu'r cleifion a bwrw allan gythreuliaid. Rhoddodd gomisiwn i'w ddisgyblion wneud yr un peth. Yn nes ymlaen, fe edrychwn yn fanylach ar beth mae hyn yn ei olygu.

Mae'n bwysig pwysleisio mawredd Duw a chyflwr cymharol ddi-rym y gelyn. Nid ydym yn credu bod dau rym cydradd a chyferbyniol - Duw a Satan. Nid dyna'r darlun Beiblaidd. Duw yw Creawdwr y bydysawd. Mae Satan yn rhan o'i greadigaeth - rhan a gwympodd. Mae'n rhan fechan o'r greadigaeth. Ymhellach, mae'n elyn a gafodd ei drechu, ac a gaiff ei ddinistrio'n llwyr pan fydd Iesu'n dychwelyd (Datguddiad 12:12).

Mewn darlun gwych yn llyfr C. S. Lewis, *The Great Divorce*, lle mae'n sôn am uffern fel man lle mae Satan a'i gythreuliaid ar waith, mae dyn wedi cyrraedd y nefoedd, ac mae'n cael ei dywys gan ei 'athro'. Mae'n mynd ar ei ddwylo a'i bengliniau, yn cymryd glaswelltyn, a chan ei ddefnyddio, mae'n dod o hyd i grac bychan yn y pridd, lle mae uffern gyfan wedi'i chuddio:

> 'Ydych chi'n dweud wrthyf fod Uffern – yr holl dref wag, ddi-ben-draw honno – mewn hollt mor fychan â hynny?' 'Ydi. Mae Uffern gyfan yn llai nag un o gerrig bychan eich byd daearol: ond mae'n llai nag un atom o'r byd hwn, y Byd Go Iawn. Edrychwch ar y pili-pala yn fan acw. Pe bai'n llyncu Uffern gyfan, ni fyddai Uffern yn ddigon mawr i wneud unrhyw niwed iddo na gadael dim blas ar ei ôl.'
>
> 'Mae'n ymddangos yn ddigon mawr pan rydych ynddo, Syr.'
>
> 'Ac eto, pe bai'r holl unigrwydd, dicter, casineb, eiddigedd a'r ysfeydd sydd ynddo yn cael eu crynhoi'n brofiad unigol a gaiff ei gymharu â'r foment leiaf o lawenydd sy'n cael ei deimlo gan y lleiaf yn y nefoedd, ni fyddai unrhyw bwysau iddo. Ni all drwg lwyddo i fod yn ddrwg, hyd yn oed, gymaint ag y mae da yn dda. Pe bai holl adfyd Uffern gyfan yn gallu mynd i ymwybod yr aderyn melyn bychan draw acw ar y gangen, fe fydden nhw'n cael eu llyncu heb olwg ohonynt, fel pe bai un diferyn o inc wedi disgyn i'r Cefnfor Mawr hwnnw, a'ch Cefnfor Tawel chi ar y ddaear ond yn foleciwl wrth ei ymyl.'[4]

PAM A SUT Y DYLWN DDWEUD WRTH ERAILL?

Roedd Cristnogion a oedd yn ceisio dweud wrthyf am eu ffydd yn arfer mynd ar fy nerfau i. Fy ymateb i oedd, 'Rydw i'n anffyddiwr, ond nid ydw i'n mynd o amgylch y lle yn ceisio troi pobl eraill yn anffyddwyr'. Roedd yn ymddangos fel ymyrraeth i mi. Pam ddylai Cristnogion siarad am eu ffydd? Onid yw'n fater preifat? Onid y math gorau o Gristion yw'r un sydd ond yn byw'r bywyd Cristnogol yn syml? Weithiau, mae pobl yn dweud wrthyf, 'Mae gen i ffrind da sy'n Gristion pybyr. Mae ganddo ffydd wirioneddol gryf - ond nid yw'n siarad am y peth. Onid dyna'r ffurf uchaf ar Gristnogaeth?'

"Rwy'n credu mewn siocled, fel mae'n digwydd,

ond rwy'n ei fwyta'n dawel, ar fy mhen fy hun, yn fy ystafell"

Yr ateb byr yw bod yn rhaid bod rhywun wedi dweud wrthyn *nhw* am y ffydd Gristnogol. Pe na bai'r Cristnogion cynnar wedi dweud wrth bobl am Iesu, ni fyddai'r un ohonym ni heddiw yn gwybod amdano. Yr ateb hirach yw bod rhesymau da dros ddweud wrth eraill am Iesu. Yn gyntaf, dyma un o orchmynion Iesu. Fe wnaeth Tom Forrest, yr offeiriad Catholig Rufeinig a oedd y cyntaf i awgrymu wrth y Pab y byddai'n syniad galw'r 1990au yn 'Ddegawd Efengylu', dynnu sylw at y ffaith fod geiriau sy'n perthyn i deulu'r gair 'mynd', fel 'ewch' a 'dos', yn ymddangos 1,514 gwaith yn y Beibl (RSV), 233 gwaith yn y Testament Newydd a 54 gwaith yn Efengyl Mathew. Mae Iesu yn dweud wrthym am 'fynd':

> 'Ewch ... at ddefaid colledig...'
> 'Ewch a dywedwch ...'
> 'Ewch ... a gwahoddwch...'
> 'Ewch a gwnewch ddisgyblion ...'

Yn wir, dyma eiriau olaf Iesu a gofnodir yn Efengyl Mathew:

> Daeth Iesu atynt a llefaru wrthynt: "Rhoddwyd i mi," meddai, "bob awdurdod yn y nef ac ar y ddaear. Ewch, gan hynny, a gwnewch ddisgyblion o'r holl genhedloedd, gan eu bedyddio hwy yn enw'r Tad a'r Mab a'r Ysbryd Glân, a dysgu iddynt gadw'r holl orchmynion a roddais i chwi. Ac yn awr, yr wyf fi gyda chwi bob amser hyd ddiwedd amser."
> Mathew 28:18–20

Yn ail, rydym yn dweud wrth bobl oherwydd ein cariad tuag at eraill. Pe baem yn Anialdir y Sahara ac wedi dod o hyd i werddon, byddem yn hynod hunanol pe na fydden ni'n dweud wrth y bobl oedd yn sychedig o'n cwmpas lle'r oedd modd diwallu eu syched. Iesu yw'r unig un sy'n gallu diwallu calonnau sychedig dynion a merched. Yn aml, daw cydnabyddiaeth o'r syched hwn o ffynonellau annisgwyl. Dywedodd y gantores Sinead O'Connor mewn cyfweliad: 'Fel hil rydym yn teimlo'n wag. Y rheswm dros hyn yw bod ein hysbrydolrwydd wedi cael ei ysgubo o'r neilltu ac nid ydym yn gwybod sut i fynegi ein hunain. O ganlyniad, rydym yn cael ein hannog i lenwi'r blwch hwnnw gydag alcohol, cyffuriau, rhyw neu arian. Mae pobl allan yno yn sgrechian am y gwirionedd.'

Yn drydydd, rydym yn dweud wrth eraill, oherwydd ar ôl darganfod y newyddion da ein hunain, rydym yn teimlo ein bod angen ei rannu ar frys.

"Mi wn mai dim ond blwch llythyrau wyt ti, ond mae angen i ti gael gwybod am Iesu"

Os ydym wedi cael newyddion da, rydym eisiau dweud wrth bobl eraill. Pan gafodd ein plentyn cyntaf ei eni, roedd gennym restr o tua deg o bobl i'w ffonio yn gyntaf. Ar ben y rhestr roedd mam Pippa. Dywedais wrthi ein bod wedi cael mab, a'i fod ef a Pippa yn iawn. Yna, fe wnes i geisio ffonio fy mam, ond roedd y llinell ffôn yn brysur. Y trydydd ar y rhestr oedd chwaer Pippa. Erbyn i mi ei ffonio hi, roedd hi eisoes wedi clywed y newyddion gan fam Pippa, ac roedd pawb arall ar y rhestr hefyd wedi clywed yn yr un modd. Roedd llinell ffôn fy mam wedi bod yn brysur gan fod mam Pippa yn ei ffonio hi gyda'r newyddion da. Mae newyddion da yn lledaenu'n gyflym. Nid oedd angen i mi erfyn ar fam Pippa i rannu'r neges. Roedd hi ar dân eisiau dweud wrthyn nhw i gyd. Pan rydym wedi ein cyffroi am ein perthynas gydag Iesu, y peth mwyaf naturiol yn y byd yw bod eisiau dweud wrth bobl am hynny.

Ond sut ydym yn mynd ati i ddweud wrth eraill? Mae'n ymddangos i mi fod dau berygl ar begynau gwrthgyferbyniol. Yn gyntaf, mae perygl o fod yn ansensitif. Pan ddes i'n Gristion, roeddwn i yn y categori hwn. Roeddwn mor gyffrous ynghylch beth oedd wedi digwydd fel fy mod i'n dyheu am weld yr un peth yn digwydd i bawb arall. Ar ôl i mi fod yn Gristion am ychydig ddyddiau, fe wnes i fynd i barti yn benderfynol y byddwn yn dweud wrth bawb. Fe welais i ffrind yn dawnsio, a phenderfynais mai'r cam cyntaf oedd gwneud iddi sylweddoli ei hangen am Dduw. Felly, es ati a dweud, 'Rwyt ti'n edrych yn ofnadwy. Rwyt ti wir angen Iesu.' Roedd hi'n meddwl fy mod i wedi mynd yn wallgof. Nid dyna oedd y ffordd fwyaf effeithiol o ddweud y newyddion da wrth rywun! (Er hynny, fe ddaeth hi'n Gristion yn ddiweddarach, yn gwbl annibynnol arnaf i, ac mae hi'n wraig i mi erbyn hyn!)

Pan es i'r parti nesaf, penderfynais baratoi'n drylwyr ymlaen llaw. Cefais afael ar nifer o lyfrynnau, llyfrau Cristnogol ar faterion amrywiol a chopi o'r Testament Newydd. Rhoddais rai ym mhob poced. Rywsut, llwyddais i ddod o hyd i ferch a oedd yn fodlon dawnsio gyda mi. Roedd hynny'n waith caled gyda chymaint o lyfrau yn fy mhoced, felly gofynnais a oedd modd i ni eistedd. Yn fuan, dechreuais droi'r sgwrs at Gristnogaeth. Ar gyfer pob cwestiwn a ofynnodd, roeddwn yn gallu estyn llyfr o'm poced ar yr union bwnc hwnnw. Aeth adref gyda llond côl o lyfrau. Drannoeth, roedd hi'n mynd i Ffrainc, ac roedd hi'n darllen un o'r llyfrau yr oeddwn i wedi ei roi iddi ar y cwch. Yn sydyn, deallodd y gwir am yr hyn yr oedd Iesu wedi ei wneud drosti, a chan droi at yr un oedd wrth ei hymyl, dywedodd 'rydw i newydd ddod yn Gristion.' Yn drasig, ychydig flynyddoedd yn ddiweddarach, bu farw mewn damwain wrth farchogaeth, a hithau ond yn 21 oed. Er na wnes i fynd o'i chwmpas hi'r ffordd iawn, roedd hi'n hyfryd ei bod hi wedi dod at Grist cyn iddi farw.

Os ydym yn mynd ati fel cath i gythraul, yn hwyr neu'n hwyrach, fe gawn ein brifo. Hyd yn oed os awn o'i chwmpas hi mewn modd sensitif, efallai y cawn ein brifo o hyd. Pan fydd hynny'n digwydd, rydym yn tueddu i dynnu'n ôl. Yn sicr, dyna oedd fy mhrofiad i. Ar ôl ychydig o flynyddoedd, symudais o berygl ansensitifrwydd a disgyn i'r perygl ar y pegwn arall, sef ofn. Rwy'n cofio cyfnod (yn eironig, pan oeddwn i yn y coleg diwinyddol) pan ddechreuais ofni hyd yn oed siarad am Iesu gyda rhai nad oeddent yn Gristnogion. Ar un achlysur, aeth grŵp ohonom o'r coleg i ymgyrch genhadu mewn plwyf ar gyrion Lerpwl, i ddweud wrth bobl am y newyddion da. Bob nos, roeddem yn cael swper gyda phobl wahanol o'r plwyf. Un noson, anfonwyd fi a'm ffrind Rupert i gael swper gyda chwpl oedd ar ymylon yr eglwys (neu, a bod yn fanylach, roedd y wraig ar yr ymylon, ac nid oedd y gŵr yn mynychu'r eglwys). Hanner ffordd drwy'r prif gwrs, gofynnodd y gŵr i mi beth oeddem yn ei wneud yn y rhan honno o'r wlad. Baglais, oedais ac ymateb yn gloff, gyda'm tafod yn glymau. Daliodd ati i ofyn yr un cwestiwn. Yn y pen draw, dywedodd Rupert yn blaen, 'Rydym wedi dod yma i ddweud wrth bobl am Iesu'. Roeddwn i'n teimlo cywilydd mawr, ac yn gobeithio y byddai'r ddaear yn ein llyncu'n fyw! Sylweddolais gymaint o ofn oedd arnaf i, ac fy mod ofn yngan yr enw 'Iesu' hyd yn oed.

Er mwyn osgoi'r peryglon hyn o ansensitifrwydd ac ofn, mae angen i ni sylweddoli bod dweud wrth eraill am Iesu yn codi o'n perthynas ein hunain â Duw. Mae'n rhan naturiol o'r berthynas honno. Mae meddwl am y pwnc hwn dan bum pennawd o gymorth i mi – : presenoldeb, perswâd, cyhoeddi, nerth a gweddi.

Presenoldeb

Dywedodd Iesu wrth ei ddisgyblion:

> Chwi yw halen y ddaear; ond os cyll yr halen ei flas, â pha beth yr helltir ef? Nid yw'n dda i ddim bellach ond i'w luchio allan a'i sathru dan draed pobl. Chwi yw goleuni'r byd. Ni ellir cuddio dinas a osodir ar fryn. Ac nid oes neb yn goleuo cannwyll a'i rhoi dan lestr, ond yn hytrach ar ganhwyllbren, a bydd yn rhoi golau i bawb sydd yn y tŷ. Felly boed i'ch goleuni chwithau lewyrchu gerbron eraill, er mwyn iddynt weld eich gweithredoedd da chwi a gogoneddu eich Tad, yr hwn sydd yn y nefoedd.
>
> Mathew 5:13–16

Mae Iesu yn ein galw i gael dylanwad eang ('halen y *ddaear*' a 'goleuni'r *byd*'). Er mwyn ymarfer y dylanwad hwn, mae angen i ni fod 'yn y byd' (yn y man gwaith, lle'r ydym yn byw, ac ymhlith teulu a ffrindiau) ac nid wedi encilio oddi wrtho. Ac eto rydym yn cael ein galw i fod yn wahanol – i fyw fel dilynwyr Crist yn y byd, fel y gallwn fod yn effeithiol fel halen a goleuni ynddo.

Yn yr hen fyd, heb oergelloedd, roedd halen yn cael ei ddefnyddio i gadw cig yn faethlon a'i atal rhag mynd yn ddrwg. Fel Cristnogion, rydym yn cael ein galw i atal cymdeithas rhag mynd yn ddrwg. Rydym yn gwneud hyn wrth i ni godi ein llais ynghylch materion moesol a chymdeithasol, ac wrth i ni weithio i liniaru tlodi ac anghydraddoldeb.

Yn ail, mae Iesu yn ein galw i fod yn oleuni, ac mae'n ein hatgoffa nad oes diben gorchuddio lamp. Sut ydym yn goleuo'r byd? Drwy ein troeon da, meddai Iesu; drwy bopeth a wnawn fel Cristnogion.

Byw'r bywyd Cristnogol yw'r ffordd fwyaf priodol o drosglwyddo'r newyddion da i'r rhai sy'n byw yn agos iawn atom. Mae hyn yn sicr yn wir am teuluoedd, ein cydweithwyr a'r rhai yr ydym yn byw gyda nhw.

Pan wnes i ddod yn Gristion, ceisiais droi fy rhieni at y ffydd ar unwaith. Ond yna sylweddolais fod hyn yn wrthgynhyrchiol. Dywedodd ffrind wrthyf y byddai datgan wrth fy rhieni, 'rydw i wedi dod yn Gristion', yn rhyw fath o feirniadaeth ar y ffordd yr oedden nhw wedi fy magu. Gall siarad yn barhaus am ein ffydd fod yn wrthgynhyrchiol. Mae pobl yn fwy tebygol o gael eu heffeithio gan gariad a chonsyrn dilys – drwy fyw'r ffydd Gristnogol. Yn yr un modd, yn y gwaith, dylai pobl sylwi ar ein cysondeb, gonestrwydd, geirwiredd, gwaith caled, dibynadwyedd, amharodrwydd i hel clecs ac awydd i annog pobl eraill.

Mae hyn yn bwysig iawn os nad yw eich gŵr neu eich gwraig yn Gristion. Cysurodd Pedr bob gwraig Cristnogol a oedd â gŵr 'sy'n anufudd i'r gair' trwy ddweud, 'fe'u henillir hwy trwy ymarweddiad eu gwragedd, *heb i chwi ddweud yr un gair*, wedi iddynt weld eich ymarweddiad pur a duwiolfrydig' (1 Pedr 3:1 a 2, fy mhwyslais i).

Priododd Bruce a Geraldine Streather ym mis Rhagfyr 1973. Pan ddaeth Geraldine yn Gristion yn 1981, nid oedd gan Bruce ddiddordeb o gwbl yn y ffydd. Roedd yn gyfreithiwr prysur, ac ar y rhan fwyaf o benwythnosau roedd yn arfer chwarae golff, yn hytrach na mynd i'r eglwys.

Am ddeng mlynedd, gweddïodd Geraldine drosto gan fyw'r bywyd

Cristnogol gartref hyd eithaf ei gallu. Ni roddodd unrhyw bwysau arno. Dros y blynyddoedd, fe wnaeth caredigrwydd a natur ystyriol ei wraig, yn enwedig tuag at ei fam, greu argraff ar Bruce, wrth i ganser a salwch cysylltiedig wneud eu bywyd yn gynyddol anodd. Yn 1991, gwahoddodd ef i ddod i swper Alffa. Daeth Bruce, a phenderfynodd fynd ar y cwrs Alffa oedd yn dilyn y swper.

Ysgrifennodd Geraldine ataf yn dilyn hynny, gan ddweud 'Fe wnes i grïo'r holl ffordd adref, gan weddïo a dweud wrth Dduw y byddai'n rhaid iddo ef wneud y gweddill gan fy mod i wedi cael Bruce i fynd ar y cwrs Alffa. Pan ddychwelodd Bruce adref ar ôl noson gyntaf y cwrs, y cyfan a ofynnais iddo oedd a oedd o wedi mwynhau ei hun.

Ar seithfed wythnos y cwrs, rhoddodd Bruce ei fywyd i Grist, ac erbyn diwedd yr wythnos roedd yn un o'r Cristnogion mwyaf brwd yr ydw i wedi ei gyfarfod. Aeth Geraldine yn ei blaen i ddweud: 'Ym mhob parti yr awn iddo, mae'n siarad am Dduw gyda phobl, ac rydw i ar ben arall y bwrdd yn gwrando ar yr hyn mae'n ei ddweud. Mae'n ymddangos fod fy holl weddïau wedi cael eu hateb.'

Rydym yn cael ein galw i fod yn halen ac yn oleuni, nid dim ond i'n teulu a'n ffrindiau agosaf, ond hefyd i'r holl bobl o'n cwmpas. Weithiau fe gawn anhawster gweld 'y tu hwnt i ffiniau ein byd bach ein hunain'. Er hynny, rydym wedi cael ein galw i fod yn drugarog at y rhai sy'n dioddef. Gallwn wneud hyn drwy gymryd rhan mewn prosiectau sy'n lliniaru angen dynol: newyn, digartrefedd, a thlodi. Rydym hefyd yn cael ein galw i frwydro dros gyfiawnder cymdeithasol. Gallwn wneud hyn drwy ymgyrchu i roi terfyn ar ecsploetiaeth, anghydraddoldeb a chreulondeb.

Roedd William Wilberforce yn saith ar hugain oed pan synhwyrodd alwad Duw i frwydro yn erbyn y fasnach greulon, ddiraddiol mewn caethweision. Aeth deg miliwn o gaethweision o Affrica i'r planhigfeydd yn 1787, ac yn 1789 cyflwynodd gynnig yn Nhŷ'r Cyffredin ynghylch y fasnach mewn caethweision. Nid oedd yn achos poblogaidd, ond dywedodd hyn yn ei araith ar ddiddymu caethwasiaeth: 'Roedd annuwioldeb caethwasiaeth yn ymddangos mor enfawr, mor ofnadwy, fel fy mod wedi penderfynu'n gyfan gwbl fod yn rhaid ei ddiddymu. Beth bynnag fyddai'r canlyniadau, o'r foment honno ymlaen roeddwn yn benderfynol na fyddwn yn gorffwys nes byddwn wedi sicrhau y byddai'n cael ei ddiddymu.'

Trafodwyd mesurau yn 1789, 1791, 1792, 1794, 1796, 1798, 1799, a threchwyd y cynnig bob tro. Yn 1831 anfonodd neges at y Gymdeithas Wrth-Gaethwasiaeth lle dywedodd: 'Dylai dyfalbarhad fod yn arwyddair i ni, ac yn y pen draw rydw i'n credu y bydd yr Hollalluog yn coroni ein hymdrechion gyda llwyddiant.' Yng Ngorffennaf 1833 pasiwyd y mesur diddymu caethwasiaeth yn nau Dŷ'r Senedd. Dridiau'n ddiweddarach, bu farw Wilberforce. Cafodd ei gladdu yn Abaty Westminster fel cydnabyddiaeth genedlaethol o 45 mlynedd o ymdrech ddyfal ar ran caethweision Affrica.

Mae materion pwysig heddiw sydd ar yr un raddfa. Mae 1.3 biliwn wedi'u caethiwo mewn tlodi llwyr, cyflwr sy'n cael ei nodweddu gan ddiffyg maeth, afiechyd, aflendid, babanod yn marw, a disgwyliad oes isel. Mae 800 miliwn o bobl yn byw ar lai na doler y diwrnod ac yn mynd i'w gwelyau yn llwglyd bob nos. Bob tair eiliad, mae tlodi yn gyfrifol am farwolaeth plentyn. Bob dydd, mae 30,000 o blant yn marw o afiechydon y gellir eu trin. Bob dydd, mae 8,000 o bobl yn marw o AIDS mewn gwledydd sy'n datblygu. Mae 15 miliwn o farwolaethau y gellir eu hatal bob blwyddyn. Mae caethwasiaeth yn dal i fod yn broblem mewn sawl rhan o'r byd.

Cafodd Bono, prif ganwr y band roc o Iwerddon, U2, ei wahodd i annerch Cynhadledd y Blaid Lafur yn 2004. Siaradodd am y cyfnod a dreuliodd yn gweithio mewn cartref i blant amddifad yn Ethiopia:

> Roedd y bobl leol yn fy ngalw i'n 'Dr Bore Da'. Roedd y plant yn fy ngalw i 'y ferch gyda barf'. Peidiwch â sôn! Roedd yn brofiad anhygoel; mi agorodd y profiad fy llygaid i. Ar ein diwrnod olaf yn y cartref i blant amddifad, rhoddodd dyn ei faban i mi a dweud 'Cer ag ef gyda thi.' Roedd yn gwybod

y byddai gan ei fab obaith o oroesi yn Iwerddon; yn Ethiopia, byddai ei fab yn marw. Gwrthodais ei gais. Yr eiliad honno, dechreuais ar y daith hon. Yr eiliad honno, fe wnes i droi i mewn i'r peth gwaethaf posibl: seren roc sy'n eiriol dros achos. Ond nid achos yw hwn – mae 6,500 o bobl yn marw bob dydd yn Affrica o ganlyniad i afiechydon y gellir eu trin a'u hatal, yn marw am nad oes ganddynt feddyginiaethau y gallwch chi a fi eu cael yn ein fferyllfa leol: nid achos ydyw, ond argyfwng.

Mae'n hawdd cael eich llethu gan faint y problemau hyn, a meddwl, 'A allaf wneud gwahaniaeth o ddifrif?' Oes yna unrhyw beth y gallwn ei wneud fel unigolion?

Un tro, roedd dyn yn cerdded ar hyd traeth wrth i'r llanw fynd allan. Gwelodd ddegau o filoedd o sêr môr yn sownd ar y traeth, yn sychu ac yn marw'n araf. Sylwodd ar fachgen bach yn codi'r sêr môr fesul un, ac yn eu taflu yn ôl i'r môr. Aeth at y bachgen a dywedodd wrtho, 'gyda degau o filoedd o sêr môr ar hyd a lled y traeth, mae'n rhaid dy fod yn teimlo nad wyt ti'n gwneud llawer o wahaniaeth.' Wrth i'r bachgen daflu seren fôr arall i'r môr, trodd at y dyn a dywedodd, 'Dwi'n siŵr fy mod i wedi gwneud gwahaniaeth i'r un yna.'

Yn debyg i'r bachgen, efallai nad ydym yn gallu datrys holl broblemau'r byd, ond fe allwn wneud rhywbeth. Dywedodd Nelson Mandela, 'nid y brenhinoedd a'r cadfridogion sy'n gwneud hanes, ond y werin.'

Wedi dweud hynny, nid yw bod yn 'oleuni yn y byd' wedi'i gyfyngu i'n ffordd o fyw; mae hefyd yn cynnwys ein gwefusau. Rhyw ddydd, bydd ein teulu, ein ffrindiau a'n cydweithwyr yn gofyn cwestiynau am ein ffydd. Ysgrifennodd Pedr: 'Byddwch yn barod bob amser i roi ateb i bob un fydd yn ceisio gennych gyfrif am y gobaith sydd ynoch. Ond gwnewch hynny gydag addfwynder a pharchedig ofn' (1 Pedr 3:15).

Pan gawn gyfle i siarad, sut fyddwn yn mynd ati?

Perswâd

Mae nifer o bobl heddiw yn gwrthwynebu'r ffydd Gristnogol, neu o leiaf yn dymuno cael atebion i gwestiynau cyn eu bod yn barod i ddod mewn ffydd at Grist. Maent angen cael eu perswadio o'r gwirionedd. Roedd Paul yn barod i geisio perswadio pobl, gan ei fod yn eu caru: 'Felly, o wybod beth yw ofn yr Arglwydd, yr ydym yn *perswadio* pobl.' (2 Corinthiaid 5:11, fy mhwyslais i).

Mae gwahaniaeth mawr rhwng perswâd a phwysau. Rydw i, yn sicr, yn anfodlon iawn os bydd rhywun yn ceisio rhoi pwysau arnaf i wneud unrhyw beth. Mae effaith pwysau yn gwbl groes i berswâd. Pan aeth Paul i Thessalonica, defnyddiodd yr Ysgrythurau i 'ymresymu', 'esbonio' a 'phrofi' fod yn rhaid i Grist ddioddef a chodi o farw'n fyw: '...cafodd rhai ohonynt [yr Iddewon] eu hargyhoeddi ...' (Actau 17:4). Yng Nghorinth, wrth iddo wneud pebyll yn ystod yr wythnos, 'byddai'n ymresymu yn y synagog bob Saboth, a cheisio argyhoeddi Iddewon a Groegiaid.' (Actau 18:4).

Yn ystod sgyrsiau am y ffydd Gristnogol, bydd gwrthwynebiadau yn aml yn dod i'r amlwg, a bydd angen i ni fod yn barod i ddelio â'r rhain. Ar un achlysur, roedd Iesu'n siarad gyda dynes am y llanast roedd hi wedi ei wneud o'i bywyd (Ioan 4). Yna, cynigiodd fywyd tragwyddol iddi. Ar yr eiliad honno, gofynnodd gwestiwn diwinyddol iddo am fannau addoli. Atebodd y cwestiwn, ond daeth â'r sgwrs yn ôl yn sydyn at yr hyn a oedd yn hanfodol. Mae hon yn enghraifft dda i ni ei dilyn.

Yn ogystal â bod yn barod i roi ateb, mae'n rhaid i ni hefyd fod yn barod i

wrando ar bobl, a deall eu cefndir. Pan oeddwn i'n cael anhawster gyda'r ffydd Gristnogol, roedd gen i wrthwynebiadau deallusol. Er hynny, roeddwn i'n dechrau sylweddoli sut allai dod yn Gristion effeithio ar fy ffordd o fyw. Gan fy mod i wedi dadlau yn erbyn Cristnogaeth yn eithaf cyhoeddus yn y Brifysgol, roeddwn i hyd yn oed yn poeni y byddwn yn cael fy nghywilyddio petawn i'n cyhoeddi'n sydyn fy mod i wedi dod yn Gristion. Gan hynny, gallai ffactorau eraill fod ar waith, ac mae gofyn i ni fod yn sensitif yn eu cylch.

Rydw i'n ddiolchgar iawn i'r bobl a roddodd help i mi oresgyn fy ngwrthwynebiadau. Pan ddechreuodd y criw sylweddoli fod y Titanic yn suddo, fe wnaethon nhw frysio o amgylch y llong yn ceisio perswadio pobl i fynd at y badau achub, ond nid oedd nifer o'r teithwyr yn eu credu, ac nid aethon nhw at y badau. Aeth rhai o'r badau achub cynnar hynny i ffwrdd yn hanner gwag. Ac eto, roedd y criw yn ceisio eu perswadio i fynd at y badau o'u cariad eu hunain. Yn yr un modd, mae ceisio perswadio pobl am Gristnogaeth yn weithred llawn cariad.

Cyhoeddi

Rhan ganolog o ddweud wrth eraill yw cyhoeddi'r newydd da am Iesu Grist. Mae nifer o ffyrdd y gellir gwneud hyn.

1. Dewch i weld

Un o'r ffyrdd symlaf a mwyaf effeithiol yw dod â phobl i wrando ar yr efengyl yn cael ei hegluro gan rywun arall. Yn aml, gall hyn fod yn syniad gwell, yn enwedig yn ystod cyfnodau cynnar ein bywydau Cristnogol, yn hytrach na cheisio egluro'r efengyl ein hunain.

Mae gan nifer sy'n dod at y ffydd yng Nghrist lawer o ffrindiau heb gysylltiad o gwbl â'r eglwys, neu dim ond ychydig iawn o gysylltiad ar y gorau. Mae hyn yn gyfle gwych i ddweud wrth y ffrindiau hyn, fel y gwnaeth Iesu ar un achlysur, 'Dewch i weld' (Ioan 1:39). Daeth dynes yn ei hugeiniau yn Gristion a dechrau mynychu eglwys yn Llundain. Er hynny, dros y Sul, byddai'n aros gyda'i rhieni yn Wiltshire, ac yna byddai'n mynnu eu gadael am 3 o'r gloch brynhawn dydd Sul er mwyn cyrraedd yr eglwys. Un nos Sul fe gafodd ei dal mewn tagfa draffig ar y ffordd i Lundain, ac nid oedd modd iddi gyrraedd y gwasanaeth gyda'r hwyr. Roedd hi mor ddigalon fel ei bod wedi dechrau crïo. Aeth i weld rhai o'i ffrindiau, nad oedd hyd yn oed yn gwybod ei bod hi wedi dod yn Gristion. Fe ofynnon nhw iddi beth oedd yn bod. Atebodd drwy ei dagrau, 'mi gollais i'r gwasanaeth yn yr eglwys.' Roeddent wedi drysu'n llwyr. Y Sul canlynol, daeth pawb i weld beth oedden nhw'n ei golli! Daeth un ohonynt yn Gristion yn fuan iawn wedi hynny.

Nid oes unrhyw beth yn fwy o fraint nac yn rhoi mwy o lawenydd na galluogi rhywun i ddod i wybod am Iesu Grist. Fe wnaeth cyn-Archesgob Caergaint, William Temple, ysgrifennu esboniad o Efengyl Ioan. Pan ddaeth at y geiriau, 'Daeth [Andreas] ag ef [Simon] at Iesu', ysgrifennodd frawddeg fer, ond un bwysig iawn: 'Dyma'r gwasanaeth mwyaf y gall un dyn ei ddarparu i ddyn arall.'

Nid ydym yn clywed llawer mwy am Andreas, ac eithrio ei fod bob amser yn dod â phobl at Iesu (Ioan 6:8; 12:22). Ond, aeth ei frawd, Simon Pedr, yn ei flaen i fod yn un o'r dylanwadau mwyaf ar hanes Cristnogaeth. Ni all pob un ohonom fod yn debyg i Simon Pedr, ond fe all pob un ohonom wneud beth wnaeth Andreas – gallwn ddod â rhywun at Iesu.

Roedd Albert McMakin yn ffermwr pedwar ar hugain oed a oedd wedi dod at y ffydd yng Nghrist yn ddiweddar. Roedd mor llawn o frwdfrydedd fel iddo lenwi fan gyda phobl a mynd â nhw i gyfarfod i glywed am Iesu. Roedd mab fferm deniadol yr oedd yn awyddus iawn i fynd ag ef i gyfarfod, ond roedd yn anodd perswadio'r gŵr ifanc hwn - roedd yn brysur yn syrthio i mewn ac allan o gariad gyda merched gwahanol, ac nid oedd fel pe bai Cristnogaeth yn apelio ato. Yn y pen draw, llwyddodd Albert McMakin i'w berswadio drwy ofyn iddo yrru'r fan. Pan gyrhaeddon nhw, penderfynodd gwestai Albert fynd i mewn, a chafodd ei 'gyfareddu', a dechreuodd feddwl am bethau nad oedd erioed wedi meddwl amdanynt o'r blaen. Aeth yn ôl dro ar ôl tro, nes iddo fynd yn ei flaen un noson a rhoi ei fywyd i Iesu Grist. Y dyn hwnnw, gyrrwr y fan, oedd Billy Graham. Yn 1934 y digwyddodd hynny. Ers hynny, mae Billy Graham wedi siarad yn uniongyrchol gyda 210 miliwn o bobl am y ffydd Gristnogol. Mae wedi bod yn gyfaill mynwesol i naw o Arlywyddion Unol Daleithiau America. Ni all pob un ohonom fod fel Billy Graham, ond gall pob un ohonom wneud beth wnaeth Albert McMakin - gall pawb ohonom ddod â'n ffrindiau at Iesu.

2. Adrodd ein stori ein hunain

Un ffordd bwerus o gyfleu'r efengyl yw adrodd ein stori ein hunain. Fe gawn fodel Beiblaidd yn nhystiolaeth Paul yn Actau 26:9–23. Mae'n rhannu'n dair rhan: mae'n siarad am sut un oedd ef cyn ei dröedigaeth (adnodau 9–11), sut brofiad oedd cyfarfod Iesu (adnodau 12–15) a beth mae hynny wedi ei olygu iddo ers hynny (adnodau 19–23).

Pan gafodd dyn dall ei iacháu gan Iesu, daeth nifer o bobl i'w holi, gan gynnwys y Phariseaid a fu'n ei groesholi a cheisio ei ddal. Nid oedd y dyn dall yn gwybod sut i ateb eu holl gwestiynau, ond roedd yn gwybod beth yr oedd Duw wedi ei wneud: 'Un peth a wn i: roeddwn i'n ddall, ac yn awr rwyf yn gweld.' (Ioan 9:25). Mae'n anodd dadlau gyda hynny.

3. Egluro'r efengyl eich hunan

Wrth fynd ati i egluro beth mae'n rhaid i rywun ei wneud i ddod yn Gristion, gall fframwaith fod yn ddefnyddiol. Mae nifer o ffyrdd gwahanol o gyflwyno'r efengyl. Rydw i wedi amlinellu'r dull y byddaf i'n ei ddefnyddio mewn llyfryn o'r enw *Pam Iesu?* Yna, byddaf yn arwain pobl yn y weddi a welwch ar ddiwedd Pennod 4 y llyfr hwn.

Dywedodd un dyn yn ein heglwys sut yr oedd ef wedi dod at Grist. Roedd ei fusnes yn mynd drwy gyfnod anodd a bu'n rhaid iddo fynd i'r Unol Daleithiau ar daith fusnes. Nid oedd yn teimlo'n hapus iawn wrth iddo deithio mewn tacsi i'r maes awyr. Sylwodd bod lluniau o blant y gyrrwr ar banel clociau'r tacsi, felly holodd ef am ei deulu. Wrth iddynt deithio, teimlodd lawer o gariad yn dod o gyfeiriad y gyrrwr. Wrth i'r sgwrs ddatblygu, dywedodd gyrrwr y tacsi wrtho, 'Rydw i'n synhwyro nad ydych chi'n hapus. Os yw rhywun yn credu yng Nghrist, mae'n gwneud byd o wahaniaeth.'

Dywedodd y gŵr busnes wrthyf, 'Dyma ddyn oedd yn siarad ag awdurdod. Roeddwn i'n teimlo mai fi oedd yr un ag awdurdod. Wedi'r cwbl, fi oedd yn talu.' Dywedodd y gyrrwr wrtho maes o law, 'Onid ydych chi'n meddwl ei bod hi'n bryd i chi ddatrys hyn i gyd drwy dderbyn Crist?' Pan gyrhaeddon nhw'r maes awyr, dywedodd y gyrrwr tacsi wrtho, 'Beth am i ni weddïo? Os ydych eisiau Crist yn eich bywyd, gofynnwch iddo ddod atoch chi.' Fe wnaethon nhw weddïo gyda'i gilydd. Newidiodd y foment honno lwybr bywyd y dyn yn gyfan gwbl.

Nerth

Yn y Testament Newydd, mae cyhoeddi'r efengyl yn aml yn dod gydag amlygiad o nerth Duw. Daeth Iesu gan gyhoeddi: 'y mae teyrnas Dduw wedi dod yn agos. Edifarhewch a chredwch yr Efengyl.' (Marc 1:15). Aeth Iesu yn ei flaen i ddangos nerth yr efengyl drwy gael gwared ar ddrygioni (Marc 1:21–28) a thrwy iacháu'r cleifion (Marc 1:29–34, 40–45).

Dywedodd Iesu wrth ei ddisgyblion wneud yr hyn yr oedd ef wedi bod yn ei wneud. Dywedodd wrthynt am wneud gwaith y deyrnas – 'iachewch y cleifion yno' a chyhoeddi'r newyddion da – a dweud wrthyn nhw, 'Y mae teyrnas Dduw wedi dod yn agos atoch' (Luc 10:9). Wrth i ni ddarllen yr Efengylau a'r Actau, gwelwn mai dyna wnaethant. Ysgrifennodd Paul at y Thesaloniaid: 'Nid ar air yn unig y daeth atoch yr Efengyl yr ydym ni yn ei phregethu, ond mewn nerth hefyd' (1 Thesaloniaid 1:5). Roedd hyn yn sicr yn wir yn fy achos i; pan gefais i fy mhrofiad cyntaf o nerth yr Ysbryd Glân, cefais brofiad o'r hyn y soniodd Paul amdano yn Rhufeiniaid 5:5; 'mae cariad Duw wedi ei dywallt yn ein calonnau trwy'r Ysbryd Glân y mae ef wedi ei roi i ni'. Mae pobl eraill yn tystiolaethu bod nerth yr Ysbryd Glân wedi eu gorlethu o ran argyhoeddiad o'u pechodau. Pan mae nhw'n clywed y newyddion da am Iesu, mae rhywbeth dyfnach yn digwydd yn eu calonnau.

Mae cyhoeddi ac arddangos yn debyg iawn i'w gilydd. Yn aml, mae un yn arwain at y llall. Ar un achlysur, roedd Pedr ac Ioan ar eu ffordd i'r eglwys. Y tu allan, roedd dyn a oedd yn anabl ers ei eni. Roedd wedi bod yn eistedd yno ers blynyddoedd. Gofynnodd am arian. Yr hyn a ddywedodd Pedr, mewn geiriau eraill, oedd 'Mae'n ddrwg gen i. Nid oes gennyf arian, ond mi roddaf yr hyn sydd gennyf i ti. Yn enw Iesu Grist o Nasareth, cerdda.' Gafaelodd yn ei law a'i helpu i godi. Ar unwaith, neidiodd ar ei draed a dechrau cerdded. Pan sylweddolodd ei fod wedi cael ei iacháu, neidiodd a llamodd a molodd Duw (Actau 3:1–10).

Roedd pawb yn gwybod bod y dyn hwn wedi bod yn anabl ers blynyddoedd, ac roedd tyrfa fawr wedi ymgasglu. Ar ôl arddangos nerth Duw, cyhoeddwyd yr efengyl. Roedd pobl yn holi, 'Sut y digwyddodd hyn?' ac roedd Pedr yn gallu dweud popeth wrthyn nhw am Iesu: 'Ar sail ffydd yn ei enw ef y cyfnerthwyd y dyn yma yr ydych yn ei weld a'i adnabod, a'r ffydd sydd drwy Iesu a roddodd iddo'r llwyr wellhad hwn yn eich gŵydd chwi i gyd' (Actau 3:16). Yn y bennod nesaf, fe wnawn archwilio'r maes hwn yn fanylach drwy edrych ar natur teyrnas Dduw a lle iacháu ynddi.

Gweddi

Rydym eisoes wedi gweld pa mor bwysig oedd gweddi ym mywyd Iesu. Tra'r oedd yn cyhoeddi ac yn arddangos yr efengyl, roedd hefyd yn gweddïo (Marc 1:35–37). Mae gweddi yn hanfodol o ran dweud wrth eraill am y newyddion da. Yn yr un modd, roedd Paul yn caru pobl, ac o'r cariad hwnnw y daeth awydd i weddïo drostynt: 'Fy nghyfeillion, ewyllys fy nghalon, a'm gweddi ar Dduw ... yw iddynt gael eu dwyn i iachawdwriaeth' (Rhufeiniaid 10:1).

Mae angen i ni weddïo y bydd llygaid dall yn cael eu hagor. Mae nifer o bobl yn ddall i'r efengyl (2 Corinthiad 4:4). Mae nhw'n gallu gweld yn gorfforol, ond ni allant weld y byd ysbrydol. Mae angen i ni weddïo y bydd Ysbryd Duw yn agor llygaid y rhai sy'n ddall fel eu bod yn gallu deall y gwirionedd am Iesu.

Pan fyddwn yn dod at y ffydd yng Nghrist, mae'r rhan fwyaf yn gweld bod rhywun wedi bod yn gweddïo drosom. Fe allai fod yn aelod o'r teulu, yn rhiant bedydd neu'n ffrind. Pan ddaeth un o'm ffrindiau, Ric, yn Gristion, ffoniodd ffrind yr oedd yn gwybod ei fod yn Gristion, a dweud wrtho beth oedd wedi digwydd. Ymateb y ffrind oedd, 'Rydw i wedi bod yn gweddïo drosot ti ers pedair blynedd.' Yna, dechreuodd Ric weddïo dros un o'i ffrindiau ei hun, ac ym mhen deg wythnos, daeth yntau'n Gristion.

Mae angen i ni weddïo dros ein ffrindiau. Mae angen i ni weddïo drosom ein hunain, hefyd. Pan fyddwn yn siarad am Iesu gyda phobl, efallai y cawn ymateb negyddol weithiau. Y demtasiwn bryd hynny yw rhoi'r gorau iddi. Pan iachaodd Pedr ac Ioan y dyn anabl a chyhoeddi'r efengyl, fe gawson nhw eu harestio a'u bygwth y byddai pethau enbyd yn digwydd iddynt pe byddent yn dal ati. Ond ni wnaethon nhw roi'r gorau iddi. Yn hytrach, fe wnaethon nhw weddïo – am gael bod yn eofn wrth bregethu'r efengyl ac i Dduw ddangos rhagor o arwyddion a rhyfeddodau yn enw Iesu (Actau 4:29–31).

Mae'n hanfodol i bob un ohonom fel Cristnogion ddyfalbarhau i ddweud wrth eraill am Iesu – drwy ein presenoldeb, ein perswâd, ein cyhoeddi, ein nerth a'n gweddi. Os gwnawn hynny, fe welwn nifer o fywydau'n cael eu newid yn ystod ein bywyd.

Yn ystod brwydr mewn rhyfel, cafodd dyn ei saethu, ac roedd yn gorwedd wedi ei anafu yn y ffosydd. Plygodd ffrind drosto a gofyn, 'Oes yna unrhyw beth y gallaf ei wneud i ti?'

Atebodd ef, 'Na, rydw i'n marw.'

'Oes yna unrhyw un y byddet ti'n hoffi i mi anfon neges atyn nhw ar dy ran di?'

'Oes, mi allet ti anfon neges at y dyn hwn yn y cyfeiriad hwn. Dywed wrtho fod yr hyn a ddysgodd i mi pan oeddwn yn blentyn yn fy helpu i yn fy munudau olaf wrth i mi farw.'

Y dyn hwnnw oedd ei hen athro Ysgol Sul. Pan gyrhaeddodd y neges, dywedodd yr athro hwnnw, 'Gobeithio y gwnaiff Duw faddau i mi. Fe roddais y gorau i ddysgu yn yr Ysgol Sul flynyddoedd yn ôl, gan nad oeddwn yn meddwl fy mod i'n llwyddo. Doeddwn i ddim yn meddwl fy mod i'n gwneud unrhyw beth o werth.'

Pan fyddwn yn dweud wrth bobl am Iesu, byddwn yn gwneud rhywbeth o werth. Oherwydd yr Efengyl yw 'gallu Duw … ar waith er iachawdwriaeth i bob un sy'n credu' (Rhufeiniaid 1:16).

YDI DUW YN IACHÁU HEDDIW?

Ychydig flynyddoedd yn ôl, gofynnodd merch o Siapan i Pippa a minnau weddïo drosti er mwyn gwella ei chefn. Fe wnaethom roi ein dwylo arni a gofyn i Dduw ei hiacháu. Ar ôl hynny, fe wnes i geisio osgoi ei chyfarfod hi ar hap gan nad oeddwn yn siŵr sut y byddwn yn egluro wrthi pam na chafodd ei hiacháu. Un diwrnod daethom wyneb yn wyneb, ac nid oeddwn yn gallu ei hosgoi. Meddyliais y byddai'n gwrtais petawn i'n gofyn y cwestiwn roeddwn i'n ei ofni, 'Sut mae dy gefn?'

'O,' meddai, 'roedd fy nghefn yn holliach ar ôl i chi weddïo.' Wn i ddim pam, ond cefais i dipyn o syndod.

Yn 1982, daeth John Wimber i siarad yn ein heglwys. Ar y pryd, roeddwn yn hyfforddi i fod yn fargyfreithiwr. Roeddwn ychydig yn ddrwgdybus cyn ei ymweliad, gan ei fod wedi dod o Galifornia nid yn unig i siarad am iacháu, ond roedd hefyd am i ni 'arfer' iacháu. Er fy mod i wedi clywed sgyrsiau am iacháu yn y gorffennol, nid oedd unrhyw un erioed wedi awgrymu ein bod yn rhoi cynnig arni. Roedd hwn yn faes anghyfarwydd. Ar ôl traddodi ei anerchiad i chwe deg o arweinwyr yr eglwys, cyhoeddodd y byddem yn cael egwyl goffi, cyn mynd i weithdy.

Roeddem yn nerfus ynghylch hyn ac fe wnaethom ymestyn yr egwyl goffi mor hir ag y gallem. Pan aethom yn ôl, roedd y bobl oedd wedi bod yn y blaen yn teimlo y bydden nhw'n hunanol petaen nhw'n dal gafael yn y seddi gorau, felly fe wnaethon nhw brysuro i'r cefn! Yna, dywedodd John fod ei dîm wedi cael deuddeg 'gair o wybodaeth' am bobl yn yr ystafell. Dywedodd wrthym mai ystyr 'gair o wybodaeth' (1 Corinthiaid 12:8) iddo ef oedd datguddiad goruwchnaturiol o ffeithiau ynghylch unigolyn neu sefyllfa nad yw i'w gael drwy ymdrechion y meddwl naturiol, ond yn hytrach yn dod yn hysbys drwy Ysbryd Duw. Gallai hyn fod ar ffurf llun, gair a welwyd neu a glywyd yn y meddwl, neu deimlad a brofwyd yn gorfforol. Yna, darllenodd y rhestr o eiriau o wybodaeth a dywedodd ei fod yn mynd i wahodd pobl i ddod ymlaen a gweddïo.

Fesul un, fe wnaeth pobl ymateb i ddisgrifiadau a oedd yn eithaf manwl. Roedd un gair, er enghraifft, ar gyfer dyn a oedd wedi anafu ei gefn wrth dorri coed tân pan oedd yn 14 oed. Dechreuodd lefel y ffydd yn yr ystafell godi. Cafwyd ymateb i bob gair o wybodaeth. Roedd un ohonynt ynghylch anffrwythlondeb. Yma ym Mhrydain, nid ydym yn siarad am faterion o'r fath fel arfer, heb sôn am ymateb i 'eiriau o wybodaeth' yn eu cylch. Er hynny, yn ddewr iawn, aeth merch yn ei blaen nad oedd wedi gallu beichiogi. Gweddïwyd drosti a chafodd y cyntaf o bum plentyn union naw mis yn ddiweddarach!

Mae fy agwedd yn ystod y noson honno yn adlewyrchu'r ofn a'r amheuaeth y mae nifer o bobl yn ei deimlo tuag at iacháu heddiw. Penderfynais fynd yn ôl at y Beibl i geisio deall beth sy'n cael ei ddweud am iacháu. Wrth gwrs, mae Duw yn iacháu gyda chydweithrediad doctoriaid, nyrsys a'r byd meddygol. Ond po fwyaf yr ydw i wedi chwilio, y mwyaf yr ydw i'n cael fy argyhoeddi y dylem ddisgwyl i Dduw iacháu'n wyrthiol heddiw.

Iacháu yn y Beibl

Yn yr Hen Destament, rydym yn gweld bod iacháu yn rhan o gymeriad Duw; 'myfi yw'r Arglwydd, sy'n dy iacháu' (Exodus 15:26). Rydym yn canfod addewidion Duw i iacháu'r rhai sy'n gwrando arno ac yn ei anrhydeddu (e.e. Exodus 23:25–26; Salm 41), yn ogystal â sawl enghraifft o iacháu gwyrthiol (e.e. 1 Brenhinoedd 13:6; 2 Brenhinoedd 4:8-37; Eseia 38).

Un o'r enghreifftiau mwyaf trawiadol yw iacháu Naaman, cadlywydd byddin Aram, a oedd yn dioddef o'r gwahanglwyf. Iachaodd Duw ef ar ôl iddo drochi ei hun saith gwaith yn yr Iorddonen, er ei fod yn gyndyn o wneud hynny. 'Daeth ei gnawd yn lân eto fel cnawd bachgen bach' (2 Brenhinoedd 5:14), ac fe wnaeth gydnabod Duw Israel fel yr unig wir Dduw. Fe wnaeth Eliseus, a oedd wedi gorchymyn iddo wneud hyn, wrthod y taliad a gynigiodd Naaman (er bod ei was, Gehazi wedi gwneud y camgymeriad angheuol o geisio cael yr arian iddo'i hun yn dwyllodrus o ganlyniad i'r iacháu). Yn gyntaf, yn y stori hon fe welwn fod iacháu yn gallu cael effaith hynod ar fywyd unigolyn – nid yn unig yn gorfforol, ond hefyd ar eu perthynas gyda Duw. Gall iacháu a ffydd fynd law yn llaw. Yn ail, os oedd Duw yn gweithredu yn y fath fodd yn yr Hen Destament, pan mai dim ond cipolwg ar deyrnas Duw a thywalltiad yr Ysbryd oedd i'w gael, gallwn ddisgwyl yn hyderus iddo wneud hynny hyd yn oed yn fwy byth, gan fod Iesu wedi hebrwng i mewn teyrnas Dduw ac oes yr Ysbryd.

Geiriau cyntaf Iesu a nodir yn Efengyl Marc yw, 'Y mae'r amser wedi ei gyflawni ac y mae teyrnas Dduw wedi dod yn agos. Edifarhewch a chredwch yr Efengyl.' (Marc 1:15). Mae thema teyrnas Dduw yn rhan ganolog o weinidogaeth Iesu. Mae'r ymadroddion 'teyrnas Dduw' a 'theyrnas nefoedd' yn cael eu defnyddio fwy nag 82 o weithiau, er mai ond yn Efengyl Mathew y ceir yr ail o'r ddau ymadrodd.[1] Mae'r gair Groeg am 'deyrnas' nid yn unig yn golygu 'teyrnas' yn yr ystyr wleidyddol neu ddaearyddol, ond mae elfen o weithgarwch yn rhan o'r gair – gweithgarwch rheoli neu deyrnasu.

Yn nysgeidiaeth Iesu, mae agwedd yn y dyfodol i deyrnas Dduw na fydd yn cael ei chyflawni heb ddigwyddiad allweddol 'yn niwedd amser' (Mathew 13:49). Bydd diwedd amser yn dod pan fydd Iesu yn dychwelyd. Pan ddaeth am y tro cyntaf, daeth mewn gwendid; pan fydd yn dychwelyd, bydd yn dod 'gyda nerth a gogoniant mawr' (Mathew 24:30). Mae hanes yn arwain at yr uchafbwynt hwn (Mathew 25:31). Gyda'i gilydd, mae dros 300 o gyfeiriadau yn y Testament Newydd at ail ddyfodiad Crist. Pan fydd yn dychwelyd, bydd yn amlwg i bawb. Bydd hanes, yr hyn sy'n gyfarwydd i ni, yn dod i ben. Bydd atgyfodiad cyffredinol a Dydd y Farn (2 Thesaloniaid 1:8–9; Mathew 25:32). I rai (y rhai sy'n gwrthod Crist), bydd yn ddiwrnod o ddinistr (2 Thesaloniaid 1:8-9); i eraill, bydd yn ddiwrnod lle byddant yn derbyn eu hetifeddiaeth yn nheyrnas Duw (Mathew 25:34). Bydd nefoedd newydd a daear newydd (2 Pedr 3:13; Datguddiad 21:1). Bydd Iesu ei hun yno (Datguddiad 21:22–23) a phawb sy'n ei garu ac yn ufuddhau iddo. Bydd yn lle hapus dros ben, a bydd yn parhau felly am byth (1 Corinthiaid 2:9). Bydd gennym gyrff newydd na fydd yn darfod, ac a fydd yn ogoneddus (1 Corinthiaid 15:42–43). Ni fydd marwolaeth na galar nac wylo na phoen (Datguddiad 21:4). Bydd pawb sy'n credu yn cael eu hiacháu'n llwyr y diwrnod hwnnw.

Nes daw'r diwrnod hwnnw, mae elfen o aros yn parhau. Fel yr ysgrifennodd Paul: 'yr ydym ninnau'n ochneidio ynom ein hunain wrth ddisgwyl ... rhyddhad ein corff o gaethiwed.' (Rhufeiniaid 8:23). Hynny yw, rydym yn aros yn eiddgar i'r oes ddod pan fydd Duw yn 'oll yn oll' (1 Corinthiaid 15:28). Mae'n bwysig cadw'r safbwynt bythol hwn wrth i ni ystyried y pwnc hwn, oherwydd ar hyn o bryd nid yw pawb wedi cael eu hiacháu.

Nid yw un o'm cyfeillion agos, Patrick Pearson-Miles, wedi cael ei iacháu. Mae ganddo ddiffyg ar ei arennau ac mae wedi bod yn defnyddio peiriant dialysis ers pymtheg mlynedd a mwy. Mae'n ddyn eithriadol o ddewr, ac yn ddyn sydd â ffydd gref, hefyd. Mae wedi bod yn gweddïo am iachâd ers nifer o flynyddoedd, ac rydym wedi gweddïo drosto nifer o weithiau, ond hyd yn hyn, nid yw wedi cael ei iacháu. Dywedodd Patrick ei fod wedi cael llawer o gysur pan sgwrsiodd gyda John Wimber, sydd wedi gorfod dygymod â chanser ers nifer o flynyddoedd. Dywedodd John wrtho, 'Y rhodd go iawn yw iachawdwriaeth, bywyd tragwyddol, yr holl bethau y mae Iesu'n eu rhoi i ni. Os ydym yn cael ein hiacháu yn gorfforol yn y bywyd hwn, mae hynny'n fonws, os hoffech chi.' Mae'n hanfodol cofio am yr agwedd hon ar deyrnas Dduw sy'n perthyn i'r dyfodol.

Yn ogystal, mae agwedd bresennol ar y deyrnas, fel y gwelwn yn nysgeidiaeth a bywyd Iesu. Dywedodd wrth y Phariseaid, 'Mae teyrnas Dduw yn eich plith chwi' (Luc 17:20-21). Mae'r deyrnas yma, yn awr: mae arwyddion ei dyfodiad yn amlwg i ni. Yn namhegion y trysor cudd a'r perl gwerthfawr (Mathew 13:44-46), mae Iesu'n awgrymu bod y deyrnas yn rhywbeth y gellir ei ddarganfod a'i phrofi yn yr oes hon. Aeth yn ei flaen i ddangos realiti presennol y deyrnas drwy bopeth a wnaeth yn ystod ei weinidogaeth, drwy faddau pechodau, atal drygioni ac iacháu'r rhai a oedd yn sâl.

Mae'r deyrnas yma 'yn awr' ac 'eto i ddod'. Roedd yr Iddewon yn credu y byddai dyfodiad y Meseia yn dechrau'r deyrnas olaf ar unwaith, fel y dangosir isod:

YR OES HON	YR OES A DDAW

Roedd dysgeidiaeth Iesu ychydig yn wahanol, a gellir ei grynhoi fel hyn:

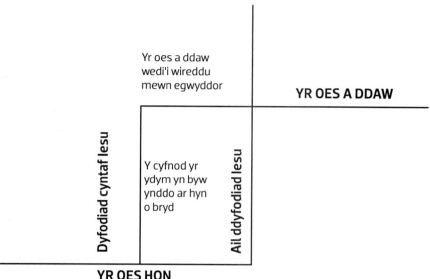

Rydym yn byw rhwng yr amseroedd, pan mae'r oes sydd i ddod wedi torri ar draws hanes. Rydym yn gweld cyrff pobl yn cael eu hiacháu a phobl yn cael eu rhyddhau o fod yn gaeth i bethau penodol. Ond mae'r hen oes yn parhau, ac mae pwerau'r oes newydd wedi torri drwodd i'r oes hon.

Mae chwarter yr Efengylau yn ymdrin ag iacháu. Er na wnaeth Iesu iacháu pawb a oedd yn sâl yn Jwdea, rydym yn aml yn clywed amdano'n iacháu unigolion neu grwpiau o bobl (e.e. Mathew 4:23; 9:35; Marc 6:56; Luc 4:40; 6:19; 9:11). Roedd yn rhan o weithgarwch arferol y deyrnas.

Pregethodd Iesu newyddion da'r deyrnas ac fe iachaodd rai a oedd yn sâl. Yna, anfonodd y deuddeg apostol i wneud yr un fath yn union. Dywedodd Iesu wrthyn nhw: 'Ac wrth fynd cyhoeddwch y genadwri: 'Y mae teyrnas nefoedd wedi dod yn agos.' Iachewch y cleifion, cyfodwch y meirw, glanhewch y gwahanglwyfus, bwriwch allan gythreuliaid...' (Mathew 10:8).

Nid i'r deuddeg yn unig y rhoddodd y comisiwn hwn. Roedd grŵp arall o 72 a benodwyd ganddo. Dywedodd wrthyn nhw 'Iachewch y cleifion yno, a dywedwch wrthynt, "Y mae teyrnas Dduw wedi dod yn agos atoch."'(Luc 10:9). Fe wnaethon nhw ddychwelyd yn llawen, gan ddweud, 'Arglwydd, y mae hyd yn oed y cythreuliaid yn ymddarostwng inni yn dy enw di'. (adnod 17).

Ni chyfyngodd hyn i'r deuddeg a'r 72, chwaith. Roedd Iesu'n disgwyl i'w *holl* ddisgyblion wneud yr un fath. Dywedodd wrth ei ddisgyblion: 'Ewch, gan hynny, a gwnewch ddisgyblion o'r holl genhedloedd ... a dysgu iddynt gadw'r *holl* orchmynion a roddais i chwi' (Mathew 28:18–20, fy mhwyslais i). Ni ddywedodd, 'yr holl orchmynion, ac eithrio'r iacháu, wrth gwrs.'

Ymhellach, wrth i chi edrych ar ddatblygiad yr eglwys yn y Testament Newydd, fe welwch mai dyma yr oeddent yn ei wneud. Yn Actau'r Apostolion, rydym yn gweld y comisiwn hwn ar waith. Fe wnaeth y disgyblion barhau i bregethu a dysgu, ond fe wnaethon nhw hefyd iacháu rhai oedd yn sâl, cyfodi rhai oedd wedi marw a bwrw allan gythreuliaid. Nid dim ond siarad wnaethon nhw, fe wnaethon nhw weithredu! (Actau 3:1-10; 4:12; 5:12-16; 8:5-13; 9:32-43; 14:3, 8-10; 19:11-12; 20:9-12; 28:8-9). Mae'n amlwg o ddarllen 1 Corinthiaid 12–14 nad oedd Paul yn credu bod galluoedd o'r fath wedi eu cyfyngu i'r apostolion. Yn yr un modd, mae awdur yr Epistol at yr Hebreaid yn dweud bod Duw wedi tystio i'w neges 'drwy arwyddion a rhyfeddodau, a gwyrthiau amrywiol, a thrwy gyfraniadau'r Ysbryd Glân, yn ôl ei ewyllys ei hun' (Hebreaid 2:4).

Nid oes awgrym yn unrhyw le yn y Beibl fod iacháu wedi ei gyfyngu i unrhyw gyfnod penodol mewn hanes. I'r gwrthwyneb, iacháu yw un o arwyddion y deyrnas a ddechreuwyd gan Iesu Grist, ac sy'n parhau hyd heddiw. Gan hynny, dylem ddisgwyl i Dduw barhau i iacháu'n wyrthiol heddiw fel rhan o weithgarwch ei deyrnas.

Iacháu yn hanes yr eglwys

Mae rhai o ysgrifenwyr yr Eglwys Fore, fel Quadratus, Iestyn Ferthyr, Theophilus o Antioch, Irenaeus, Tertullian ac Origen yn datgelu bod iacháu yn rhan arferol o weithgarwch yr Eglwys Fore

Ysgrifennydd Irenaeus (c.130 – c.200), a oedd yn Esgob ar Lyon ac yn un o ddiwinyddion yr Eglwys Fore, 'Mae eraill yn parhau i wella'r rhai sy'n sâl drwy roi eu dwylo arnyn nhw, ac mae nhw'n cael eu gwneud yn gyflawn'.

Tua'r un adeg, dywedodd Origen (c.185 – c.254), un arall o dadau'r Eglwys Fore, fod Cristnogion yn 'gyrru allan ysbrydion drwg, ac yn gwella sawl un, ac yn rhagweld rhai digwyddiadau ... ac enw Iesu ... yn gallu cael gwared ar afiechydon'.

Dwy ganrif yn ddiweddarach, roedd pobl yn dal i ddisgwyl y byddai Duw yn iacháu pobl yn uniongyrchol. Ysgrifennodd Awstin Sant yn *The City of God*, 'hyd yn oed yn awr mae gwyrthiau yn digwydd yn enw Crist'. Mae'n cyfeirio at adfer golwg dyn dall ym Milan. Yna, mae'n disgrifio iacháu un o'r enw Innocentius yr oedd yn aros gydag ef. Roedd yn cael sylw gan feddygon i drin pibglwyfau, ac roedd ganddo 'nifer fawr ohonynt wedi'u lleoli mewn patrwm cymhleth yn y rectwm'! Roedd wedi cael un lawdriniaeth boenus iawn. Nid oeddent yn meddwl y byddai'n goroesi un arall. Tra'r oedden nhw'n gweddïo drosto, disgynnodd i'r llawr fel pe bai rhywun wedi ei daflu'n rymus. Roedd yn gruddfan a chrïo, ac ni allai siarad gan fod ei gorff cyfan yn ysgwyd. Yn y man, daeth diwrnod y llawdriniaeth nesaf. 'Roedd y llawfeddygon wedi cyrraedd ... estynnwyd y teclynnau dychrynllyd ... dangoswyd y rhan briodol o'r corff; a gyda chyllell yn ei law, chwiliodd y llawfeddyg am y sinws oedd angen ei dorri. Chwiliodd amdano gyda'i lygaid; teimlodd amdano gyda'i fysedd; chwiliodd ym mhob ffordd y gallai.' Daeth o hyd i glwyf oedd wedi gwella'n llwyr. 'Ni allwn ganfod y geiriau i ddisgrifio'r gorfoledd, y mawl a'r diolchgarwch i'r Duw trugarog a hollalluog a ddaeth o wefusau pawb, gyda dagrau o lawenydd. Boed i'r olygfa gael ei dychmygu yn hytrach na'i disgrifio!'

Wedyn, disgrifiodd iacháu Innocentia - dynes dduwiol o blith carfan uchaf y wladwriaeth - a gafodd ei hiacháu o'r hyn a ddisgrifiwyd gan y meddygon fel canser y fron nad oedd modd ei wella. Roedd y meddyg yn awyddus i wybod sut y cafodd ei hiacháu. Pan ddywedodd wrtho mai Iesu oedd wedi ei hiacháu, roedd yn gandryll, a dywedodd, 'roeddwn i'n meddwl y byddech chi'n datgelu rhyw ddarganfyddiad mawr i mi.' Gan arswydo at y diffyg diddordeb, atebodd yn sydyn, 'Doedd gwella rhywbeth fel canser i Grist yn ddim byd mawr o gofio ei fod wedi cyfodi rhywun a oedd wedi marw ers pedwar diwrnod.'

Mae'n bwrw ymlaen i sôn am feddyg gyda gowt a gafodd ei iacháu 'pan gafodd ei fedyddio', a hen gomedïwr a gafodd ei iacháu pan gafodd yntau ei fedyddio – nid yn unig ei iacháu o barlys, ond hefyd torllengig.

Fe wnaeth Awstin ddweud ei fod yn gwybod am gymaint o hanesion am iacháu gwyrthiol fel ei fod wedi dweud 'Beth ydw i am ei wneud? Mae'r addewid o orffen y gwaith hwn yn pwyso mor drwm arnaf, fel na allaf gofnodi'r holl wyrthiau yr ydw i'n gwybod amdanynt ... hyd yn oed yn awr, felly, mae nifer o wyrthiau'n digwydd, a'r un Duw, a barodd i'r rhai yr ydym yn darllen amdanynt ddigwydd, yn parhau i beri iddynt ddigwydd, i'r rhai y mae'n dymuno iddynt eu cyflawni ac yn y modd y mae'n dymuno iddynt gael eu cyflawni.'

Mae Edward Gibbon, y rhesymolwr, hanesydd ac ysgolhaig o Loegr, sy'n fwyaf adnabyddus fel awdur *The History of the Decline and Fall of the Roman Empire* (1776–1788), yn rhestru pum rheswm dros dwf nodedig a chyflym Cristnogaeth. Un o'r rhain yw 'grymoedd gwyrthiol yr Eglwys gynnar'. Dywedodd 'Mae'r Eglwys Gristnogol, ers cyfnod yr apostolion a'u disgyblion cyntaf, wedi hawlio olyniaeth ddi-dor o rymoedd gwyrthiol, doniau ieithyddol, gweledigaethau a phroffwydoliaethau, grymoedd bwrw allan gythreuliaid, iacháu'r cleifion a chodi'r rhai a fu farw yn fyw eto.' Mae Gibbon yn mynd yn ei flaen i amlygu anghysondeb ei gyfnod ef, pan roedd 'drwgdybiaeth gudd, ac anwirfoddol, hyd yn oed, ynghylch yr anian fwyaf duwiolfrydig'. Yn groes i'r Eglwys Fore, mae'n ysgrifennu bod eglwys ei gyfnod ef 'yn cydnabod gwirioneddau goruwchnaturiol fel cydsyniad oeraidd a llonydd yn hytrach nag ymateb yn weithredol. Gan ein bod wedi ymgynefino ers tro â gweld a pharchu trefn anghyfnewidiol byd natur, nid yw ein rhesymeg, neu o leiaf ein dychymyg, yn ddigon parod i gynnal gweithredoedd gweledol y Duwdod.' Gellid dweud yr un peth, os nad llawer mwy, am ein cyfnod ninnau. Ar hyd hanes yr eglwys, mae Duw wedi parhau i iacháu pobl yn uniongyrchol.

Iacháu heddiw

Mae rhai pobl yn credu bod Duw wedi dewis cyfyngu iacháu gwyrthiol i gyfnod yr Eglwys Fore. Ond mae Duw yn dal i iacháu pobl heddiw. Yn wir, mae cymaint o storïau rhyfeddol am Dduw'n iacháu fel ei bod yn anodd dewis pa rai i'w nodi fel enghreifftiau.

Fe wnes i gwrdd â dynes o'r enw Jean Smith un tro, a oedd yn ei chwe degau bryd hynny. Un deg chwech a hanner o flynyddoedd cyn hynny, roedd wedi cael haint a oedd wedi difetha ei retinâu a'r drychau y tu ôl i'w llygaid, a gan nad oedd modd dadwneud y difrod, aeth yn ddall.

Yn ogystal â gorfod dibynnu ar gi tywys, roedd hi hefyd mewn llawer o boen. Roedd hi wedi bod ar gwrs Alpha yn ei heglwys leol yng Nghymru. Ar y penwythnos preswyl, teimlodd rym yr Ysbryd Glân mewn ffordd nad oedd hi erioed wedi ei brofi o'r blaen. Yn rhyfeddol, fe wnaeth y boen yr oedd hi wedi ei ddioddef am nifer o flynyddoedd ddod i ben yn sydyn. Aeth i'r eglwys y noson honno i ddiolch i Dduw. Yna, cynigiodd gweinidog ei heglwys ei heneinio gydag olew fel arwydd bod yr iachâd wedi digwydd dros y Sul (yn unol ag arferion y Beibl). Wrth iddi sychu'r olew, edrychodd i fyny, a gallai weld y bwrdd cymun o'i blaen. Aeth adref y noson honno a gweld ei gŵr am y tro cyntaf ers un deg chwech a hanner o flynyddoedd. Nid oedd yn gallu credu pa mor wyn oedd ei wallt erbyn hynny!

Mae Raniero Cantalamessa yn nodi bod gan Gristnogion ddau ddewis pan maen nhw'n wynebu problem afiechyd heddiw: ffordd natur a ffordd gras.

> Mae'r natur ddynol yn ymgorffori gwyddoniaeth a thechnoleg a'n holl adnoddau – yn gryno, popeth a gawsom gan Dduw yn y greadigaeth ac a ddatblygwyd gennym drwy ddefnyddio ein deallusrwydd. Ond mae yna ail ffordd, hefyd: gras, sy'n dynodi ffydd a'r gweddïau a fydd, yn unol ag ewyllys Duw, weithiau'n arwain at iachâd sydd y tu hwnt i gwmpas adnoddau dynol. Wrth frwydro yn erbyn afiechyd a salwch, ni all Cristion fodloni ar ddefnyddio adnoddau natur yn unig – sefydlu ysbytai neu gydweithio â strwythurau'r wladwriaeth i ddarparu gofal a chysur. Mae gan Gristnogion bŵer arbennig iawn eu hunain, a roddwyd iddynt gan Grist. Rhoddodd gyfle iddynt wella pob afiechyd a phob salwch. Byddai'n esgeulus peidio defnyddio'r pŵer hwn a, thrwy hynny, methu dal gafael ar obaith, yn enwedig i'r rhai y mae gwyddoniaeth wedi gwrthod rhoi unrhyw obaith iddynt.[2]

Wrth gwrs, bydd pawb y byddwn yn gweddïo drostynt yn cael eu hiacháu o angenrheidrwydd, ac yn y pen draw, ni all unrhyw un osgoi marwolaeth. Bydd ein cyrff yn darfod. Ar ryw bwynt, gallai hyd yn oed fod yn briodol paratoi rhywun ar gyfer marwolaeth yn hytrach na gweddïo dros eu hiachâd. Yn wir, mae'r cariad a'r consyrn tuag at bobl sy'n marw - er enghraifft, mewn hosbisau - yn rhoi urddas i'r rhai sy'n angheuol wael, ac mae'n ffordd arall o weithredu comisiwn Iesu i ofalu am y cleifion. Bryd hynny, mae angen i ni fod yn sensitif i arweiniad yr

Ysbryd Glân.

Dylem fod yn agored bob amser i weddïo dros iacháu pobl. Y mwyaf o bobl y byddwn yn gweddïo drostynt, y mwyaf y byddwn yn eu gweld yn cael eu hiacháu.[3] Mae'r rhai nad ydynt yn cael eu hiacháu yn aml yn sôn am fendith gwybod bod rhywrai'n gweddïo drostynt – cyn belled â bod y gweddïau hynny'n gariadus a sensitif. Rydw i'n cofio grŵp ohonom yn y coleg diwinyddol yn gweddïo dros ddyn oedd wedi anafu ei gefn. Nid ydw i'n meddwl ei fod wedi cael ei iacháu, ond dywedodd wrthyf wedyn, 'Ers i mi ddod i'r coleg diwinyddol, dyna'r tro cyntaf i mi deimlo fod unrhyw un yn malio amdanaf.'

Mae rhai'n cael doniau iacháu arbennig (1 Corinthiaid 12:9). Heddiw, ym mhob cwr o'r byd, fe gawn enghreifftiau o rai sydd â dawn eithriadol i iacháu. Nid yw hynny'n golygu y gallwn adael popeth iddyn nhw. Mae'r comisiwn i iacháu yno i bob un ohonom. Yn union fel nad oes gan bawb ohonom y ddawn i fod yn efengylwyr, ond ein bod yn cael ein galw i ddweud wrth eraill am y newyddion da, nid yw dawn iacháu gan bawb ohonom, ond mae pawb ohonom yn cael ein galw i weddïo dros y rhai sy'n glaf.

Yn ymarferol, sut ydym yn mynd ati i weddïo dros y rhai sy'n glaf? Mae'n hanfodol cofio mai Duw sy'n ein hiacháu, ac nid ni ein hunain. Nid oes techneg benodol. Rydym yn gweddïo'n syml, gyda chariad. Cymhelliad Iesu oedd ei dosturi tuag at bobl (Marc 1:41; Mathew 9:36). Os ydym yn caru pobl, byddwn bob amser yn eu trin gyda pharch ac urddas. Os ydym yn credu mai Iesu sy'n iacháu, byddwn yn gweddïo'n syml, oherwydd nid ein grym ni, ond grym Duw yn hytrach, sy'n iacháu.

Dyma batrwm syml:

Ymhle mae'r boen?

Rydym yn gofyn i'r sawl sydd eisiau gweddi am iachâd beth sy'n bod, a beth hoffen nhw i ni weddïo drosto.

Pam fod y cyflwr hwn ar yr unigolyn dan sylw?

Wrth gwrs, bydd coes a dorrwyd mewn damwain car yn amlwg, ond ar adegau eraill, efallai y bydd angen i ni ofyn i Dduw ddangos i ni a oes achos sydd wrth wraidd y broblem. Roedd dynes yn ein cynulleidfa yn cael trafferth gyda'i chefn, gyda phoen yn ei chlun chwith, a oedd yn amharu ar ei chwsg, ynghyd â'i gallu i symud a'i gwaith. Rhoddodd y meddyg dabledi iddi ar gyfer arthritis. Gofynnodd am weddi un noson. Dywedodd y ferch a oedd yn gweddïo drosti fod y gair 'maddeuant' wedi dod i'w meddwl. Ar ôl ymdrechu, llwyddodd y ddynes i faddau i rywun a oedd wedi gwneud cam â hi, a chafodd ei hiacháu'n rhannol. Yn ddiweddarach, gweddïodd gyda rhywun arall, gan ddweud ei bod hi'n teimlo y dylai ysgrifennu llythyr at y sawl a wnaeth gam â hi yn dweud ei bod hi'n maddau iddyn nhw. Wrth iddi bostio'r llythyr, cafodd ei hiacháu'n llwyr.

Sut ydw i'n gweddïo?

Mae nifer o batrymau yn y Testament Newydd yr ydym yn eu dilyn. Mae nhw i gyd yn rhai syml. Weithiau rydym yn gweddïo ar i Dduw iacháu yn enw Iesu, ac rydym yn gofyn i'r Ysbryd Glân ddod ar y sawl rydych yn gweddïo drostyn nhw. Mae modd cyplysu gweddi ag eneinio ag olew (Iago 5:14). Yn amlach, mae'n cael ei gyplysu â gosod dwylo ar y sawl yr ydych yn gweddïo drostynt (Luc 4:40).

Sut mae nhw'n teimlo?

Ar ôl i ni weddïo, rydym fel arfer yn gofyn i'r sawl yr ydym yn gweddïo drostynt sut mae nhw'n teimlo. Weithiau, nid ydynt yn teimlo unrhyw beth – pan fydd hynny'n digwydd, byddwn yn dal ati i weddïo. Ar adegau eraill, mae nhw'n teimlo eu bod nhw'n cael eu hiacháu, er mai dim ond amser a ddengys a yw hynny'n wir. Ar adegau eraill, fe fyddant yn teimlo'n well ond heb gael eu hiacháu'n llwyr, a phryd hynny byddwn yn dyfalbarhau fel y gwnaeth Iesu gyda'r dyn dall (Marc 8:22–25). Byddwn yn parhau nes y byddwn yn teimlo ei bod yn briodol i ni roi'r gorau iddi.

Beth nesaf?

Ar ôl gweddïo am iachâd, mae'n bwysig sicrhau pobl fod Duw yn eu caru pa un ai a ydynt yn cael eu hiacháu ai peidio, a'u gwahodd i ddod yn ôl i gael gweddi ryw dro eto. Mae'n rhaid i ni osgoi rhoi pwysau ar bobl, fel awgrymu mai eu diffyg ffydd sydd wedi rhwystro'r iacháu rhag digwydd. Rydym bob amser yn annog pobl i barhau i weddïo, a sicrhau bod eu bywydau wedi'u gwreiddio yng nghymdeithas iachaol yr eglwys – sef lle mae iachâd hirdymor yn digwydd mor aml.

Yn olaf, mae'n bwysig dyfalbarhau wrth weddïo dros iacháu pobl. Mae'n hawdd digalonni, yn enwedig os nad ydym yn gweld canlyniadau dramatig ar unwaith. Rydym yn parhau i weddïo er mwyn ufuddhau i gomisiwn Iesu i bregethu am y deyrnas ac iacháu'r cleifion. Os byddwn yn dyfalbarhau, byddwn yn gweld pŵer iacháu Duw ar waith dros y blynyddoedd.

Cefais gais unwaith i ymweld â dynes yn Ysbyty Brompton. Roedd hi yn ei thridegau, roedd ganddi dri o blant, ac roedd y pedwerydd ar ei ffordd. Roedd ei phartner wedi ei gadael ac roedd ar ei phen ei hun. Roedd syndrom Down ar ei thrydydd plentyn, ac roedd ganddo dwll yn ei galon, a oedd yn golygu fod yn rhaid iddo gael llawdriniaeth. Nid oedd y llawdriniaeth wedi bod yn llwyddiannus ac, yn ôl y drefn, roedd y staff meddygol am ddiffodd y peiriannau cynnal bywyd. Fe wnaethant ofyn iddi deirgwaith a fyddent yn cael diffodd y peiriannau a gadael i'r baban farw. Fe wrthododd, am ei bod hi eisiau rhoi cynnig ar un peth arall. Roedd hi eisiau i rywun weddïo drosto. Felly, es yno, a dywedodd wrthyf nad oedd hi'n credu yn Nuw, ond dangosodd ei mab i mi. Roedd yn diwbiau drosto, a'i gorff wedi cleisio a chwyddo. Dywedodd fod y doctoriaid wedi nodi y byddai ganddo niwed i'r ymennydd hyd yn oed petai'n dod ato'i hun, gan fod ei galon wedi rhoi'r gorau i bwmpio cyhyd. Gofynnodd i mi, 'A wnewch chi weddïo?' Felly, gweddïais yn enw Iesu ar i Dduw ei iacháu. Yna, eglurais wrthi sut y gallai roi ei bywyd i Iesu Grist, ac fe wnaeth hi hynny. Gadewais yr ysbyty, ond es yn ôl ddeuddydd yn ddiweddarach. Rhedodd ataf yr eiliad y gwelodd fi. Dywedodd wrthyf, 'rydw i wedi ceisio cysylltu â chi: mae rhywbeth anhygoel wedi digwydd. Y noson ar ôl i chi weddïo, fe newidiodd pethau'n llwyr. Mae wedi dod ato'i hun.' O fewn diwrnod neu ddau, roedd wedi cael mynd adref. Fe wnes i geisio cadw mewn cysylltiad â hi, ond nid oeddwn yn gwybod lle'r oedd hi'n byw, er ei bod hi'n gadael negeseuon ar fy mheiriant ateb yn aml. Tua chwe mis yn ddiweddarach, roeddwn mewn lifft mewn ysbyty arall, a gwelais fam a phlentyn na wnes i eu hadnabod ar unwaith. Dywedodd y ddynes wrthyf, 'Ai Nicky ydych chi?' Dywedais mai dyna oedd fy enw. Dywedodd wrthyf, 'dyma'r bachgen bach y buoch yn gweddïo drosto. Mae'n anhygoel. Nid yn unig y mae wedi dod ato'i hun ar ôl y llawdriniaeth, ond mae ei glyw, a oedd yn wael cyn iddo fynd yn wael, yn well.'

Ers hynny, rydw i wedi arwain gwasanaeth angladd i ddau aelod arall o'r teulu hwnnw. Yn y naill wasanaeth a'r llall, mae pobl wedi dod ataf (dim un ohonyn nhw'n mynychu'r eglwys) a dweud, 'Chi oedd yr un a weddïodd dros Craig, ac fe wnaeth Duw ei iacháu.' Mae pawb ohonynt yn credu bod Duw wedi ei iacháu, gan eu bod yn gwybod ei fod yn marw. Yn ogystal, roedd y newid yn Vivienne, mam y plentyn, wedi cael argraff ddofn arnyn nhw. Roedd hi wedi newid cymaint ers dod at Grist fel ei bod wedi penderfynu priodi'r dyn yr oedd yn byw gydag ef. Roedd ef wedi dod yn ôl ati ar ôl gweld y newid a ddigwyddodd iddi. Mae nhw wedi priodi erbyn hyn, ac mae hi wedi cael ei thrawsnewid yn llwyr. Ar yr ail achlysur, aeth Vivienne o amgylch ei holl deulu a'i ffrindiau gan ddweud, 'doeddwn i ddim yn credu, ond rydw i'n credu erbyn hyn.' Ychydig yn ddiweddarach, daeth ewythr a modryb Craig i'r eglwys, gan eistedd yn y rhes flaen a rhoi eu bywydau i Iesu Grist. Fe wnaethon nhw hynny gan eu bod yn gwybod eu bod wedi gweld pŵer iacháu Duw ar waith.

BETH AM YR EGLWYS?

Dywedodd Abraham Lincoln unwaith, 'Pe bai'r holl bobl sy'n mynd i gysgu mewn eglwys ar fore Sul yn cael eu gosod mewn rhes ... fe fydden nhw'n llawer mwy cyfforddus.' Cyn i mi ddod yn Gristion, roeddwn i'n mynd yn ddigalon pan oeddwn i'n clywed y gair 'eglwys' yn cael ei yngan. Y peth cyntaf oedd yn dod i fy meddwl oedd gwasanaethau'r eglwys: seddi caled, tonau anodd eu canu, distawrwydd gorfodol a diflastod poenus. Roedd ficer yn mynd â bachgen bychan o amgylch ei eglwys un diwrnod, ac yn dangos y cofebion iddo. 'Dyma enwau'r rhai a fu farw yn gwasanaethu', meddai. Holodd y bachgen ef 'Wnaethon nhw farw yn y gwasanaeth boreol neu yn y gwasanaeth gyda'r hwyr?'

Mae rhai yn cysylltu'r gair 'eglwys' â chlerigion. Bydd pobl yn dweud fod y rhai sydd ar fin cael eu hordeinio yn 'mynd am yrfa yn yr eglwys'. Mae pobl yn aml yn amheus o'r rhai sy'n dewis gyrfa o'r fath, a'r dybiaeth ydi nad ydyn nhw'n gallu gwneud unrhyw beth arall o gwbl. Fel y nodwyd mewn hysbyseb yn y wasg eglwysig yn ddiweddar: 'Ydych chi'n bedwar deg pump oed ac yn mynd i unman? Beth am ystyried gweinidogaeth Gristnogol?' Mae clerigion weithiau'n cael eu gweld fel rhai sy'n anweledig am chwe diwrnod, ac yn annealladwy ar y diwrnod arall!'

Mae eraill yn cysylltu'r gair 'eglwys' ag enwadau. Fe wnaeth fy mam, cyn iddi ddod yn Gristion, lenwi rhan o ffurflen oedd yn holi am ei chrefydd, gan nodi 'Dim (Eglwys Loegr)'! Mae eraill wedyn yn cysylltu'r 'eglwys' ag adeiladau. Maen nhw'n ystyried fod gan bob clerig ddiddordeb mewn pensaernïaeth eglwysi, a phan fyddan nhw'n mynd ar wyliau, maen nhw'n anfon llun o adeilad yr eglwys leol at eu ficer.

Efallai bod elfen o wirionedd yn rhai o'r safbwyntiau hyn. Ac eto, nid yw'r cysylltiadau hyn yn crynhoi beth yw eglwys. Mae'n debyg i ofyn y cwestiwn, 'Beth yw priodas?' a chael yr ateb mai priodas yw modrwy, tystysgrif priodas, a'r cyfreithiau priodasol. Gallai priodas gynnwys pob un o'r rhain, ond nid dyna'r hanfod. Mae rhywbeth llawer mwy dwfn yn rhan ganolog o briodas – perthynas llawn ymddiriedaeth yn seiliedig ar gariad ac ymrwymiad. Yn yr un modd, mae rhywbeth hyfryd iawn yn rhan ganolog o'r eglwys – y berthynas rhwng Duw a'i bobl. Dros y blynyddoedd ers i mi ddod yn Gristion, rydw i nid yn unig wedi dod i hoffi'r eglwys, ond i'w charu.

Mae dros 100 delwedd neu gydweddiadau o'r eglwys i'w cael yn y Testament Newydd. Yn y bennod hon, rydw i eisiau edrych ar bump o'r rhain, sy'n rhan ganolog o'n dealltwriaeth o'r eglwys.

Pobl Duw

Yn gyntaf, pobl yw eglwys. Mae'r gair Groeg am eglwys, *ekklesia*, yn golygu 'cynulliad' neu 'gasgliad o bobl'. Yn y lle cyntaf, mae'r ffydd Gristnogol yn cynnwys perthynas am i fyny (ein perthynas gyda Duw) ond hefyd perthynas ar draws (ein perthynas gyda phobl eraill). Rydym yn rhan o gymuned a ddechreuodd gyda Duw yn galw Abraham; roedd pobl Israel yn rhagarddangos yr eglwys. Felly mae'r eglwys fyd-eang yn cynnwys y rhain i gyd ar draws y byd a thros y cenedlaethau sydd yn arddel enw

Crist neu sydd wedi arddel ei enw.

Mae bedydd yn arwydd gweledol o fod yn aelod o'r eglwys. Y mae hefyd yn arwydd gweledol o'r hyn y mae'n ei olygu i fod yn Gristion. Mae'n cynrychioli glanhau pechodau (1 Corinthiaid 6:11), marw a chodi gyda Christ i fywyd newydd (Rhufeiniaid 6:3–5; Colosiaid 2:12) a'r dŵr bywiol y mae'r Ysbryd Glân yn dod i'n bywydau (1 Corinthiaid 12:13). Mae Iesu ei hunan wedi gorchymyn i'w ddilynwyr fynd a gwneud disgyblion a'u bedyddio (Mathew 28:19).

Mae'r eglwys Gristnogol fyd-eang yn helaeth. Yn ôl yr *Encyclopaedia Britannica*, mae dros ddau biliwn o Gristnogion yn y byd heddiw, sef tua traean o boblogaeth y byd. Mae degau ar filoedd o bobl yn dod yn Gristnogion bob dydd. O fyw yng ngorllewin Ewrop, lle mae'r eglwys wedi bod ar drai ers nifer o flynyddoedd, mae'n hawdd meddwl fod yr eglwys yn marw. Ar un adeg, roedd y Gorllewin yn anfon cenhadon i rannau eraill o'r byd. Er hynny, pan oeddwn i yng Nghaergrawnt, rwy'n cofion tri chennad o Uganda yn dod i bregethu'r efengyl. Fe wnaeth fy nharo i bryd hynny cymaint roedd y byd wedi newid yn y 150 mlynedd ddiwethaf, a bod Prydain angen cenhadon gymaint ag unman arall.

Yn fyd-eang, mae'r eglwys yn tyfu'n gyflymach nag erioed. Yn 1900, roedd 10 miliwn o Gristnogion yn Affrica. Ganrif yn ddiweddarach, roedd y ffigwr hwnnw'n 360 miliwn. Mae'r un twf i'w weld yn Ne America, Tsieina, ac mewn rhannau eraill o'r byd. Yn America, mae tua phum deg y cant o'r boblogaeth yn mynd i'r eglwys ar y Sul, o'i gymharu â saith y cant yn y Deyrnas Unedig.

Mewn mwy na chwe deg o wledydd yn y byd, mae'r eglwys yn cael ei herlid. Mae 200 miliwn o Gristnogion yn cael eu haflonyddu, eu camdrin, eu harteithio neu eu dienyddio ar sail eu ffydd, gan fyw mewn ofn bob dydd oherwydd yr heddlu cudd, vigilantes neu ormes a gwahaniaethu gan y wladwriaeth.[1] Ac eto, ar sawl ystyr, mae'r eglwys yn y rhannau hynny o'r byd yn parhau i fod yn gryf iawn.

Yn y Testament Newydd, mae Paul yn sôn am eglwysi lleol, er enghraifft 'eglwysi Galatia' (1 Corinthiaid 16:1), 'eglwysi Asia' (1 Corinthiaid 16:19) a 'holl eglwysi Crist' (Rhufeiniaid 16:16). Mae hyd yn oed yr eglwysi lleol hyn ar brydiau yn ymddangos fel pe baen nhw wedi ymrannu'n grwpiau llai o faint oedd yn cyfarfod mewn tai (Rhufeiniaid 16:5; 1 Corinthiaid 16:19).

Mewn ffordd, mae'n ymddangos bod tri math o gynulliadau yn y Beibl: y rhai mawr, y rhai canolig eu maint a'r rhai bychan. Mae'r rhain wedi cael eu disgrifio fel 'cynulliad', 'cynulleidfa' a 'chell'. Yn ein profiad fel eglwys leol, mae'r tri pheth yn bwysig ac yn ategu ei gilydd.

Y cynulliad yw nifer fawr o Gristnogion yn dod at ei gilydd. Gallai hyn ddigwydd bob Sul mewn eglwysi mawr, neu pan fydd nifer o eglwysi llai o faint yn dod at ei gilydd i addoli. Yn yr Hen Destament, daeth pobl Dduw at ei gilydd ar gyfer dathliadau arbennig gyda naws benodol adeg y Pasg, y Pentecost neu'r Calan. Heddiw, mae nifer fawr o Gristnogion gyda'i gilydd yn cynnig ysbrydoliaeth. Drwyddyn nhw mae nifer yn gallu ailafael mewn gweledigaeth o fawredd Duw a synnwyr dwfn o addoli. Mae'r cynulliadau hyn o gannoedd o Gristnogion gyda'i gilydd yn gallu adfer hyder y rhai sydd wedi teimlo eu bod nhw ar eu pen eu hunain, ac yn cynnig presenoldeb gweladwy o'r eglwys yn y gymuned. Er hynny, nid yw cynulliadau o'r fath yn ddigon ar eu pen eu hunain. Nid ydyn nhw'n lleoedd lle mae cyfeillgarwch yn gallu datblygu'n rhwydd.

Y gynulleidfa, yn y synnwyr hwn, yw casgliad canolig ei faint o bobl. Mae'r maint yn ei gwneud yn bosibl i adnabod y rhan fwyaf o bobl. Mae'n fan lle gellir ffurfio cyfeillgarwch Cristnogol parhaol. Mae'n fan lle gall unigolion ddysgu traddodi anerchiadau, cymryd rhan mewn addoliad, gweddïo dros y rhai sy'n wael, cymryd rhan yn y litwrgi a dysgu sut i weddïo ar lafar, er enghraifft. Y mae hefyd yn fan lle mae doniau a gweinidogaethau'r Ysbryd, fel proffwydo, yn gallu cael ei arfer mewn awyrgylch o gariad a dealltwriaeth, lle mae pobl yn gallu mentro gwneud camgymeriadau. Ar y lefel hon y gallwn hefyd fynd allan fel grŵp i wasanaethu ein cymuned. Er enghraifft, gallai gynnwys ymweld â'r rhai sy'n wael a'r rhai sy'n hŷn, paentio cartref rhywun sydd mewn angen, neu helpu mewn lloches i bobl ddigartref neu grŵp ieuenctid.

Y drydedd lefel yw'r gell neu'r grŵp bychan. Mae'r grwpiau hyn yn cynnwys rhwng dau a dwsin o bobl, sy'n ymgynnull i astudio'r Beibl a gweddïo gyda'i gilydd. Yn y grwpiau hyn y ffurfir y cyfeillgarwch mwyaf clos gyda phobl mewn eglwys. Mae pobl yn cael cyfle i siarad am eu hamheuon, eu hofnau a'u methiannau. Gallwn annog ein gilydd, bwyta gyda'n gilydd, a dathlu bendithion bywyd. Gallwn ofyn i'n gilydd weddïo drosom a bod yno ar gyfer ein gilydd yn ystod cyfnodau anodd. Dylai fod yn lle cyfrinachol, atebol, a llawn parch.

Teulu Duw

Yn ail, yr eglwys yw teulu Duw. Pan fyddwn yn derbyn Iesu Grist i'n bywydau, rydym yn dod yn blant i Dduw (Ioan 1:12). Dyma sy'n rhoi undod i'r eglwys. Mae Duw yn Dad i ni, Iesu Grist yn Waredwr i ni, a'r Ysbryd Glân yn byw ynom ni. Mae pawb ohonom yn perthyn i un teulu. Er y gallai brodyr a chwiorydd anghytuno a ffraeo neu beidio gweld ei gilydd am gyfnodau hir, maen nhw'n parhau i fod yn frodyr a chwiorydd. Ni all unrhyw beth ddod â'r berthynas honno i ben. Mae'r eglwys yn un, er ei bod yn aml yn ymddangos fel pe bai wedi ymrannu.

Nid yw hyn yn golygu ein bod yn bodloni ar beidio â bod yn unedig. Gweddïodd Iesu dros ei ddilynwyr 'iddynt fod yn un' (Ioan 17:11). Mae Paul yn dweud 'Ymrowch i gadw, â rhwymyn tangnefedd, yr undod y mae'r Ysbryd yn ei roi' (Effesiaid 4:3). Fel teulu rhanedig, dylem bob amser ymdrechu at gymod; mae ein rhaniadau o reidrwydd yn annymunol i'r rhai sydd y tu allan i'r eglwys. Wrth gwrs, ni ddylai undod gael ei gyflawni ar draul gwirionedd, ond fel y nododd yr awdur Canoloesol Rupertus Meldenius, 'O ran y pethau angenrheidiol, undod; o ran y pethau y gellir eu cwestiynu, rhyddid; ym mhopeth, cariad.'

Ar bob lefel, dylem geisio undod – yn y grŵp bychan, yn y gynulleidfa ac yn y cynulliad, yn ein henwadau a chydag enwadau eraill. Daw'r undod hwn wrth i ddiwinyddion ac arweinwyr yr eglwys ddod at ei gilydd i drafod a datrys gwahaniaethau diwinyddol. Ond fe ddaw hefyd, yn aml yn fwy effeithiol, wrth i Gristnogion cyffredin ddod at ei gilydd i weddïo, addoli a chydweithio. Yr agosaf y down at Grist, yr agosaf y down at ein gilydd. Defnyddiodd David Watson, yr awdur a'r arweinydd eglwysig, ddelwedd drawiadol pan ddywedodd:

> Pan fyddwch yn teithio drwy'r awyr a'r awyren yn codi oddi ar y ddaear, mae'r waliau a'r gwrychoedd, a allai fod wedi ymddangos yn fawr a thrawiadol o'r ddaear, yn colli eu harwyddocâd ar unwaith. Yn yr un modd, pan fydd grym yr Ysbryd Glân yn ein dyrchafu gyda'n gilydd i'r sylweddoliad ymwybodol o bresenoldeb Iesu, nid yw'r rhwystrau rhyngom yn bwysig. Wrth eistedd gyda Christ yn y mannau nefolaidd, gall y gwahaniaethau rhwng Cristnogion ymddangos yn aml yn fychan ac ymylol.[2]

Gan fod gennym yr un Tad, rydym yn frodyr a chwiorydd, ac mae pawb yn cael eu galw i garu ei gilydd. Mae Ioan yn nodi hyn yn glir iawn:

Os dywed rhywun, "Rwy'n caru Duw", ac yntau'n casáu ei gydaelod, y mae'n gelwyddog; oherwydd ni all neb nad yw'n caru cydaelod y mae wedi ei weld, garu Duw nad yw wedi ei weld. A dyma'r gorchymyn sydd gennym oddi wrtho ef: bod i'r sawl sy'n caru Duw garu ei gydaelod hefyd. Pob un sy'n credu mai Iesu yw'r Crist, y mae wedi ei eni o Dduw; ac y mae pawb sy'n caru tad yn caru ei blentyn hefyd. (1 Ioan 4:20 – 5:1).

Wrth annerch cynulliad o filoedd o bobl o enwadau gwahanol, dywedodd Raniero Cantalamessa 'Pan fydd Cristnogion yn ffraeo, rydym yn dweud wrth Dduw: "Dewis rhyngom ni a nhw." Ond mae'r Tad yn caru ei holl blant. Dylem ddweud, "Rydym yn derbyn fel ein brodyr a'n chwiorydd bawb rwyt ti'n eu derbyn fel dy blant."'

Rydym yn cael ein galw i gymdeithas â'n gilydd. Mae'r gair Groeg *koinonia* yn golygu 'pethau yn gyffredin' neu 'rannu'. Dyma'r gair sy'n cael ei ddefnyddio ar gyfer y berthynas briodasol, yr un agosaf rhwng bodau dynol. Mae ein cymdeithas gyda Duw (Y Tad, y Mab a'r Ysbryd Glân – 1 Ioan 1:3; 2 Corinthiaid 13:14) a chyda'n gilydd (1 Ioan 1:7). Mae Cymdeithas Gristnogol yn torri trwy rwystrau hil, lliw, addysg, cefndir a phob rhwystr diwylliannol arall. Mae lefel o gyfeillgarwch yn yr eglwys nad ydw i wedi ei phrofi y tu allan i'r eglwys, yn sicr.

Dywedodd John Wesley, 'Nid yw'r Testament Newydd yn gwybod unrhyw beth am grefydd unigol.' Rydym yn cael ein galw i gymdeithas â'n gilydd. Nid yw'n rhywbeth ychwanegol y gallwn ei ddewis. Mae dau beth na allwn eu gwneud o gwbl ar ein pen ein hunain. Ni allwn briodi ar ein pen ein hunain, ac ni allwn fod yn Gristion ar ein pen ein hunain. Fel hyn y dywedodd yr Athro C.E.B. Cranfield: 'Mae Cristion ar ei liwt ei hun, a fyddai'n Gristion ond sy'n llawer rhy bwysig i berthyn i'r eglwys weledol ar y ddaear yn un o'i ffurfiau, yn ddim llai na gwrthddywediad.'

Mae awdur yr epistol at yr Hebreaid yn annog ei ddarllenwyr, 'Gadewch inni ystyried sut y gallwn ennyn yn ein gilydd gariad a gweithredoedd da, heb gefnu ar ein cydgynulliad ein hunain, yn ôl arfer rhai, ond annog ein gilydd, ac yn fwy felly yn gymaint â'ch bod yn gweld y Dydd yn dod yn agos.' (Hebreaid 10:24–25). O'm profiad i yn gwylio pobl sydd wedi dod at Grist, oni bai eu bod nhw'n cyfarfod gyda Christnogion eraill, mae'n anodd i'w ffydd barhau'n fyw.

Cafodd un dyn a oedd yn y sefyllfa hon ymweliad gan Gristion doeth a hen. Fe wnaethon nhw eistedd o flaen y tân glo yn yr ystafell fyw.

Ni siaradodd yr hen ddyn, ond aeth at y tân glo a thynnu darn o lo fflamboeth allan gyda gefel, a'i roi ar garreg yr aelwyd. Ni ddywedodd yr un gair. Mewn ychydig funudau, roedd y darn o lo wedi colli ei ddisgleirdeb. Yna, cododd y darn unwaith eto a'i roi yn ôl yn y tân. Ar ôl cyfnod byr, dechreuodd ddisgleirio eto. Ni ddywedodd yr hen ddyn yr un gair unwaith eto, ond wrth iddo baratoi i ymadael, roedd y dyn arall yn gwybod yn union pam ei fod wedi colli ei danbeidrwydd – mae Cristion nad yw'n rhan o frawdoliaeth fel darn o lo y tu allan i'r tân.

Fe wnaeth cwpl ifanc, a oedd wedi dod i arddel ffydd yng Nghrist yn ddiweddar, ysgrifennu darn fel hyn:

> Rydym wedi bod yn dod i'r eglwys ers blwyddyn erbyn hyn, ac yn barod mae'n teimlo fel bod adref. Mae'n amhosibl dod o hyd i'r awyrgylch o gariad, cyfeillgarwch a chyffro yn unrhyw le arall. Mae'r gorfoledd yn llawer gwell nag unrhyw noson mewn tafarn, mewn parti neu mewn bwyty ... Mae'n syndod gen i fy mod i'n dweud hynny (er fy mod i'n parhau i fwynhau gwneud y tri pheth hynny, hefyd!) Mae'r ddau ohonom yn teimlo bod gwasanaethau'r Sul a'r cyfarfodydd nos Fercher yn ddau uchafbwynt i'r wythnos. Ar brydiau, mae'n teimlo fel codi i wyneb y dŵr i gael aer, yn enwedig gan ein bod fel petaem yn boddi yn nyfroedd dyfnion byd gwaith erbyn nos Fercher! Os byddwn yn methu mynd i'r naill gyfarfod neu'r llall, rydym yn teimlo'n 'anghyflawn', rywsut. Wrth gwrs, gallwn barhau i siarad gyda Duw gyda'n gilydd ac ar ein pen ein hunain, ond rwy'n teimlo mai'r weithred o gyfarfod gyda'n gilydd yw'r fegin sy'n parhau i wyntyllu fflamau ein ffydd.

Corff Crist

Yn drydydd, corff Crist yw'r eglwys. Roedd Paul wedi bod yn erlid yr eglwys Gristnogol pan ddaeth wyneb yn wyneb ag Iesu Grist ar y ffordd i Ddamascus. Dywedodd Iesu wrtho, 'Saul, Saul, pam yr wyt yn fy erlid *i*?' (Actau 9:4, fy mhwyslais i). Nid oedd Paul wedi cyfarfod Iesu cyn hynny, felly mae'n rhaid ei fod wedi sylweddoli fod Iesu'n dweud ei fod yn erlid Iesu ei hunan wrth erlid Cristnogion. Mae'n bosibl mai yn sgîl y cyfarfyddiad hwn y sylweddolodd Paul mai corff Crist oedd yr Eglwys. 'Mae'n galw'r eglwys yn Grist,' ysgrifennodd Calvin, y diwygiwr o'r unfed ganrif ar bymtheg. Ni'r Cristnogion yw Crist i'r byd. Yng ngeiriau'r emyn Saesneg cyfarwydd:

He has no hands but our hands
To do His work today;
He has no feet but our feet
To lead men in His way;
He has no voice but our voice
To tell men how he died;
He has no help but our help to lead them to his side.

Mae Paul yn datblygu'r cydweddiad hwn yn 1 Corinthiaid 12. Mae'r corff yn uned (adnod 12), ac eto nid yw'r undod hwn yn golygu unffurfiaeth. Yn y corff mae amrywiaeth sydd bron â bod yn ddiddiwedd. Mae gan bobl ddoniau gwahanol ac maen nhw'n gwasanaethu mewn ffyrdd gwahanol, ond mae pawb yn ffitio yn rhywle. Mae Duw yn rhoi gwaith i bawb ohonom yn yr eglwys, nid fel ein bod yn gallu dangos ein hunain, ond er budd cyffredin (adnod 7). Os nad ydym yn chwarae ein rhan, mae'r holl gorff yn dioddef. O ran hynny, mae'r eglwys wedi cael ei chymharu â gêm bêl-droed: 22 o bobl y mae angen seibiant arnynt yn fawr, yn cael eu gwylio gan 22 o filoedd y mae angen ymarfer corff arnynt yn fawr. Mae pob un ohonom yn cynrychioli Iesu, a gallwn wneud pethau da ar ei ran ble bynnag yr awn: yn ein teuluoedd, yn y gwaith, lle'r ydym yn byw a gyda'n ffrindiau.

Aeth un o gynulleidfa John Wimber ato un diwrnod ar ôl cyfarfod rhywun oedd mewn angen mawr. Ar ôl y gwasanaeth ar y Sul, aeth y dyn hwn at John Wimber i ddweud wrtho mor rhwystredig yr oedd yn teimlo wrth geisio cael help: 'Roedd y dyn hwn angen rhywle i aros, a bwyd a chynhaliaeth tra roedd yn cael trefn ar ei fywyd ac yn chwilio am waith. Rydw i'n rhwystredig iawn. Fe wnes i geisio ffonio swyddfa'r eglwys, ond nid oedd unrhyw un yn gallu fy nghyfarfod ac fe ddywedon nhw na fydden nhw'n gallu fy helpu. Yn y pen draw roedd yn rhaid i mi adael iddo aros gyda *mi* am yr wythnos! Ydych chi'n cytuno y dylai'r eglwys am bobl fel hyn?' Pendronodd John Wimber am ychydig, a dywedodd, 'Mae'n ymddangos i mi fod *yr eglwys* wedi gofalu.'

Beth ddylai ein hagwedd fod tuag at rannau eraill o gorff Crist? Mae Paul yn ymdrin â dwy agwedd sy'n anghywir.

Yn gyntaf, mae'n siarad gyda'r rhai sy'n teimlo'n annigonol ac yn meddwl nad oes ganddyn nhw unrhyw beth i'w gynnig. Er enghraifft, mae Paul yn dweud y gallai'r droed deimlo'n llai pwysig na'r llaw, neu'r glust deimlo ei bod yn llai pwysig na'r llygad (adnodau 14–19). Mae gan y ddynolryw duedd i deimlo'n eiddigeddus o eraill.

Mae'n hawdd edrych o gwmpas yr eglwys a theimlo'n annigonol, a thrwy hynny deimlo nad oes eich angen yno. O ganlyniad, nid ydym yn gwneud unrhyw beth. Mewn gwirionedd, mae angen pawb ohonom. Mae Duw wedi rhoi doniau 'i bob un' (adnod 7). Mae'r ymadrodd 'i bob un' yn edau gyffredin drwy 1 Corinthiaid 12. Mae gan bob un o leiaf un ddawn sy'n gyfan gwbl angenrheidiol i'r corff allu gweithredu'n briodol. Oni bai fod pob un ohonom yn chwarae'r rhan y mae Duw wedi ei chynllunio ar ein cyfer, ni fydd yr eglwys yn gallu gweithredu fel y dylai.

Yn yr adnodau dilynol, mae Paul yn troi at y rhai sy'n teimlo eu bod nhw'n well nag eraill (adnodau 21-25) ac sy'n dweud wrth eraill, 'nid wyf eich angen chi.' Unwaith eto, mae Paul yn pwysleisio pa mor ffôl yw safbwynt o'r fath. Nid yw corff heb droed mor effeithiol ag y gallai fod (gweler adnod 21). Yn aml mae rhannau nad ydyn nhw yn y golwg yn fwy pwysig na'r rhai sydd â phroffil uwch.

Mae angen i ni gydnabod ein bod i gyd yn dibynnu ar ein gilydd, ac mae pob rhan yn effeithio ar y cyfanwaith; 'Os bydd un aelod yn dioddef, y mae pob aelod yn cyd-ddioddef; neu os bydd un aelod yn cael ei anrhydeddu, y mae pob aelod yn cydlawenhau.' (adnod 26). Pan fydd pawb yn chwarae eu rhan, mae rhywbeth hyfryd iawn yn digwydd, fel cerddorfa lle mae nifer o bobl yn perfformio. Yn fyd-eang hefyd, mae hyn yn wir. Yn hytrach na diystyru rhannau eraill o'r eglwys am eu bod yn wahanol i ni, mae'n gyffrous sylweddoli y gallwn gael ein cyfoethogi ganddynt.

Teml sanctaidd

Yn bedwerydd, yn yr eglwys rydym yn cael profiad o bresenoldeb Duw mewn ffordd arbennig. Yr unig sôn am adeiladu eglwys yn y Testament Newydd yw cyfeiriad at adeiladu gyda phobl. Mae Paul yn dweud fod Cristnogion yn cael eu 'cyd-adeiladu i fod yn breswylfod i Dduw yn yr Ysbryd' (Effesiaid 2:22). Iesu yw'r prif gonglfaen. Ef yw'r un a sefydlodd yr eglwys ac yr adeiladwyd yr eglwys o'i amgylch. Y sylfeini yw'r 'apostolion a'r proffwydi' a'r canlyniad yw teml sanctaidd wedi ei hadeiladu o 'feini byw'.

Yn yr Hen Destament, roedd y tabernacl (ac yn ddiweddarach, y deml) yn rhan ganolog o addoliad Israel. Dyma'r fan lle'r oedd pobl yn mynd i gyfarfod Duw. Ar brydiau roedd ei bresenoldeb yn llenwi'r deml (1 Brenhinoedd 8:11) ac yn enwedig y Cysegr Sancteiddiaf. Roedd cyfyngiad llym ar fynediad i'w bresenoldeb (gweler Hebreaid 9).

Trwy ei farwolaeth ar y groes drosom, agorodd Iesu fynediad at y Tad i bawb sy'n credu, bob amser. Nid yw ei bresenoldeb wedi ei gyfyngu i deml gorfforol erbyn hyn; yn awr, mae'n bresennol yn ei Ysbryd gyda phawb sy'n credu. Mae ei bresenoldeb yn cael ei synhwyro'n neilltuol pan fydd Cristnogion yn dod at ei gilydd (Mathew 18:20). Ei deml newydd yw'r eglwys, sy'n 'breswylfod i Dduw yn yr Ysbryd'.

Dywedodd yr Athro Gordon Fee fod presenoldeb 'yn air blasus'. Os ydych yn caru rhywun, yr hyn rydych chi ei eisiau yn fwy na dim arall yw presenoldeb yr unigolyn hwnnw. Mae llythyrau yn dda, ffotograffau yn rhagorol, a galwadau ffôn yn wych. Ond yr hyn rydych yn dyheu amdano o ddifrif yw eu presenoldeb.[3] Presenoldeb Duw oedd yr hyn a gollodd Adda ac Efa yng Ngardd Eden. Ond addawodd Duw y byddai'n adfer ei bresenoldeb. Yn gyntaf yn y deml yn yr Hen Destament, ac ar ôl y Pentecost, pan dywalltwyd Ysbryd Duw, daeth presenoldeb Duw i fyw ymysg ei bobl.

Mae Paul yn ysgrifennu am Gristnogion unigol, 'oni wyddoch fod eich corff yn deml i'r Ysbryd Glân sydd ynoch, yr hwn sydd gennych oddi wrth Dduw?' (1 Corinthiaid 6:19). Ond yn amlwg mae'n ysgrifennu mai'r eglwys, y gymuned o Gristnogion ynghyd, yw teml yr Ysbryd Glân. Dyna lle mae Duw yn byw trwy ei Ysbryd. Dan yr hen Gyfamod (cyn Iesu), drwy offeiriad, a oedd yn aberthu ar ran y credinwyr, yr oedd rhywun yn mynd at y Tad (Hebreaid 4:14). Yn awr mae Iesu, ein harch-offeiriad mawr, wedi gwneud yr aberth goruchaf o'i fywyd ei hun ar ein rhan. Fe wnaeth Iesu 'un waith am byth, ar ddiwedd yr oesoedd, ...ymddangos er mwyn dileu pechod drwy ei aberthu ei hun' (Hebreaid 9:26). Nid ydym angen gwneud aberthau pellach am ein pechodau. Yn hytrach, mae angen i ni gael ein hatgoffa'n gyson o'i aberth drosom. Yng ngwasanaeth y Cymun Bendigaid, sydd weithiau'n cael ei alw'n Ewcharist, rydym yn cofio'n ddiolchgar am ei aberth, ac yn cyfranogi o'i fuddiannau.

Wrth i ni dderbyn y bara a'r gwin, rydym yn edrych i bedwar cyfeiriad:

Rydym yn edrych yn ôl gyda diolch

Mae'r bara a'r gwin yn ein hatgoffa o gorff drylliedig Iesu Grist ar y groes, a'r gwaed a gollodd. Wrth i ni dderbyn y Cymun, rydym yn edrych yn ôl tua'r groes yn ddiolchgar ei fod wedi marw drosom, fel bod modd maddau ein pechodau a bod modd cael gwared â'n heuogrwydd (Mathew 26:26–28).

Rydym yn edrych ymlaen gan geisio rhagweld

Gallai Iesu fod wedi gadael ffordd arall i ni gofio ei farwolaeth, ond dewisodd adael pryd o fwyd i ni. Mae pryd o fwyd yn aml yn ffordd y byddwn yn dathlu achlysuron pwysig. Un diwrnod yn y nefoedd, byddwn yn dathlu am byth yng 'ngwledd briodas' Iesu Grist (Datguddiad 19:9). Mae'r bara a'r gwin yn rhagflas o hyn (Luc 22:16; 1 Corinthiaid 11:26).

Rydym yn edrych o'n cwmpas ar y teulu Cristnogol

Mae yfed o un gwpan a bwyta'r un dorth yn symbol o'n hundod yng Nghrist. 'Gan mai un yw'r bara, yr ydym ni, a ninnau'n llawer, yn un corff, oherwydd yr ydym i gyd yn cyfranogi o'r un bara. ' (1 Corinthiaid 10:17). Dyna pam nad ydym yn derbyn y bara a'r gwin ar ein pen ein hunain. Dylai bwyta ac yfed fel hyn nid yn unig ein hatgoffa o'n hundod, ond dylai hefyd gryfhau'r undod hwnnw wrth i ni edrych o'n cwmpas ar ein brodyr a'n chwiorydd y bu Crist farw drostynt.

Rydym yn edrych i fyny yn ddisgwylgar

Mae'r bara a'r gwin yn cynrychioli corff a gwaed Iesu. Addawodd Iesu fod gyda ni trwy ei Ysbryd ar ôl iddo farw, ac yn enwedig felly lle bynnag y byddai Cristnogion yn cyfarfod gyda'i gilydd: 'Oherwydd lle y mae dau neu dri wedi dod ynghyd yn fy enw i, yr wyf yno yn eu canol.' (Mathew 18:20). Felly, wrth i ni dderbyn y Cymun, rydym yn edrych i fyny tuag at Iesu yn ddisgwylgar. Yn ein profiad ni, rydym wedi canfod fod achlysuron o'r fath weithiau'n sbarduno sgyrsiau, iachâd a chyfarfyddiadau grymus gyda phresenoldeb Crist.

Priodferch Crist

Yn bumed, mae Iesu'n caru'r eglwys; hi yw priodferch Crist. Dyma un o'r cydweddiadau hyfrytaf o'r eglwys yn y Testament Newydd. Wrth sôn am y berthynas rhwng gŵr a gwraig, mae Paul yn dweud: 'Y mae'r dirgelwch hwn yn fawr. Cyfeirio yr wyf at Grist ac at yr eglwys' (Effesiaid 5:32).

Er mwyn disgrifio'r berthynas rhwng Duw a bodau dynol, mae'r Testament Newydd yn defnyddio cydweddiadau o'r berthynas agosaf bosibl. Cydweddiad amlwg, er enghraifft, yw'r berthynas rhwng rhiant a phlentyn. Ond yma, mae Paul yn awgrymu mai'r cydweddiad gorau, o bosibl, yw'r cariad rhwng gŵr a gwraig. Dyna'r cariad sydd gan Iesu tuag atoch chi. Dywedodd Awstin Sant fod `Duw yn caru pob un ohonom fel pe bai dim ond un ohonom i'w garu.'

Fel mae'r Hen Destament yn sôn am Dduw yn ŵr i Israel (Eseia 54:1-8), yn y Testament Newydd, mae Paul yn cyfeirio at Grist fel gŵr yr eglwys a'r patrwm ar gyfer pob perthynas rhwng gŵr a gwraig. Felly, mae'n dweud wrth wŷr am garu eu gwragedd 'fel y carodd Crist yntau'r eglwys a'i roi ei hun drosti, i'w sancteiddio a'i glanhau â'r golchiad dŵr a'r gair, er mwyn iddo ef ei hun ei chyflwyno iddo'i hun yn ei lawn ogoniant, heb fod arni frycheuyn na chrychni na dim byd o'r fath, iddi fod yn sanctaidd a di-fai' (Effesiaid 5:25-27).

Efallai nad yw'r darlun hwn o eglwys sanctaidd a di-fai yn adlewyrchu ei sefyllfa bresennol yn gyfan gwbl, ond yr ydym yn cael cipolwg yma ar yr hyn sydd gan Iesu mewn golwg ar gyfer ei eglwys. Un diwrnod, bydd Iesu'n dychwelyd mewn gogoniant. Yn Llyfr y Datguddiad, mae Ioan yn cael gweledigaeth o'r eglwys, 'Jerwsalem newydd, yn disgyn o'r nef oddi wrth Dduw, wedi ei pharatoi fel priodferch wedi ei thecáu i'w gŵr' (Datguddiad 21:2). Heddiw, mae'r eglwys yn fach ac yn wan. Un diwrnod byddwn yn gweld yr eglwys fel y mae Iesu yn bwriadu iddi fod. Yn y cyfamser, mae'n rhaid i ni geisio dod â'n profiadau mor agos â phosibl at weledigaeth y Testament Newydd.

Dylai ein hymateb i gariad Crist fod yn un o gariad tuag ato ef. Y ffordd yr ydym yn dangos ein cariad tuag ato ef yw trwy fyw mewn sancteiddrwydd a phurdeb – bod yn briodferch deilwng iddo a chyflawni ei ddiben ar ein cyfer. Dyma ei fwriad ar ein cyfer. Dyma sut bydd ei ddibenion ar ein cyfer yn cael eu cyflawni. Byddwn yn cael ein newid a'n gwneud yn brydferth nes byddwn yn weddus i fod yn briodferch iddo.

Mae Jackie Pullinger, yr ydw i wedi cyfeirio ati'n barod, yn gweithio'n benodol gyda'r rhai sy'n gaeth i heroin a chyda phuteiniaid yn Hong Kong. Fe wnaeth Jackie gwrdd â dynes 72 oed o'r enw Alfreda a oedd wedi bod yn gaeth i heroin ac yn butain am chwe deg o flynyddoedd. Pan wnaeth Jackie gyfarfod â hi, roedd hi'n arfer eistedd y tu allan i buteindy drwy'r dydd mewn ardal o'r ddinas oedd wedi mynd â'i phen iddi. Fe fyddai'n chwistrellu heroin i'w chefn deirgwaith y dydd, gan fod ei choesau a'u breichiau wedi cael eu gorddefnyddio. Heb gerdyn adnabod, doedd hi ddim yn bodoli, hyd yn oed, o safbwynt llywodraeth Hong Kong. Rhoddodd ei bywyd i Grist a chafodd faddeuant. Aeth i fyw yn un o dai Jackie, ac wrth i Dduw ei gwella, dechreuodd newid.

Yn ddiweddarach, fe wnaeth hi gyfarfod dyn o'r enw Little Wa, a oedd yn saith deg pump oed, ac fe wnaethon nhw briodi. Disgrifiodd Jackie eu priodas fel 'priodas y degawd' oherwydd cerddodd Alfreda, a fu gynt yn butain ac yn gaeth i heroin, i lawr yr eil mewn gwyn, wedi ei glanhau, ei beiau wedi eu maddau ac wedi ei thrawsffurfio gan gariad Iesu Grist. I mi, mae hyn yn ddarlun o'r eglwys. Dim ond un ffordd sydd i'r eglwys, a hynny yw dweud: 'Duw, bydd yn drugarog tuag ataf fi, bechadur.' Pan fyddwn yn dweud hynny, mae Duw, drwy ei gariad, yn ymateb: 'Rwyt ti'n un o'm pobl. Rwyt ti'n rhan o'm teulu. Rwyt ti'n un o'm cynrychiolwyr; rwyt ti'n gorff i mi ar y ddaear. Rwyt ti'n deml sanctaidd; mae fy Ysbryd yn byw ynot ti. Rwyt ti'n briodferch i mi.'

SUT Y GALLAF WNEUD YN FAWR O WEDDILL FY MYWYD?

Dim ond un bywyd a gawn. Gallem ddymuno am ragor. Dywedodd D. H. Lawrence rywbeth fel, 'o na chawn i ddau fywyd. Y cyntaf i wneud fy nghamgymeriadau ... a'r ail i allu elwa arnynt.'[1] Ond nid rhagbrawf yw bywyd; rydym ar y llwyfan ar unwaith.

Hyd yn oed os ydym wedi gwneud camgymeriadau yn y gorffennol, gyda chymorth Duw mae'n bosibl gwneud rhywbeth gyda'r dyfodol. Sut y gallwn wneud yn fawr o weddill ein bywydau? Mae Paul yn dweud wrthym yn Rhufeiniaid 12:1–2 sut y gallwn wneud hyn:

> Am hynny, yr wyf yn ymbil arnoch, gyfeillion, ar sail tosturiaethau Duw, i'ch offrymu eich hunain yn aberth byw, sanctaidd a derbyniol gan Dduw. Felly y rhowch iddo addoliad ysbrydol. A pheidiwch â chydymffurfio â'r byd hwn, ond bydded ichwi gael eich trawsffurfio trwy adnewyddu eich meddwl, er mwyn ichwi allu canfod beth yw ei ewyllys, beth sy'n dda a derbyniol a pherffaith yn ei olwg ef.

Beth y dylem ei wneud?

Cefnu ar y gorffennol

Fel Cristnogion, rydym yn cael ein galw i fod yn wahanol i'r byd sydd o'n cwmpas. Mae Paul yn dweud wrthym am beidio â chydymffurfio â'r byd hwn (wrth ddweud hyn, roedd yn cyfeirio at y byd oedd wedi cau Duw allan). Neu, mewn geiriau eraill, 'Peidiwch â gadael i'r byd sydd o'ch cwmpas eich gwasgu i'w fowld ei hunan' fel y dehonglodd J. B. Phillips yr adnod hon. Nid yw hyn yn hawdd, gan fod pwysau arnom i gydymffurfio. Mae'n anodd iawn bod yn wahanol.

Roedd heddwas ifanc yn sefyll ei arholiad terfynol yng Ngholeg yr Heddlu yn Hendon, gogledd Llundain. Dyma un o'r cwestiynau:

Rydych chi'n patrolio ar gyrion Llundain pan mae prif bibell nwy yn ffrwydro mewn stryd gyfagos. Wrth archwilio, rydych yn gweld fod twll mawr wedi ymddangos yn y llwybr troed, ac mae fan wyneb i waered gerllaw. Y tu mewn i'r fan mae arogl cryf o alcohol. Mae'r ddau sydd yn y fan – dyn a dynes – wedi eu hanafu. Rydych yn gweld mai gwraig eich Arolygydd Adrannol, sydd ar hyn o bryd yn yr Unol Daleithiau, yw'r ddynes. Mae gyrrwr sy'n pasio yn aros i gynnig cymorth i chi, ac rydych yn sylweddoli ei fod yn un y bu'r heddlu'n ceisio dod o hyd iddo i'w holi am ladrad arfog. Yn sydyn, mae dyn yn rhedeg allan o dŷ cyfagos, yn gweiddi fod ei wraig yn disgwyl baban, a bod y sioc yn sgil y ffrwydrad wedi prysuro'r geni. Mae dyn arall yn gweiddi am help, ar ôl cael ei daflu i gamlas gyfagos gan y ffrwydrad, ac nid yw'n gallu nofio.

Gan gofio am ddarpariaethau'r Ddeddf Iechyd Meddwl, disgrifiwch pa gamau y byddech chi'n eu cymryd.

Pendronodd yr heddwas am ychydig, cododd ei feiro, ac ysgrifennodd: 'Byddwn yn tynnu fy lifrai ac yn ymuno â'r dorf.'

Gallwn gydymdeimlo â'i ateb. Fel Cristion, mae'n aml yn haws diosg y lifrai ac 'ymuno â'r dorf'. Ond rydym yn cael ein galw i barhau i fod yn hynod, i ddal gafael yn ein hunaniaeth Gristnogol, ym mha le bynnag y byddwn a beth bynnag yw'r amgylchiadau.

Mae Cristion yn cael ei alw i fod yn chwiler yn hytrach na chameleon. Mae chwiler yn bwpa sy'n troi'n bili-pala hardd. Mae cameleon yn fadfall sydd â'r gallu i newid ei liw: mae nifer yn gallu troi i wahanol fathau o wyrdd, melyn, hufen neu frown tywyll. Mae pobl yn credu eu bod nhw'n newid lliw i gyfateb i'w cefndir. Yn yr un modd, mae Cristnogion cameleonaidd yn ymdoddi i'w hamgylchfyd, yn fodlon bod yn Gristnogion yng nghwmni Cristnogion eraill, ond yn fodlon newid eu safonau mewn amgylchedd nad yw'n Gristnogol. Yn ôl un chwedl, cynhaliwyd arbrawf lle gosodwyd cameleon ar gefndir tartan, a gan na allai ddioddef y tensiwn, fe ffrwydrodd! Mae Cristnogion cameleonaidd yn profi tensiwn sydd bron yn annioddefol yn eu bywydau, ac yn wahanol i Gristnogion chwileraidd, nid ydynt yn cyrraedd eu potensial llawn.

Nid yw Cristnogion yn cael eu galw i ymdoddi i'w cefndiroedd, ond i fod yn wahanol. Nid yw bod yn wahanol yn golygu bod yn od. Nid oes yn rhaid i ni ddechrau gwisgo dillad rhyfedd neu siarad mewn iaith grefyddol ryfedd. Gallwn fod yn normal! Dylai cyfeillgarwch gyda Duw trwy Iesu Grist helpu pob un ohonom i ddod yn gyfan gwbl ddynol – yn bopeth yr oedd Duw wedi bwriadu i ni ei fod. Wrth feddwl am hynny, po fwyaf y down yn debyg i Iesu, y mwyaf normal y byddwn yn dod. Pan ddaeth yr athronydd o'r bedwaredd ganrif ar bymtheg, Søren Kierkegaard, yn Gristion, datganodd, 'Yn awr, gyda chymorth Duw, fe ddof yn fi fy hunan'.[2]

Pan yr ydym yn dilyn Crist, rydym yn rhydd i ddiosg patrymau ac arferion sy'n ein blino ni a phobl eraill. Er enghraifft, mae'n golygu na ddylem fwynhau siarad am bobl y tu ôl i'w cefnau. Mae'n golygu nad oes angen i ni dreulio ein hamser yn ochneidio a chwyno (os mai felly'r oeddem cyn hynny). Mae hefyd yn golygu ein bod yn rhydd i beidio â chydymffurfio â safonau'r byd o ran moesoldeb rhywiol. Efallai bod hyn yn swnio'n negyddol iawn, ond mewn gwirionedd, rhywbeth cadarnhaol ydyw. Yn hytrach na bod yn gwynwyr, dylem fod yn anogwyr, bob amser yn ceisio atgyfnerthu pobl eraill o'n cariad tuag atyn nhw. Yn hytrach nag ochneidio a chwyno, dylem fod yn ddiolchgar a llawen. Yn hytrach nag ymroi i anfoesoldeb rhywiol, dylem fod yn arddangos bendithion cadw safonau Duw.

Mae'r enghraifft olaf hon yn un maes lle mae Cristnogion yn cael eu galw i fod yn wahanol, ond y byddai nifer yn ei ystyried yn rhywbeth anodd. Yn fy mhrofiad o siarad am y ffydd Gristnogol, mae un pwnc sy'n codi dro ar ôl tro – y cwestiwn mawr am foesoldeb rhywiol. Y cwestiynau sy'n codi amlaf yn y maes hwn yw, 'Beth am ryw y tu allan i briodas? Ydi hynny'n anghywir? Ymhle mae hynny'n cael ei nodi yn y Beibl? Pam nad ydi hynny'n iawn?'

Mae patrwm Duw fan hyn, fel mewn mannau eraill, yn llawer gwell nag unrhyw batrwm arall. Duw a ddyfeisiodd briodas. Ef ddyfeisiodd ryw hefyd. Nid yw'n edrych i lawr mewn syndod, fel mae rhai yn ei feddwl, ac yn dweud, 'Wel wir, am beth fyddan nhw'n meddwl nesaf?' Nododd C. S. Lewis mai syniad Duw yw pleser, ac nid y diafol. Mae'r Beibl yn cadarnhau ein rhywioldeb ac yn dathlu agosatrwydd rhywiol: yng Nghaniad Solomon, rydym yn gweld y llawenydd, y mwynhad a'r bodlonrwydd a ddaw yn ei sgil.

Mae dyfeisiwr rhyw hefyd yn dweud wrthym sut y gellir ei fwynhau i'r eithaf. Cyd-destun Beiblaidd cyfathrach rywiol yw'r ymrwymiad gydol oes trwy briodas gan un dyn ac un ddynes. Amlinellir yr athrawiaeth Gristnogol yn Genesis 2:24 ac mae'n cael ei ddyfynnu gan Iesu ym Marc 10:7 - 'Dyna pam y bydd dyn yn gadael ei dad a'i fam ac yn glynu wrth ei wraig, a bydd y ddau yn un cnawd.' Mae priodas yn cynnwys y weithred gyhoeddus o adael rhieni a gwneud ymrwymiad gydol oes. Mae'n golygu 'uno' gyda'ch partner - mae'r gair Hebraeg yn golygu eich bod wedi 'glynu' wrth eich gilydd yn llythrennol - nid dim ond yn gorfforol a biolegol, ond yn emosiynol, yn seicolegol, yn ysbrydol ac yn gymdeithasol. Dyma gyd-destun Cristnogol yr undeb 'un cnawd'. Bwriad Duw yw bod plant yn cael eu magu mewn cyd-destun lle mae cariad, a thrwy hynny, ymrwymiad, yn bresennol. Athrawiaeth Feiblaidd priodas yw'r safbwynt mwyaf cyffrous, gwefreiddiol a chadarnhaol o briodas sy'n bod, ac o bosibl yr un mwyaf rhamantus. Mae'n gosod cynllun perffaith Duw ger ein bron.

Mae Duw yn rhybuddio am beryglon mynd y tu allan i'r ffiniau y mae wedi eu gosod, ac am anwybyddu'r cyfarwyddiadau. Nid oes y fath beth â 'rhyw achlysurol'. Mae pob cyfathrach rywiol yn effeithio ar undeb 'un cnawd' (1 Corinthiaid 6:13-20). Pan dorrir yr undeb hwn, mae pobl yn cael eu brifo. Os ydych yn gludo dau ddarn o gerdyn gyda'i gilydd ac yna'n eu tynnu ar wahân, gallwch glywed sŵn y rhwygo a gweld fod tameidiau o'r naill yn cael eu gadael ar y llall. Yn yr un modd, mae dod yn un cnawd ac yna cael eich rhwygo ar wahân yn gadael creithiau. Rydym yn gadael darnau wedi torri ohonom ein hunain mewn perthynas sy'n methu. O'n cwmpas, rydym yn gweld beth sy'n digwydd pan fydd safonau Duw yn cael eu hanwybyddu. Rydym yn gweld priodasau wedi methu, tor-calon, plant yn teimlo i'r byw, afiechydon rhywiol a bywydau'n llanast. Ar y llaw arall, mewn cymaint o briodasau Cristnogol lle mae safonau Duw yn cael eu cadw, rydym yn gweld y fendith yr oedd Duw yn bwriadu ei rhoi ar ryw a phriodas.

Wrth gwrs, nid yw hi byth yn rhy hwyr. Mae cariad Duw drwy Iesu yn gallu dod â maddeuant, gwella creithiau ac adfer cyfanrwydd i fywydau sydd wedi cael eu rhwygo ar wahân. Mae Iesu eisiau i ni adfer cyfanrwydd i'n bywydau a rhoi dechrau newydd i ni.

Felly, gadewch i ni beidio â chaniatáu i'r byd ein gwasgu i'w fowld. Gadewch i ni ddangos rhywbeth llawer iawn gwell i'r byd.

Dechrau o'r newydd

Mae Paul yn dweud y byddwn yn cael ein 'trawsffurfio' (Rhufeiniaid 12:2). Mewn geiriau eraill, byddwn fel y chwiler, sy'n newid i bili-pala hardd. Mae nifer yn ofni gweld newid yn eu bywydau: roedd dau lindysyn yn eistedd ar ddeilen, ac fe welson nhw bili-pala yn pasio. Trodd un at y llall a dweud, 'Weli di byth mohonof i yn mynd i fyny yn un o'r rheiny!' Dyna'r math o ofn sydd gennym wrth adael yr hyn sy'n gyfarwydd ar ein hôl.

Nid yw Duw yn gofyn i ni adael dim ar ein hôl sy'n dda. Ond mae'n gofyn i ni gael gwared â'r ysbwriel. Nes byddwn yn gadael yr ysbwriel ar ein hôl, ni allwn fwynhau'r pethau rhyfeddol sydd gan Dduw ar ein cyfer. Roedd dynes yn byw ar y stryd ac yn cerdded o amgylch ein plwyf. Byddai'n gofyn am arian ac yn ymateb yn ffyrnig tuag at y rhai oedd yn gwrthod gwneud hynny. Fe wnaeth hi gerdded ar hyd y strydoedd am flynyddoedd, gyda nifer o fagiau plastig i'w chanlyn. Pan fu farw, fe wnes i arwain yr angladd. Er nad oeddwn i'n disgwyl i unrhyw un fod yno, roedd nifer o bobl drwsiadus yn y gwasanaeth. Clywais yn ddiweddarach fod y ddynes hon wedi etifeddu cryn ffortiwn. Roedd hi wedi cael fflat foethus a nifer o baentiadau gwerthfawr, ond dewisodd fyw ar y strydoedd gyda'i bagiau plastig yn llawn ysbwriel. Nid oedd hi wedi gallu troi cefn ar ei ffordd o fyw, ac ni chafodd fwynhau ei hetifeddiaeth.

Fel Cristnogion rydym wedi etifeddu llawer yn rhagor – holl gyfoeth Crist. Er mwyn mwynhau'r cyfoeth hwn, mae'n rhaid i ni adael ysbwriel ein bywydau ar ein hôl. Mae Paul yn dweud wrthym: 'casewch ddrygioni' (adnod 9). Dyma beth sy'n rhaid ei adael ar ôl.

Yn yr adnodau dilynol (Rhufeiniaid 12:9-21) rydym yn cael cipolwg ar rai o'r trysorau hynny sydd i'w mwynhau:

> Bydded eich cariad yn ddiragrith. Casewch ddrygioni. Glynwch wrth ddaioni. Byddwch wresog yn eich serch at eich gilydd fel cymdeithas. Rhowch y blaen i'ch gilydd mewn parch. Yn ddiorffwys eich ymroddiad, yn frwd eich ysbryd, gwasanaethwch yr Arglwydd. Llawenhewch mewn gobaith. Safwch yn gadarn dan orthrymder. Daliwch ati i weddïo. Cyfrannwch at reidiau'r saint, a byddwch barod eich lletygarwch. Bendithiwch y rhai sy'n eich erlid, bendithiwch heb felltithio byth. Llawenhewch gyda'r rhai sy'n llawenhau, ac wylwch gyda'r rhai sy'n wylo. Byddwch yn gytûn ymhlith eich gilydd. Gochelwch feddyliau mawreddog; yn hytrach, rhodiwch gyda'r distadl. Peidiwch â'ch cyfrif eich hunain yn ddoeth.

Peidiwch â thalu drwg am ddrwg i neb. Bydded eich amcanion yn anrhydeddus yng ngolwg pawb. Os yw'n bosibl, ac os yw'n dibynnu arnoch chwi, daliwch mewn heddwch â phawb. Peidiwch â mynnu dial, gyfeillion annwyl, ond rhowch ei gyfle i'r digofaint dwyfol, fel y mae'n ysgrifenedig: "Myfi piau dial, myfi a dalaf yn ôl,' medd yr Arglwydd." Yn hytrach, os bydd dy elynion yn newynu, rho fwyd iddynt; os byddant yn sychedu, rho iddynt beth i'w yfed. Os gwnei hyn, byddi'n pentyrru marwor poeth ar eu pennau. Paid â goddef dy drechu gan ddrygioni. Trecha di ddrygioni â daioni.

Cariad diffuant

Mae'r gair Groeg am 'ddiffuantrwydd' yn golygu 'heb ragrith', neu'n llythrennol 'heb chwarae smalio' neu 'heb fwgwd'. Yn aml, mae sawl perthynas yn y byd yn eithaf arwynebol. Mae pawb ohonom yn rhoi gwên deg i amddiffyn ein hunain. Pan welwn lywodraethau yn gwneud hyn, rydym yn ei alw'n 'sbin'. Pan fyddwn yn ei wneud ein hunain, rydym yn ei alw'n 'ddelwedd'; rydym yn cyfleu rhywbeth. Roeddwn i'n sicr yn gwneud hyn cyn i mi ddod yn Gristion (ac fe wnaeth hynny barhau i raddau ar ôl hynny – er na ddylwn fod wedi gwneud hynny). Mewn gwirionedd, roeddwn i'n dweud 'Nid ydw i'n hoff iawn o'r hyn ydw i, felly fe wnaf i gymryd arnaf fy mod i'n rhywun gwahanol.'

Os yw pobl eraill yn gwneud yr un peth, yna mae dau 'ffrynt' neu 'fwgwd' yn cyfarfod. Nid yw'r bobl go iawn byth yn cyfarfod. Dyma'r gwrthwyneb i 'gariad diffuant'. Mae cariad diffuant yn golygu diosg ein mygydau a mentro datguddio pwy ydym. Pan fyddwn yn gwybod fod Duw yn ein caru fel yr ydym, rydym yn cael rhyddid i ddiosg ein mygydau. Mae hyn yn golygu bod dyfnder a dilysrwydd cwbl newydd yn ein perthynas ag eraill.

Brwdfrydedd dros Dduw

Weithiau, mae pobl yn ddrwgdybus o frwdfrydedd, ond nid oes unrhyw beth o'i le arno. Mae llawenydd a chyffro, 'yn frwd eich ysbryd' (adnod 11) yn dod o'n perthynas â Duw. Mae'r profiad cychwynnol hwn o Grist i fod i barhau, a pheidio ag edwino.

Mae rhai pobl yn cael profiad cychwynnol anhygoel o Grist. Ni fydd rhai yn teimlo unrhyw beth, a bydd rhai pobl yn cael anawsterau mawr. Er hynny, yr hyn sy'n cyfrif o ddifrif yw lle maen nhw arni yn eu perthynas â Duw mewn deg mlynedd. Yn debyg i briodas, y tymor hir sydd bwysicaf. Nid yw'n bwysig pa un ai a ydych chi'n cael mis mêl gwych. Mae rhai wrth eu bodd, ond eraill ddim yn cael yr un profiad. Rwy'n adnabod un cwpwl a gafodd losg haul mor ddrwg fel nad oedden nhw'n gallu cyffwrdd â'i gilydd am y bythefnos gyfan! Fe wnes i gyfarfod rhywun yn ddiweddar a ddywedodd wrthyf fod ei nain a'i daid wedi mynd ar gwch camlas ar gyfer eu mis mêl. Ar y noson gyntaf, fe wnaeth y cwch suddo; roedd yn rhaid iddyn nhw ddianc ac yna mynd adref ar y bws! Ond 63 o flynyddoedd yn ddiweddarach maent yn briod o hyd; dyna sy'n bwysig. Mae Paul yn dweud, 'Yn ddiorffwys eich ymroddiad, yn frwd eich ysbryd, gwasanaethwch yr Arglwydd.' Po hiraf rydym wedi bod yn Gristnogion, y mwyaf brwdfrydig y dylem fod.

Perthynas gydnaws

Mae Paul yn annog Cristnogion i fyw'n gydnaws â'i gilydd a bod yn hael (adnod 13), yn groesawgar (adnod 13), yn faddeugar (adnod 14), yn llawn empathi (adnod 15), a byw mewn cytgord â phawb (adnod 18). Mae'n ddarlun gogoneddus o'r teulu Cristnogol y mae Duw yn ein galw i fod yn rhan ohono, yn ein cymell i awyrgylch o gariad, hapusrwydd, amynedd, ffyddlondeb, haelioni, lletygarwch, bendith, llawenydd, cytgord, gwyleidd-dra a thangnefedd, lle nad yw daioni yn cael ei drechu gan ddrygioni, ond lle mae drygioni yn cael ei drechu gan ddaioni. Dyma rai o'r trysorau sy'n ein disgwyl pan fyddwn yn gadael yr ysbwriel ar ein hôl.

Sut rydym yn gwneud hynny?

'Offrymwch eich hunain...'

Mae hyn yn gofyn am wneud rhywbeth o'n hewyllys ein hunain. Mae Paul yn gorchymyn, ar sail tosturiaethau Duw, i ni offrymu ein hunain yn aberth byw, sanctaidd a derbyniol gan Dduw. (Rhufeiniaid 12:1). Mae Duw eisiau i ni gynnig y cyfan ohonom a'n holl fywydau.

Yn gyntaf, rydym yn cynnig ein hamser. Ein hamser yw'r peth mwyaf gwerthfawr sydd gennym, ac mae angen i ni roi'r cyfan ohono i Dduw. Nid yw hyn yn golygu ein bod yn treulio'r cyfan ohono yn gweddïo ac yn astudio'r Beibl, ond ein bod yn caniatáu i'w flaenoriaethau gael eu sefydlu yn ein bywydau. Mae'n hawdd cael ein blaenoriaethau yn y drefn anghywir. Gwelwyd hysbyseb mewn papur newydd unwaith: 'Ffermwr yn chwilio am ddynes gyda thractor, gyda golwg ar fod yn gymar a phriodi, o bosibl. Anfonwch lun – o'r tractor.'

Un o'r pethau sy'n digwydd pan fyddwn yn rhoi popeth i Dduw yw bod pobl yn dod yn llawer mwy pwysig nag eiddo. Ein perthynas ag eraill ddylai gael blaenoriaeth, a'n prif flaenoriaeth yw ein perthynas â Duw. Mae dechrau'r diwrnod drwy ddarllen y Beibl a gweddïo yn cael effaith ar weddill y diwrnod bob amser. Mae angen i ni neilltuo amser i fod ar ein pen ein hunain gydag ef. Yn ogystal, mae angen i ni neilltuo amser i fod gyda Christnogion eraill – ar y Sul ac o bosibl mewn cyfarfodydd ganol wythnos, lle gallwn annog ein gilydd.

Yn ail, mae angen i ni gynnig ein dyheadau i Dduw, gan ddweud wrtho, 'Arglwydd, rydw i'n ymddiried fy nyheadau i ti, ac yn eu trosglwyddo i ti.' Mae'n gofyn i ni geisio ei deyrnas a'i gyfiawnder fel ein dyhead pennaf, ac yna mae'n addo cwrdd â'n holl anghenion eraill (Mathew 6:33). Nid yw hyn o angenrheidrwydd yn golygu fod ein dyheadau blaenorol yn diflannu; mae nhw'n dod yn eilradd i ddyheadau Crist ar ein cyfer. Nid oes unrhyw beth o'i le gydag eisiau bod yn llwyddiannus yn ein gwaith, os mai ein cymhelliant ym mhopeth yw ceisio ei deyrnas a'i gyfiawnder, ac ein bod yn defnyddio'r hyn sydd gennym er gogoniant iddo.

Yn drydydd, mae angen i ni gynnig ein heiddo a'n harian iddo. Yn y Testament Newydd, nid oes gwaharddiad ar eiddo preifat, ar wneud arian, ar gynilo na hyd yn oed mwynhau pethau da bywyd. Yr hyn sy'n cael ei wahardd yw crynhoi pethau'n hunanol i ni ein hunain, a bod ag obsesiwn afiach â phethau materol a rhoi ein hymddiriedaeth mewn cyfoeth. Mae'r hyn sy'n addo sicrwydd yn arwain at ansicrwydd parhaol, ac yn ein harwain ni oddi wrth Dduw (Mathew 7:9–24). Rhoi'n hael yw'r ymateb priodol i haelioni Duw ac i anghenion pobl eraill o'n cwmpas. Yn ogystal, dyma'r ffordd orau o dorri'r gafael sydd gan fateroliaeth ar ein bywydau.

Yn nesaf, mae angen i ni roi ein clustiau iddo – a ydym yn gwrando ar glecs, ynteu a ydym yn moeli ein clustiau i glywed yr hyn y mae Duw yn ei ddweud wrthym drwy'r Beibl, trwy weddi, trwy lyfrau a sgyrsiau ac ati? Rydym yn cynnig ein llygaid iddo a'r hyn rydym yn ei weld. Unwaith eto, gall rhai pethau yr ydym yn edrych arnynt ein niweidio trwy eiddigedd, chwant neu bechod arall. Gall pethau eraill ein harwain yn nes at Dduw. Yn hytrach na beirniadu'r bobl rydym yn eu cyfarfod, dylem eu gweld trwy lygaid Duw, a gofyn, 'Sut allaf fod yn fendith i'r unigolyn hwn?'

Yna, mae angen i ni roi ein cegau iddo. Mae'r apostol Iago yn ein hatgoffa bod y tafod yn offeryn grymus (Iago 3:1-12). Faint o bobl sy'n gallu cofio rhywbeth a ddywedwyd wrthynt yn yr ysgol, neu gan riant, sydd wedi cael dylanwad negyddol ar eu holl fywyd? A ydym yn defnyddio ein tafodau i dwyllo, rhegi, hel clecs, tynnu sylw at ein hunain, ynteu i ganmol pobl eraill?

Ymhellach, rydym yn cynnig ein dwylo iddo. A ydym yn defnyddio ein dwylo'n dreisgar neu er mwyn cymryd pethau i ni ein hunain? Ynteu a ydym yn eu defnyddio i roi a gwasanaethu?

Yn olaf, rydym yn cynnig ein rhywioldeb iddo ef – a ydym yn ei ddefnyddio i fodloni ein hunain, neu a ydym yn ei gadw er lles a phleser ein partner priodasol?

Ni allwn ddewis a dethol. Mae Paul yn dweud, 'Cyflwynwch eich cyrff'

– hynny yw, pob rhan ohonom. Wrth i ni roi popeth iddo ef, y paradocs eithriadol yw ein bod yn dod o hyd i ryddid. Mae byw i ni ein hunain yn gaethwasiaeth; ond mae ei 'wasanaeth yn wir fraint' (fel y dywed y *Llyfr Gweddi Gyffredin*).

'...yn aberth byw'

Fe fydd cost ynghlwm wrth hyn i gyd. Fe allai gynnwys rhywfaint o aberth. Fel y dywedodd yr esboniwr William Barclay, 'Nid dod i wneud bywyd yn hawdd wnaeth Iesu, ond i wneud dynion yn wych.'[3] Mae'n rhaid i ni baratoi i ddilyn llwybr Duw, ac nid ein llwybr ein hunain. Mae'n rhaid i ni fod yn barod i roi'r gorau i unrhyw beth yn ein bywyd rydym yn gwybod ei fod yn anghywir, a gwneud pethau'n iawn pan fydd angen adferiad, ac mae angen i ni fod yn barod i chwifio'i faner mewn byd a allai fod yn anghyfeillgar at y ffydd Gristnogol.

Mewn sawl rhan o'r byd, mae bod yn Gristion yn cynnwys erledigaeth gorfforol. Fe wnaeth mwy o Gristnogion farw dros eu ffydd yn yr ugeinfed ganrif na'r un ganrif o'i blaen. Mae eraill yn cael eu carcharu a'u poenydio. Rydym ni, yn y byd rhydd, yn ddigon breintiedig i fyw mewn cymdeithas lle nad yw Cristnogion yn cael eu herlid. Prin ei bod yn werth sôn am y feirniadaeth a'r gwawd a allem eu hwynebu o'u cymharu â dioddefaint yr Eglwys Fore a'r eglwys sy'n cael ei herlid heddiw.

Er hynny, gallai ein ffydd olygu aberth. Er enghraifft, mae gennyf ffrind y gwnaeth ei rieni droi eu cefnau arno pan ddaeth yn Gristion. Rwy'n adnabod cwpl y bu'n rhaid iddyn nhw werthu eu cartref gan eu bod yn teimlo, fel Cristnogion, fod yn rhaid iddyn nhw roi gwybod i Gyllid y Wlad nad oedden nhw wedi bod yn gwbl onest ar eu ffurflenni treth dros y blynyddoedd.

Roedd gen i ffrind da oedd yn cysgu gyda'i gariad cyn iddo ddod yn Gristion. Pan ddechreuodd edrych ar y ffydd Gristnogol, sylweddolodd y byddai'n rhaid i hyn newid os oedd am roi ei ffydd yng Nghrist. Am sawl mis, bu'r mater yn pwyso arno. Yn y pen draw, fe wnaeth ef a'i gariad ddod yn Gristnogion a phenderfynu na fyddent yn cysgu gyda'i gilydd o hynny ymlaen. Am sawl rheswm, nid oeddent mewn sefyllfa i briodi am ddwy flynedd a hanner arall. Roedd yn rhaid iddynt aberthu rhywbeth, er nad oeddent yn ei ystyried felly. Mae Duw wedi eu bendithio'n helaeth gyda phriodas hapus a phedwar o blant hyfryd. Ond ar y pryd, roedd eu penderfyniad wedi costio iddynt.

Pam y dylem ei wneud?

Beth mae Duw wedi ei gynllunio ar gyfer ein dyfodol

Mae Duw yn ein caru ac eisiau'r gorau i ni yn ein bywydau. Mae eisiau i ni ymddiried ein bywydau iddo fel y gallwn 'ganfod beth yw ei ewyllys, beth sy'n dda a derbyniol a pherffaith yn ei olwg ef.' (Rhufeiniaid 12:2).

Weithiau rwy'n meddwl mai prif waith y diafol yw rhoi golwg anghywir i bobl ar Dduw. Mae'r gair Hebraeg am 'Satan' yn golygu 'celwyddgi'. Mae'n athrodi Duw, gan ddweud wrthym na ellir ymddiried ynddo. Mae'n dweud wrthym fod Duw yn tarfu ar hwyl pobl, a'i fod eisiau difetha ein bywydau. Yn aml, rydym yn credu'r celwyddau hyn. Os ydym yn ymddiried ein bywydau i'n Tad yn y nefoedd, rydym yn meddwl y bydd yn mynd â phob mwynhad o'n bywydau. Dychmygwch riant daearol yn ymddwyn felly. Bwriwch fod un o fy meibion yn dod ataf ac yn dweud, 'Dad, rydw i eisiau rhoi fy niwrnod i ti, i'w dreulio sut bynnag rwyt ti'n dymuno i mi ei wneud.' Wrth gwrs, ni fyddwn yn dweud, 'Reit, dyma'r foment rydw i wedi bod yn aros amdani ers tro. Fe gei di dreulio'r diwrnod dan glo mewn cwpwrdd!'

Mae'n afresymol hyd yn oed ystyried y byddai Duw yn ein trin yn salach na rhiant dynol. Mae'n ein caru yn fwy nag unrhyw riant dynol, ac eisiau'r gorau un i ni yn ein bywydau. Mae ei ewyllys tuag atom yn dda. Mae eisiau'r gorau un (fel sy'n wir am bob rhiant da). Mae'n foddhaus – bydd ef a ninnau wrth ein bodd yn y pen draw. Mae'n berffaith – ni fyddwn yn gallu ei wella.

Er hynny, mae'n drist gorfod dweud fod pobl yn aml yn teimlo eu bod nhw'n gallu gwella'r sefyllfa. Mae nhw'n meddwl, 'Mae Duw braidd yn hen-ffasiwn'. Nid yw wedi gallu addasu i'r byd modern a'r pethau rydym yn eu mwynhau. Dwi'n meddwl y gwnaf redeg fy mywyd fy hun a chadw Duw draw yn ddigon pell.' Ond ni allwn fyth wneud yn well na Duw, ac weithiau rydym yn gwneud llanast ofnadwy.

Cafodd un o'm meibion waith cartref a oedd yn cynnwys llunio hysbyseb ar gyfer marchnad caethweision Rhufeinig. Roedd yn rhan o brosiect ysgol, a threuliodd y rhan fwyaf o'r penwythnos yn ei wneud. Ar ôl iddo orffen y llun ac ysgrifennu'r holl arysgrifau, roedd eisiau iddo edrych fel pe bai'n 2,000 o flynyddoedd oed. Roedd wedi cael gwybod mai'r ffordd o wneud hynny oedd dal y papur dros fflam nes byddai'n troi'n frown, sy'n rhoi'r argraff ei fod yn hen. Mae'n dasg eithaf anodd i rywun naw mlwydd oed, felly cynigiodd fy ngwraig Pippa helpu - sawl gwaith - ond ni allai ei berswadio y byddai'n syniad iddi hi ei helpu. Roedd yn mynnu gwneud y cyfan ei hun. Y canlyniad oedd bod yr hysbyseb wedi llosgi'n ulw, a bod dagrau rhwystredigaeth wedi llifo a balchder wedi ei glwyfo.

Nid yw rhai pobl eisiau unrhyw help - nid ydynt yn fodlon ymddiried yn Nuw, ac yn aml mae'r cyfan yn arwain at ddiwedd trist. Ond mae Duw yn rhoi ail gynnig i ni. Aeth fy mab ati i wneud y poster eto, a'r tro hwn fe wnaeth ymddiried yn Pippa i wneud y gwaith gofalus dros fflamau. Os gwnawn ymddiried ein bywydau i Dduw, yna fe wnaiff ef ddangos i ni beth yw ei ewyllys – beth sy'n dda a derbyniol a pherffaith yn ei olwg ef.

Beth mae Duw wedi ei wneud drosom ni

Nid yw'r aberthau bychan y mae'n gofyn i ni eu gwneud yn ddim pan fyddwn yn eu cymharu â'r aberth a wnaeth Duw drosom. Dywedodd C. T. Studd, un o gapteiniaid tîm criced Lloegr yn y bedwaredd ganrif ar bymtheg, a drodd ei gefn ar gyfoeth a chysur (a chriced) i wasanaethu Duw yng nghanol Tsieina, 'Os Iesu Grist yw Duw, a'i fod wedi marw drosof i, nid oes unrhyw beth yn rhy anodd i mi ei wneud drosto ef.'[4] Mae awdur yr Epistol at yr Hebreaid yn ein hannog i 'redeg yr yrfa sydd o'n blaen heb ddiffygio, gan gadw ein golwg ar Iesu, awdur a pherffeithydd ffydd. Er mwyn y llawenydd oedd o'i flaen, fe oddefodd ef y groes heb ddiffygio, gan ddiystyru gwarth, ac y mae wedi eistedd ar ddeheulaw gorseddfainc Duw. (Hebreaid 12:1-2).

Wrth i ni edrych ar Iesu, unig fab Duw a 'oddefodd y groes', rydym yn gweld cymaint y mae Duw yn ein caru. Mae'n afresymol peidio ag ymddiried ynddo. Os yw Duw yn ein caru gymaint, gallwn fod yn sicr na fydd yn cadw unrhyw beth da oddi wrthym. Ysgrifennodd Paul, 'Nid arbedodd Duw ei Fab ei hun, ond ei draddodi i farwolaeth trosom ni oll. Ac os rhoddodd ei Fab, sut y gall beidio â rhoi pob peth i ni gydag ef?' (Rhufeiniaid 8:32). Ein cymhelliant dros fyw'r bywyd Cristnogol yw cariad y Tad. Ein model mewn bywyd yw esiampl y Mab. Y ffordd yr ydym y gallu byw'r bywyd hwn yw grym yr Ysbryd Glân.

Mor fawr yw Duw, ac mae hi'n gymaint o fraint bod mewn perthynas gydag ef, cael ei garu ganddo ef a'i wasanaethu ef gydol ein bywydau. Dyma'r ffordd orau, fwyaf gwobrwyol, boddhaus, ystyrlon a bodlon o fyw. Yn wir, dyma lle rydym yn dod o hyd i atebion i gwestiynau mawr bywyd.

ÔL-NODIADAU

Pennod 1

1. Ronald Brown (gol.), *Bishop's Brew* (Arthur James Ltd, 1989).

2. Barack Obama, *The Audacity of Hope: Thoughts on reclaiming the American Dream* (Canongate Books Ltd, 2008), t.202.

3. Gyda chaniatâd caredig Bernard Levin.

4. Ibid.

5. Leo Tolstoy, *A Confession and Other Religious Writings* (Penguin, 1988).

6. C.S. Lewis, 'Timeless at Heart' yn *Christian Apologetics* (Fount, 2000).

7. Francis Collins, *The Language of God* (Free Press, 2006).

8. Alexander Solzhenitsyn, *The Gulag Archipelago, 1918–1956: An Experiment in Literary Investigation –Volume One* (Basic Books, 1997).

9. Dyfynnwyd gan Philip Yancey, *What's So Amazing About Grace* (Zondervan, 1997), t.279.

10. *The Sunday Times*, 22 Medi 2001.

11. Paul Tillich, *Writings on Religion*, gol. Robert P. Scharlemann (Walter de Gruyter, 1987), t.160.

Pennod 2

1. Joseffws, *Antiquities*, XVIII 63f. Hyd yn oed os yw'r testun wedi cael ei lygru, fel mae rhai'n ei awgrymu, mae tystiolaeth Joseffws er hynny'n cadarnhau bodolaeth hanesyddol Iesu.

2. F.F. Bruce, *The New Testament Documents: Are They Reliable?* intro. N. T. Wright (Eerdmans, 2003), t.11.

3. F.J.A. Hort, *The New Testament in the Original Greek*, Cyfrol I (Macmillan, 1956), t.561.

4. Sir Frederic Kenyon, *The Bible and Archaeology* (Harper and Row, 1940).

5. Os oes gennych ddiddordeb mewn olrhain hanesyddiaeth yr Efengyl, byddwn yn argymell eich bod yn darllen N. T. Wright, *Jesus and the Victory of God* (SPCK, 1996) neu gyfrol Craig Blomberg, *The Historical Reliability of the Gospels* (IVP Academic, 2007).

6. C.S. Lewis, *Mere Christianity* (Fount, 1952).

7. Ibid.

8. Bernard Ramm, *Protestant Christian Evidences* (Moody Press, 1971).

9. Gyda chaniatâd caredig Bernard Levin.

10. Fe wnaeth tîm o arbenigwyr meddygol gynnal astudiaeth fanwl o effeithiau corfforol y driniaeth y bu'n rhaid i gorff Iesu ei ddioddef yn seiliedig ar fanylion amgylchiadol o'r fath, gan ddod i'r casgliad y byddai sioc hypofolemig a mygu trwy flinder yn golygu y byddai'n amhosibilrwydd meddygol i Iesu fod yn fyw pan gafodd ei dynnu oddi ar y groes (mae adroddiad am yr astudiaeth yn *Journal of the American Medical Association*, Cyfrol 255, 21 Mawrth 1986).

11. Josh McDowell, *The Resurrection Factor* (Here's Life Publishers, 1981).

12. Michael Green, *Man Alive!* (IVP, 1968).

13. Sir Arthur Conan Doyle, *The Sign of Four* (Penguin, 2001).

14. C.S. Lewis, *Mere Christianity* (Fount, 1952): llyfr II, adran 4, paragraff 1

Pennod 3

1. Raniero Cantalamessa, *Life in Christ* (Vineyard Publishing, 1997) t.7.

2. Jeffrey Myers, *Somerset Maugham* (University of Michigan Press, 2004), t.347.

3. Bishop J.C. Ryle, *Expository Thoughts on The Gospel*, Cyfrol. III, Ioan 1:1–Ioan 10:30 (Evangelical Press, 1977).

4. John Stott, *The Cross of Christ* (IVP, 1996). Gweler hefyd *Catecism yr Eglwys Gatholig*, Pennod 2, llinell 444, paragraff 615, dan y teitl: 'Jesus substitutes his obedience for our disobedience'. Trwy fod yn ufudd hyd farwolaeth, cyflawnodd Iesu ran y gwas dioddefus, sy'n cynnig ei hun yn aberth dros bechod, pan gymerodd bechod nifer, ac a fydd yn gwneud i nifer gael eu cyfrif yn gyfiawn, gan y bydd yn cymryd y gosb am eu camweddau.

5. Raniero Cantalamessa, *Life in Christ* (Vineyard Publishing, 1997) tt.52–3.

6. Rydym yn ymdrin â chysyniadau crefyddol gan ddefnyddio trosiadau a damhegion. Nid oes un trosiad arloesol ar gyfer yr Iawn, dim un dameg sy'n cynnwys y cyfan. Mae'r cyfan yn frasamcanion, ac yn debyg i radiysau cylch, yn cyrraedd yr un pwynt canolog heb gyffwrdd ag ef yn union.

7. John Wimber, *Equipping the Saints Cyfrol 2*, Rhif 2, Gwanwyn 1988 (Vineyard Ministries, 1988).

Pennod 4

1. Lesslie Newbigin, *Foolishness to the Greeks* (SPCK, 1986), t.127.

2. C.S. Lewis, *The Last Battle* (HarperCollins, 1956).

Pennod 5

1. Andrew Murray, *Believer's Secret of the Masters Indwelling* (Bethany House Publishing, 1986).

2. C.S. Lewis, *Weight of Glory* (HarperOne, 2001).

3. Os hoffech ddarllen rhagor am y pwnc, rydw i'n argymell cyfrol Pete Greig, *God on Mute* (Kingsway, 2007).

Pennod 6

1. Gweler cyfrol John Micklethwait ac Adrian Wooldridge, *God is Back: How the Global Rise of Faith is Changing the World* (Allen Lane, 2009), t.177 a t.266.

2. Stanley Baldwin, *This Torch of Freedom* (Ayer Publishing, 1971), t.92.

3. Dyfynnwyd yn Narlith Goffa Alister McGrath i'r Latimer Trust, 2005.

4. Os hoffech ddarllen rhagor am y pwnc, gallech droi at gyfrolau Nicky Gumbel, *Searching Issues* (Kingsway, 2002) ac *Is God a Delusion?* (Alpha International, 2008).

5. Albert Einstein, *Ideas and Opinions* (Crown Publishers, Inc., 1954).

6. John W. Wenham, *Christ and the Bible* (Tyndale: USA, 1972).

7. *Dei Verbum*, Pennod 3, 11.

8. John Pollock, *Billy Graham: The Authorised Biography* (Hodder & Stoughton, 1966).

9. Yr Esgob Stephen Neill, *The Supremacy of Jesus* (Hodder & Stoughton, 1984).

10. Rick Warren, *The Purpose-Driven Life* (Zondervan, 2002) t.186.

11. Os hoffech gael help i ddechrau darllen y Beibl, trowch at gyfrol Nicky Gumbel, *30 Days* (Alpha International, 1999) neu nodiadau eraill ar ddarllen y Beibl.

Pennod 7

1. Philip Yancey a Paul Brand, *In the Likeness of God* (Zondervan, 2004) t.218.

2. J.I. Packer, *Knowing God* (Hodder & Stoughton, 1973).

3. Michael Burdeaux, *Risen Indeed* (Darton, Longman & Todd, 1983).

4. Oscar Wilde, *The Importance of Being Earnest and Other Plays* gol. Richard Allen Cave (London, Penguin Classics, 2000) t.147.

Pennod 8

1. Mae synnwyr ychydig yn hen-ffasiwn y gair 'ysbryd' yn y cyd destun hwn yn rhannu'r un gwreiddyn â'r gair Almaeneg 'geist' (fel yn y gair 'zeitgeist').

2. Dyma fy addasiad i o'r hanes a draddododd Charles Marsh yn *The Beloved Community: How Faith shapes Social Justice from the Civil Rights Movement to Today* (New York: Basic Books, 2005).

Pennod 9

1. Corrie ten Boom and Jamie Buckingham, *Tramp for the Lord* (CLC, 1974), t.55.

2. F.W. Bourne, *Billy Bray: The King's Son* (Epworth Press, 1937).

3. Y Pab Ioan Paul II, *You Have Received a Spirit of Sonship* (Vatican City, 1993).

4. J. Hopkins a H. Richardson (goln), *Anselm of Canterbury, Proslogion cyfrol I* (SCM Press, 1974).

5. Malcom Muggeridge, *Conversion* (Collins, 1988).

6. Richard Wurmbrand, *In God's Underground* (Hodder & Stoughton, 1977).

7. *Discourses III*.13

8. Jürgen Moltmann, *The Church in the Power of the Spirit* (Fortress Press, 1993), t.297.

9. Murray Watts, *Rolling in the Aisles* (Monarch Publications, 1987).

Pennod 10

1. Bu cryn drafod yn ystod yn blynyddoedd diwethaf a ddylai'r profiad hwn o'r Ysbryd Glân gael ei ddisgrifio fel 'bedydd', 'llenwi', 'rhyddhau', 'grymuso' neu ymadrodd arall. Yr hyn sy'n glir yw fod angen profiad o bŵer yr Ysbryd Glân yn ein bywydau. Yn bersonol, rydw i'n teimlo mai 'llenwi gyda'r Ysbryd Glân' sydd fwyaf triw i'r Testament Newydd, ac rwyf wedi defnyddio'r ymadrodd hwnnw yn y bennod hon.

2. Martyn Lloyd-Jones, *Romans*, cyfrol VIII (Banner of Truth, 1974).

3. Awstin Sant, *The Confessions*, cyfieithiad R. S. Pine-Coffin (Penguin Classics, 1961), t.21.

4. John Wimber a Kevin Springer (goln), *Riding the Third Wave* (Marshall Pickering, 1987).

Pennod 11

1. Alan MacDonald, *Films in Close Up* (Frameworks, 1991).

2. Michael Green, *I Believe in Satan's Downfall* (Hodder & Stoughton, 1981)

3. C.S. Lewis, *The Screwtape Letters* (Fount, 1942).

4. C.S. Lewis, *The Great Divorce* (Fontana, 1974), t.113.

Pennod 13

1. Mae gan y ddau ymadrodd yr un ystyr. Roedd 'Nefoedd' yn fynegiant Iddewig cyffredin i gyfeirio at Dduw heb grybwyll yr enw dwyfol. Cefndir Iddewig Efengyl Mathew, o'i chymharu â naws byd y cenedl-ddynion sydd yn Efengylau Luc a Marc, sydd o bosibl yn egluro'r defnydd gwahanol.

2. Raniero Cantalamessa, *Come Creator Spirit* (The Liturgical Press, 2003), t.277.

3. Rai blynyddoedd yn ôl, fe wnaeth Dr Rex Gardner, Cymrawd yng Ngholeg Brenhinol yr Obstetryddion a'r Gynaecolegwyr, archwilio cyfres o achosion lle cafwyd honiadau bod gwyrthiau iacháu wedi digwydd. Dyma oedd ei gasgliad: 'Mae gonestrwydd deallusol yn mynnu (ar ôl peidio â chyfrif achosion gyda diagnosis amheus, y rhai lle mae ystyriaethau seicosomatig yn bwysig, ac eraill lle byddai modd priodoli'r gwellhad i therapi meddygol cynorthwyol neu lle gallai gwellhad digymell fod yn eglurhad) fod rhai achosion lle nad oes modd egluro'n feddygol sut y cafwyd gwellhad ...Yn yr achosion hyn, ni ellir diystyru y cysylltiad cyson rhyngddynt â gweddi ar Dduw. Ni ellir ei ystyried fel dim ond 'hwb' seicolegol, chwaith, oherwydd ni fyddai modd datrys rhai o'r achosion gydag esboniad seicosomatig... O ran niferoedd absoliwt [yr achosion o iachâd naturiol] mae'n ymddangos bod nifer cymharol gynyddol o'r rhain wrth i ragor o eglwysi ddod yn agored i'r rhan hwn o waith Duw; ac o ran y canrannau, mae rhagor yn cael eu hiacháu wrth i'r Ysbryd Glân gael lle i ddatblygu gweinidogaethau mewn brawdoliaethau lleol.' R.F.R. Gardner, *Healing Miracles: A Doctor Investigates* (Darton, Longman and Todd, 1986), t. 205–206.

Pennod 14

1. Mae graddfa a lleoliad erlid Cristnogion o amgylch y byd yn newid yn barhaus. Am ragor o wybodaeth a manylion am sut i gefnogi a gweddïo dros y rhan hon o'r eglwys, gweler, er enghraifft, www.opendoorsuk.org

2. David Watson, *I Believe in the Church* (Hodder & Stoughton, 1978).

3. Gordon Fee, Paul, *The Spirit and the People of God* (Hodder & Stoughton, 1997).

Pennod 15

1. James T. Boulton (gol.), *The Selected Letters of D. H. Lawrence* (Cambridge University Press, 2000), t.396.

2. Søren Kierkegaard, *Papers and Journals*, gol. Alastair Hannay (Penguin Classics, 1996), t.295.

3. William Barclay, *The Parables of Jesus* (Westminster John Knox Press, 1999), t.221.

4. Norman P. Grubb, *C. T. Studd, Cricketer and Pioneer* (CLC, 1985), t.141.